D1545054

A la sombra de mi abuelo

A la sombra de mi abuelo

AÍDA Trujillo

No soy quien para juzgarte… Si he querido conocer tu verdadera historia es para, conociéndola, seguir queriéndote…

© 2015. Aída Trujillo
Fotografía de la autora: Rafael L. Trujillo
Fotografías de portada: Archivo gráfico Grupo Editorial Norma

ISBN-13: 978-9993456469 (A la sombra de mi abuelo)
ISBN-10: 9993456462

Printed by CreateSpace
eStore address (i.e. www.CreateSpace.com/TITLEID)
Printed by CreateSpace, An Amazon.com Company CreateSpace,
Charleston SC
Prohibida la reproducción total o parcial de esta obra sin permiso
escrito de la Autora del libro.
Este libro se compuso en caracteres Adobe Garamond

Este no es un ensayo de historia, es mi propia historia y, por lo tanto, la de parte de mi familia. Es un relato novelado, tal y como yo lo siento y tal y como yo lo he vivido. Hechos reales, que me han costado años y lágrimas averiguar, se compaginan con vivencias mías, muchas reales, algunas increíbles. Narraciones, diferentes puntos de vista y mucha fantasía viven en este libro. Muchas de las fechas, y algunos lugares, tampoco son exactos; he querido dejar volar mi imaginación.

A.T.

Provocación

CAPÍTULO I

...se incorporó en la cama, miró al doctor Morgan con gran desprecio y le gritó: —Asesino. Eso es lo que es usted... un despreciable asesino, un asqueroso gusano...

CAPÍTULO II

...Las semillas de aquella fábula prendieron en lo más profundo de la alta sociedad dominicana. Ramfis pagó con creces el haber sucumbido a los encantos de aquella caprichosa joven...

CAPÍTULO III

...La propia Iglesia lo apoyaba. Y los dominicanos, en su gran mayoría, lo querían. Así se lo habían demostrado y seguían demostrándolo en numerosos actos públicos. No todo el mundo podía equivocarse...

CAPÍTULO IV

...Jesús Galíndez, además de haber denunciado los abusos políticos de Trujillo, se atrevió a poner en tela de juicio su paternidad. En aquella tristemente famosa tesis, afirmó que Ramfis, su primogénito y su gran pasión, no era hijo suyo...

CAPÍTULO V

...¿Por qué no pone fin a esas barbaridades que se cometen en nombre suyo? ¿Por qué le permite a ese asesino, Johnny Abbes García, y a otros de su misma calaña, que mate, que torture en nombre de Trujillo?...

CAPÍTULO VI

...Muchos de los haitianos que permanecieron indocumentados en Dominicana corrieron peor suerte que sus hermanos. Por orden de Trujillo y de sus secuaces, miles de ellos fueron asesinados impunemente...

CAPÍTULO VII

...Lo que no le encajaba del todo era que también había oído decir que los militares de Dominicana, a los que admiraba, estaban matando a muchos de sus compatriotas por orden de un tal Trujillo que era el presidente de la nación...

CAPÍTULO VIII

...Aquella visita removió en lo más íntimo al dictador caribeño. Todo lo que la circundaba parecía sagrado, celestial... Sin embargo, pensó, hacía pocos años el mismo Papa Pío XII había bendecido también los cañones y el armamento de Hitler. ¿Qué sentido tenía entonces toda aquella santidad?...

CAPÍTULO IX

...Haciendo el último gran esfuerzo de su vida, Trujillo consiguió apretar el gatillo de su pistola. Sabía muy bien que aquellos serían los últimos disparos que lanzaría en su vida. Y también se percataba de que únicamente valdrían para demostrar que él seguía vivo y que ellos, sus asesinos, tendrían que terminar lo que habían emprendido...

CAPÍTULO X

...La indignación y el miedo anidaron en su corazón. ¡Balaguer lo estaba traicionando! Y él, Ramfis, había sido un tonto al confiar plenamente en su palabra...

CAPÍTULO XI

...Aunque su amor por Italia se había hecho más patente que nunca, el volver a sentirse dominicana, con todas las de la ley, le infundía un sentimiento de paz y de seguridad que hacía tiempo había perdido...

CAPÍTULO XII

...Yo, el hijo de Trujillo, no tengo otra alternativa. No tengo más remedio que cumplir con mi deber, Aída... Tengo que volver...Ya ves... me reclaman. Pero, no temas... A mí no van a matarme...

CAPÍTULO XIII

...Esa fue la primera vez en que la joven vio a una persona muerta. Al tocar a su padre, supo enseguida que él ya no estaba allí. Su mano, su brazo, todo él estaba helado por un frío especial que ella desconocía. La vida lo había abandonado...

CAPÍTULO XIV

...No podía predecir la lucha que iba a afrontar en el futuro. Tampoco podía imaginar que, sin su dinero, el que por derecho le pertenecía, su propia familia llegaría a despreciarla...

CAPÍTULO XV

....Sin embargo, Balaguer boicoteó, expropió e incluso destruyó, a menos que, por pertenecer al patrimonio nacional, no pudiese hacerlo, todo lo que había rozado, directa o indirectamente, al finado mandatario...

CAPÍTULO XVI

...Tanto Ramfis Rafael, como el resto de la familia, habían hecho de la memoria de Trujillo un tema tabú. Únicamente se podía mencionar al finado con amor y respeto...

CAPÍTULO XVII

...Este energúmeno, por el simple hecho de ella apellidarse Trujillo, sin conocerla en absoluto, se atrevía a hablarle de la forma en la que lo estaba haciendo...

CAPÍTULO XVIII

...Pasados unos meses, el negocio se fue al traste. No funcionó como parecía prometer en un principio y tuvieron que echarle el cierre para siempre. Aída se arruinó completamente...

CAPÍTULO XIX

...Todo aquello que, en su momento, había tenido el valor de averiguar sobre su abuelo y su padre, empezaba a plasmarse en los textos que guardaba, escondidos, en el disco duro de su computadora...

CAPÍTULO XX

...Aída se fue a la cama con un gran sentimiento de tristeza. Ni siquiera podía decir que estaba confundida con respecto a su abuelo. La verdad era que ella tenía muy claro que no le gustaba nada aquel mandatario que había asesinado y torturado...

CAPÍTULO XXI

...Ella recordaba perfectamente el olor y la marca de la colonia que usaba su abuelo, que no era la que mencionaba Vargas Llosa en su novela...

CAPÍTULO XXII

...De ese modo, grotesco y denigrante, acabó la insigne testa del gran Desiderio Arias: servida y expuesta en una lujosa fuente, cual suculenta vianda en un banquete...

CAPÍTULO XXIII

—Fidel Castro ni ha sido, ni es, menos criminal de lo que fue Trujillo —continuó Aída—. Como sabrás, acaba de matar a unas cuantas personas, enarbolando "la bandera roja" y la de los derechos humanos...

CAPÍTULO XXIV

...cuando veo los resultados de mis indagaciones sobre quién fue aquel político, Rafael Leonidas Trujillo, aunque reconozca que hiciste algunas cosas buenas por el país, no puedo aceptarte. Lo siento, abuelo...

Rafael Leonidas Trujillo en escritorio Trujillo

con sus dos hijos Ramfis y Flor de Oro

Ramfis Trujillo en Madrid 1969.

Rafael Leonidas Trujillo sonriemdo

CAPÍTULO I

...se incorporó en la cama, miró al doctor Morgan con gran desprecio y le gritó: —Asesino. Eso es lo que es usted... un despreciable asesino, un asqueroso gusano...

Desde un lugar etéreo y que después olvidaría para siempre, el alma de Aída decidió encarnarse en las entrañas de Octavia Ricart Martínez. Nacería en una nueva vida como hija suya y de su esposo, Rafael Leonidas Trujillo (hijo) más conocido como Ramfi .

Aída Trujillo Ricart, ocuparía un cuerpo de niña, sano y bien proporcionado, que con los años se convertiría en el de una mujer bella. Ella, sin embargo, sería tan poco consciente de ello, así como de otras virtudes que durante su vida haría suyas, que mendigaría el amor y la aprobación de los demás durante mucho, mucho tiempo. El resultado sería desastroso. Además de otras vicisitudes que la vida le había deparado, el no saber amarse y reconocerse a sí misma daría lugar a que, en múltiples ocasiones, se sintiese infeliz e insatisfecha a pesar de haber nacido rodeada de múltiples dones entre los que se contarían también los bienes materiales.

Aída no recordaría, por supuesto, que en su encarnación anterior ella había existido siendo un varón, poderoso y bien parecido, nacido en un hermoso y floreciente país del continente europeo que pertenecía a una familia de rancio abolengo. Sin embargo, aquel hombre que ella había sido, utilizó de forma errónea los privilegios de los que gozó durante su corta vida, eligiendo un camino equivocado. Nunca amó ni respetó a nadie ni a nada, con la única excepción de las riquezas materiales, el poder y la vida disipada e inmoral que llevaba.

De corazón duro, despiadado y preñado de una ambición desmedida, aquel que antaño fue el vehículo de Aída en este planeta, había abusado sin escrúpulos de su primacía, llevándose por delante a cuantos osaron interponerse entre él y sus descabellados planes. Nada logró colmar su codicia y sus deseos de gobernar plenamente a los demás. Había gastado su existencia olvidando su auténtico propósito y se convirtió en un personaje cruel que terminó sus días perdiendo la cabeza en la tristemente famosa guillotina.

Fue por lo que su agobiado espíritu decidió renacer y volver a este mundo, en el seno de la familia Trujillo y como descendiente directo de Rafael Leonidas, el dictador que llevaba gobernando, desde hacía veintidós años ya, la República Dominicana, país que ocupa parte de una bella isla tropical situada en las Antillas y que es bañada por el mar Caribe.

Su alma tenía una clara intención cuando eligió pertenecer nuevamente a una estirpe poderosa. Necesitaba cumplir con su karma. Quería elevarse hacia la perfección sufriendo penurias y, para ello, era necesario nacer en la opulencia, verse obligada más tarde a trabajar duramente para subsistir e incluso, por sus ideas tan diferentes, llegar a disentir con muchos de los seres de su propia sangre.

Formaban parte de este Plan Divino, Desarraigo, Exilio, Abandono, seres que existen en el mundo material, aunque no podamos verlos con los ojos. También tendría que ser señalada, para bien o para mal, por acontecimientos de los cuales ella no sería responsable. Sería víctima de muchas experiencias dolorosas. Tendría que asumir y aceptar todo ello como parte integrante de su vida.

El aprendizaje, además, tendría que realizarse con y a través del amor, haciendo un gran trabajo interior y un gran esfuerzo para no albergar en su corazón ningún resentimiento o intención de venganza. Y ese supremo sentimiento, el amor, sería la tarea más ardua e importante de su nuevo recorrido por el mundo.

Octavia, más conocida por el apodo de Tantana, la que Aída eligió como madre desde su estado incorpóreo, era una mujer de carácter sufridor y tenía aspecto frágil, aunque en no pocas ocasiones demostró que no lo era. Tantana fue siempre, a pesar de su posterior divorcio, y hasta el final de sus días, leal y amantísima esposa de Ramfi, hombre apuesto, acaudalado y omnipotente por herencia.

Cuando nació Aída, Tantana era una joven de veinticinco años, famosa por su serena belleza. Su pelo castaño claro enmarcaba unos rasgos suaves cuya nariz, pequeña pero proporcionada, denotaba una gran personalidad. Su piel era perfecta. Tenía la textura del melocotón y un aspecto transparente al mismo tiempo. Sus ojos color de miel hablaban por sí solos: alegres y picarones cuando se sentía feliz, y profundos y sombríos cuando era desgraciada. Tantana era de estatura media, cuerpo suave, de formas muy femeninas y perfectamente torneado.

Aunque había nacido en la República Dominicana, sus progenitores eran españoles. Pedro Adolfo Ricart, su padre, era natural de Barcelona, y pertenecía a una conocida y acomodada familia catalana. Siendo aún muy joven, Pedro Adolfo logró convertirse, gracias a su tesón y a su "ojo clínico", en un gran comerciante y hombre de negocios. Se decía de él que "donde ponía el ojo... florecía la ganancia". A pesar de su apellido, que en Dominicana era considerado ilustre, P. A. era un "selfmade-man" que, desde edad muy temprana edad desdeñó la ayuda económica de sus padres, rechazando hasta los estudios universitarios, que no le atraían en absoluto, y se puso a trabajar en lo que pudo.

Era verdad aquello que se decía de él. Pedro Adolfo Ricart tenía un sexto sentido para el comercio y era raro que se equivocase en sus inversiones. Ricart supo aprovechar la ocasión que ofrecía por aquellos años el Nuevo Continente. Se necesitaba de todo y todo estaba por hacer. A él se le ocurrió una idea y decidió invertir el escaso capital que había podido ahorrar, a base de muchas privaciones, en sus primeros y mal retribuidos empleos. Compró, a muy buen precio, un par de goletas viejas, tanto, que ya no las quería nadie. Con sus propias manos, y la ayuda de un buen amigo al que prometió retribuir con parte de las ganancias que obtuviese posteriormente, las fue arreglando con dedicación y paciencia.

Las embarcaciones fueron destinadas a la importación y exportación de café y de otros productos de primera necesidad, entre la República Dominicana y sus islas hermanas. Como se había acostumbrado a la vida austera, con las primeras ganancias decidió adquirir más goletas, de modo que su negocio fue prosperando. En pocos años Pedro Adolfo llegó a amasar una fortuna muy superior a la que posteriormente heredaría de sus acaudalados padres.

Su primera esposa era una buena mujer que le dio seis hijos pero que murió siendo aún joven. P.A. la lloró desconsoladamente pero, debido a su carácter práctico, tomó la decisión de volver a casarse. Él era de los que creían firmemente que un hombre no debía ni podía estar solo. Necesitaba a una mujer que, además de llenar su vida sentimental, se ocupase de los niños y de la casa para él poder entregarse plenamente a sus negocios.

En casa de unos parientes, conoció a Nieves Martínez, también viuda y madre de siete hijos. Se enamoró de ella, de su dulzura y de su fortaleza. Pronto le pidió que se casara con él y le ofreció la estabilidad económica que tanta falta le hacía a ella y a sus hijos. También se comprometió a asumir el papel de padre de los chicos y a hacerse responsable de su educación.

Nieves sabía que aquel caballero, le llevaba más de veinticinco años, pero P.A. era un hombre atractivo, educado y amable. Durante el breve noviazgo le tomó un gran cariño y aceptó contraer matrimonio con él. De aquella unión les nacieron seis hijos más de los cuales la primogénita fue Octavia, Tantana.

Nieves Martínez había nacido en Oviedo y había sido educada, como entonces se acostumbraba, para atender al marido y a los hijos. Era una experta en el arte culinario y sabía coser y bordar. Llevaba la organización de la casa y de los niños a las mil maravillas. Al enviudar no había recibido herencia alguna por parte de su finado esposo que en sus últimos años de vida se había dado al juego. Aquella fue una época difícil para ella, que se vio obligada a trabajar duramente y además muy sola.

Nieves era huérfana de padre y su madre vivía con ella postrada en una silla de ruedas. La mujer había quedado paralítica, según decían entonces, como consecuencia de "un pasmo", algo que clínicamente no se hubiera entendido hoy en día pero que a la sazón era harto frecuente. Por entonces aún era joven y bonita, pero, debido a su invalidez, se le agrió el carácter y se convirtió en una terrible carga para su única hija. El resto de sus hijos, todos hombres, se habían desentendido de ella, inmersos como estaban en el cuidado y sustento de sus propias familias, y habían delegado en Nieves que, por ser mujer, a su modo de ver, era la responsable de atender a su madre.

Gracias al matrimonio con P. A. Ricart, aquel infie no, por lo menos en parte, terminó. Ahora, a instancia de su recién estrenado esposo, Nieves había podido contratar ayuda doméstica para atender a su madre que poco tiempo después fallecería, víctima de una dolencia cardiaca. Pedro Adolfo era realmente un buen hombre que resultó ser, además, un padre amoroso, aunque estricto, también para con los hijos del primer matrimonio de ella.

Ellos lo respetaban y llegaron a quererlo como si hubiese sido su verdadero progenitor.

Por aquel entonces la República Dominicana estaba sumida en una gran incertidumbre socio-política. Santo Domingo fue asediada por fuerzas revolucionarias surgidas de aquel clima de inseguridad provocado por la rapiña y el desfalco. Fue cuando, siguiendo su habitual política exterior, el gobierno de los Estados Unidos de América, ocupó militarmente el país.

P. A. Ricart decidió trasladarse a vivir con su familia a una isla cercana. Curaçao seguía siendo colonia holandesa y por el momento era un lugar apacible y que brindaba muchas oportunidades. Allí, pensó, seguiría con sus negocios hasta que la situación en la República Dominicana se estabilizara. De modo que conservó su casa de Santo Domingo, dejándola a cargo de los hijos habidos en su primer matrimonio. Entonces, Pedro Adolfo inscribió a las chicas en un reconocido internado regentado por monjas holandesas y a los varones en buenos colegios a los que asistían como alumnos externos.

Cuando los varones volvían a casa y habían terminado con sus deberes escolares, tenían la obligación de ayudar a su padre en el trabajo. Ricart era de la opinión de que un hombre tenía que conocer ese mundo, paralelamente al del de los estudios, desde muy joven. No creía en la mojigatería del estudiante que, con la excusa de sacarse una carrera, se queda ahí, en lo teórico, y no es capaz ni de clavar un clavo.

Unos años más tarde, P.A. se enteró de que, el que había sido nombrado por los norteamericanos como Jefe del Ejército de Dominicana era un tal Rafael Leonidas Trujillo Molina.

En su hazaña, Trujillo fue apoyado por importantes representantes políticos que habían puesto sus esperanzas en él. El régimen de Horacio Vázquez estaba a punto de caer por sí solo y los dominicanos se sentían algo perdidos porque pensaban que no había nadie que pudiese, tras el caos, hacerse con el deteriorado mando político del país. Parecía que el trono del poder estaba destinado a un vacío eterno. Sin embargo, cuando el joven Trujillo se manifestó con toda la lozanía y el "savoir faire" que emanaba hasta por los poros, el pueblo empezó a recobrar la confianza en un futuro en el que ya no creía.

Horacio Vázquez huyó de Santo Domingo y se estableció en otra isla cercana, Puerto Rico, hasta el final de sus días. Trujillo comenzó a trabajar duro y consiguió en poco tiempo lo que parecía imposible en época del mandato anterior. La economía del país empezó a florecer de forma sorprendente. Los disturbios que había sufrido el país parecían pertenecer al pasado. La República Dominicana volvía a ser un remanso de paz y de prosperidad.

A pesar de sentirse plenamente dichosos en Curaçao, el cambio radical de la situación socio-política de su querida tierra incitó a que los Ricart consideraran seriamente el volver a establecerse allí. Y, al igual que ellos, lo hicieron muchos de los que se habían exiliado voluntariamente. Un tiempo después P. A. tomó la decisión y la familia al completo viajó a Santo Domingo, al encuentro de un país renovado y de un futuro esperanzador. La propiedad de P. A. Ricart, situada en uno de los mejores barrios de la capital, volvió a abrirse, convirtiéndose de nuevo en su hogar y en el de los suyos.

Alegría y Armonía, seres que únicamente podemos sentir pero que, al igual que otros, no podemos tampoco ver con los ojos, parecían haberse instalado nuevamente en la República Dominicana. Tanto el horrible conflicto de los impunes saqueos a domicilio como el de los toques de queda habían quedado atrás.

Las ganancias de Ricart seguían en aumento y, ahora que había regresado, las autoridades dominicanas le habían concedido mayores facilidades para que él siguiese operando desde el país, sin desplazamientos ni incomodidades. Pero, como a muchos otros, transcurrida una época de falsa tranquilidad, a P. A. le alcanzó la fle ha de la decepción. Fue cuando se enteró de ciertos asuntos relativos a su nuevo presidente.

Trujillo no había sabido frenar sus ansias de poder ilimitado que cada vez se hacían más patentes. Se había convertido, poco a poco y sin que en un principio nadie se percatase, en un dictador "con todas las de la ley". Estaba fuertemente respaldado por grandes de la política, del ejército y del capitalismo. Dominicana se había convertido en un paraíso para los inversores extranjeros. Eso sí, siempre y cuando no tuviesen la intención de adueñarse del país como habían pretendido, y habían logrado antes de su mandato, los norteamericanos.

El Jefe, que así fue apodado desde el principio, se propuso darles su merecido y echarles, pagando hasta el último centavo de la deuda que su país había contraído con la "Gran Potencia". Pero, por el momento, como no tenía ni un pelo de tonto, decidió que había que "sonreírles" y seguirles el juego. Aquella decisión dio lugar a que, posteriormente, muchos lo clasificasen como un político "pro yan ee".

Trujillo sabía que, en aquellos momentos, era aún demasiado pronto para enfrentarse a los estadounidenses. Estaba convencido de que, aunque la República Dominicana era pequeña y pobre, más tarde, cuando con mucho esfuerzo, tesón y trabajo dejara de serlo, él conseguiría doblegarlos y se burlaría de su prepotencia.

El primer problema que atacó al Jefe, cuando tomó las riendas de su adorado país, fue el que le hizo tomar un camino que alteró parte de las buenas intenciones que tenía al principio. Doña Ambición, así, con nombre propio, que nunca descansa y que se introduce en cuanto espíritu se deje embaucar por ella, empezó a visitarlo por las noches en su alcoba.

Ambición no dejaba dormir a Rafael. Se presentaba encarnada en una joven bella e insinuante que le prometía todo lo que cualquier hombre podría desear a cambio de que siguiera sus recomendaciones. Se le metía en la cama y lo envolvía con su larga y sedosa cabellera. Le proporcionaba planes ya trazados, ideas que jamás se le hubiesen ocurrido, y le daba consejos en los que le decía que su fin, el único bello y auténtico, era conseguir que su país se convirtiese en una nación poderosa como nunca lo había sido. También le señalaba que, para conseguirlo, no podía ser débil y que todo aquel que se interpusiese en su camino debía ser eliminado. Para terminar de seducirle, le susurraba al oído que él había sido "el elegido" para esa prodigiosa misión. Luego le besaba prometiéndole que volvería a visitarle a la noche siguiente, siempre y cuando él le fuese fiel. Rafael Leonidas Trujillo Molina, como les ocurre a no pocos en esta vida, sucumbió a sus encantos y en breve tiempo se ganó la hostilidad de muchos que fueron, poco a poco, convirtiéndose en enemigos potenciales de su régimen. Uno de aquellos detractores fue P. A. Ricart, quien admiraba la inteligencia y la capacidad de trabajo del dictador pero, como era enemigo de la violencia y de las dictaduras, detestaba los medios que éste utilizaba para conseguir sus propósitos.

P. A. se hizo miembro de un partido político antitrujillista, cuando todavía existía. Unos años después aquel partido fue abolido por razones obvias. Pero todos conocían y respetaban las convicciones antagonistas de Ricart, incluyendo al propio Trujillo.

Vida, en muchas ocasiones, es irónica y le da por reírse de la gente. A ella, a Vida, no se le ocurrió otra cosa que coquetear con Destino para jugarle una mala pasada al soberbio catalán que estaba convencido de que debía permanecer en Dominicana y luchar por las cosas en las que él creía.

Con el paso del tiempo, Tantana se había convertido en una mujercita preciosa. Fue entonces cuando Vida y su compañero Destino, se pusieron de acuerdo para hacerla coincidir en una fiesta con Ramfi, el primogénito de Trujillo. Apuesto y elegante, el joven ya se encontraba en el salón del Hotel Jaragua cuando Tantana llegó. Y quedó prendado de ella al instante.

La joven lucía un vestido de organza color crudo y el pelo medio recogido como se llevaba en aquella época. Estaba acompañada de dos de sus hermanas, una mayor que ella, Dulce María, conocida por Chichí, y otra un poco más joven, Teresita.

Ramfi, sin identificars, se acercó tímida y respetuosamente a saludar a las muchachas y a ofrecerse para traerles un vaso de ponche de frutas. Ellas aceptaron sonrientes y divertidas. Cuando el muchacho regresó con las bebidas invitó a Tantana a bailar un bolero. Fue de ese modo como los jóvenes, entre baile y baile, conversación y ponche de frutas, se enamoraron.

Antes de que la fiesta acabase, a la hora que sus padres habían mandado, las tres jóvenes regresaron a casa. La habían pasado muy bien, habían bailado mucho… y Tantana se había enamorado. Pero eso, ella se lo reservó.

Envuelta en las suaves sábanas de su cama y a pesar del cansancio, la muchacha no pudo pegar ojo. Cupido, el gran especialista, le había clavado una fleha, de esas que desvelan y emocionan, en su joven corazón.

Al día siguiente Tantana recibió una orquídea y una nota de Ramfi. Él le había confesado de quien era hijo antes de su partida, ella temía que su padre no iba a aprobar ningún tipo de relación que pudiese unirla a él. Aunque trató de disimularlo, todos los miembros de la familia pudieron percibir su gran inquietud.

Por aquel entonces P. A. había empezado a plantearse el posible regreso para vivir a Curaçao. La relación entre el Jefe y él se había vuelto insostenible: Ricart llegó incluso a escaparse de Dominicana, disfrazado de mujer, hasta que al dictador se le calmaran los ánimos. Pero, una vez de vuelta, él no estaba dispuesto a someterse a su voluntad. Además, empezaba a temer por la integridad física de su familia.

De modo que, cuando el repartidor de la floristería se presentó en su casa, el barcelonés, al comprobar la procedencia de aquel presente, se llevó un disgusto morrocotudo. ¿Por qué tenía que haberse fijad en su hija precisamente "aquel muchacho"?, se preguntó, más indignado que sorprendido. ¿A cuenta de qué venía el descaro de mandarle flores sin el más mínimo recato?

En su despacho, Tantana fue sometida a un interrogatorio por parte de su padre hasta que logró hacerle confesar que a ella también le gustaba Ramfi . Sin embargo, cuando su hija le abrió su corazón, en lugar de demostrar su enfado, P. A., que era muy astuto, se encogió de hombros y le comunicó su intención de regresar a vivir a Curaçao. De modo que, a su manera de ver, le dijo con gran tranquilidad, era absurdo que ella se encandilase con cualquier joven dominicano.

Pero Tantana, a quien el amor de Ramfis ya había calado hondo, aprovechó la ocasión para decirle a su padre que ella no quería marcharse de la ciudad cuyo nombre había sido sustituido por el de Ciudad Trujillo. Ese hecho había logrado descomponer del todo al orgulloso Ricart.

Aunque aquella tarde P. A. no quiso discutir con Tantana, la confesión de su hija le alarmó de tal manera que tomó la rápida decisión de adelantar su traslado a Curaçao. Una vez allí, se dijo en silencio y antes de que fuese demasiado tarde, le encontraría un marido adecuado. Pero, pensó, el primer paso que tenía que dar era mandarla para allá, sin dilación, acompañada de sus hermanas y de alguno de los hermanos mayores.

Informó a su esposa de la premura de aquel viaje y le ordenó que todo estuviese preparado cuanto antes, y con la mayor discreción posible. De modo que, antes de darle tiempo a reaccionar, Tantana se vio reinstalada en su casa de Curaçao. Triste, añorando al que ella ya consideraba el amor de su vida, se las arregló para mandarle una carta. En aquella misiva, le daba la dirección de una amiga en la que ella confiaba. Allí podría escribirle sin que nadie se enterase. Ramfi , que también estaba entusiasmado con su pretendida, contestó rápidamente prometiendo escribirle todos los días.

Transcurrido menos de un mes, el resto de la familia Ricart, se trasladó también a Curaçao. P. A. encontró al candidato ideal para casar a Tantana: un hombre joven, aunque bastante mayor que ella, de familia oriunda de Holanda.

Decidió hacer una visita formal, acompañado de su esposa, a casa de los Epster*, que así se apellidaba su elegido, para exponerles, a él y a sus progenitores, sus planes. El joven Wilhem* no daba crédito a sus oídos. La muchacha más bella y de mejor familia que él había conocido, se la venía a ofrecer su propio padre, sin haberse él ni siquiera atrevido a insinuársele. Verdaderamente, la suerte le estaba sonriendo.

Sin embargo, los Epster no entendían por qué los roles se habían invertido e instaron a los Ricart, comprensivos pero exigentes, a que les indicasen el motivo de aquella urgencia en querer casar a su hija. Tal fue su insistencia que, P. A. y Nieves, tuvieron que darles una explicación sincera. Ninguno de los dos deseaba, bajo ningún concepto, que ellos pudiesen dudar, ni por un momento, de la honradez de Tantana. Los Epster entendieron perfectamente sus argumentos y, como en la época se creía en que la ausencia de amor no era un problema, sino todo lo contrario, dieron el visto bueno al matrimonio de sus hijos. Todos estaban de acuerdo.

El amor o, mejor dicho, la pasión, algo que los jóvenes solían confundir, provocaba el desastre en una pareja con intenciones de formar una auténtica y sólida familia. A Wilhem no le importaba que Tantana no le amase. Apenas se conocían pero él se encargaría de ganarse su amor y su respeto. Estaba plenamente convencido de que podía hacerla feliz y enseñarle todo sobre la vida matrimonial y familiar. Ella era aún muy joven y él sabría moldearla a su gusto.

Cuando los Ricart regresaron a su casa ya era algo tarde y Nieves propuso a su marido posponer para el día siguiente la obligada conversación con su hija. Ni qué decir, P. A. no tenía ni la mínima intención de pedirle su opinión pues su esposa le apoyaba; también temía por ella.

Después de un breve y alterado descanso nocturno, entre satisfecho y descontento, P. A. se sentó a la gran mesa en donde la familia se reunía cada día, puntualmente, a desayunar. Estaba muy serio, como de costumbre, y a nadie le llamó la atención su talante hasta que pidió nuevamente a Tantana que le acompañase a su despacho. La joven, alarmada, se preguntó si su padre habría averiguado que ella y Ramfis se escribían, a espaldas suyas, cartas de amor y de promesas para el futuro.

Por el largo pasillo que conducía a su oficina, siguiéndole despacio y preparándose para una posible ofensiva, Tantana caminaba inocente, ignorante y muy asustada. Cuando, por fin, su padre la hizo partícipe de los planes de boda que tenía ya preparados para ella, la joven se rebeló y se le enfrentó con un descaro que él nunca habría imaginado. Tantana, más que decirle, le gritó que su única meta e ilusión era volver a Ciudad Trujillo y casarse con Ramfis

—¿Y tú crees, de veras, que ese muchacho va a casarse contigo? —fue la áspera e irónica respuesta de P. A.— "Ese" solo quiere divertirse con las muchachas de buena familia. ¡Ah!, y, por lo menos en mi presencia, no vuelvas a llamar a la ciudad de Santo Domingo de Guzmán, por ese nombre!

—¡"Ese", como tú dices, papá, me ha ofrecido matrimonio! —contestó, soberbia, la joven, quien no pudo contener las lágrimas. Y, no contenta con eso, prosiguió—. ¡Además, aunque a ti no te guste, Santo Domingo ya no se llama así!

—¿Cómo es eso de que "te ha ofrecido" matrimonio? —preguntó sorprendido y enfurecido— ¿Es que acaso, de alguna manera que yo desconozco, te estás comunicando con él?

Tantana se dio cuenta de que había metido la pata. Estaba claro que su padre no tenía noticia de las misivas que intercambiaba con su amado. Se enjugó el llanto y, reponiéndose rápidamente para despistarlo, contestó.

—No, papá… claro que no. Pero, la última vez que nos vimos en Dominicana, él me propuso que fuese su señora… y me dijo que esperaría a que yo regresara.

P. A. la miró fijamente , burlándose de ella, la amonestó.

—Su señora, su señora… Pero niña, ¿tú has perdido la cabeza? ¿Tú la señora de Trujillo? ¡Antes me verás muerto!

Tantana no se atrevió a seguir discutiendo con su padre. Su autoridad pesaba demasiado sobre ella, pero se juró a sí misma que esta vez no obedecería. No se casaría con el holandés. Aunque el solo hecho de pensar en incumplir una orden de su progenitor le producía pánico, intuía que lo único que necesitaba era un poco de tiempo para urdir algún plan y librarse de ese matrimonio sin amor.

Sin embargo, más pronto de lo que ella hubiese imaginado, todos los trámites necesarios para la boda estaban perfectamente organizados. Más de trescientos invitados acompañarían a la joven en su dolor. Ya no había vuelta atrás.

Una tarde en la que ella sentía que la desesperación le clavaba puñales demasiado agudos en el corazón, la joven se armó de valor y decidió hablar con su madre para intentar convencerla de que se aliase con ella.

—Mamá, tú sabes que no estoy enamorada de mi prometido… ¡Por favor, ayúdame! No quiero casarme con él, pero no me atrevo a contrariar a papá. —exclamó, ahogada en un llanto amargamente sobrecogedor.

—Hija mía —le contestó Nieves acariciándole el pelo y enjugando sus lágrimas—, es muy tarde para que yo tan siquiera intente hablar con tu padre… Ya todo está arreglado… Ya están mandadas las invitaciones… Y además sabes muy bien cuan interesado está él en que te cases… ¡Es por tu bien!

Pero Tantana no se rindió y volvió al ataque. Pretendía llegar al corazón de mujer de su madre.

—¡Mamá… ¿es que no lo entiendes?! ¡No quiero a ese hombre! Yo… al que amo es a…

—No digas una sola palabra más. ¡Ya sé que es al hijo de ese sinvergenza! —la interrumpió Nieves muy alterada y con ganas de sacudirse el drama de encima.

—¡Él no tiene la culpa de nada! —replicó Tantana— y… además… lo importante es que… ¡a este no le quiero!

—¡El amor vendrá después, hija! —le dijo, convencida— ¡Así empiezan la mayoría de las relaciones duraderas! Tú eres muy joven y todavía no lo entiendes… pero, créeme, con el tiempo llegarás a amar a tu marido tanto como yo amo a tu padre.

—¡Pero, mamá! ¿Qué me estás diciendo? —replicó Tantana, sorprendida e indignada a la vez— ¿Tú no estabas enamorada de papá cuando te casaste con él?

—¿Enamorada? ¡Tú qué sabes lo que eso significa! —contestó la madre levantándole la voz y retomando su posición de mando— ¿Tú crees que estar enamorada es esa locura que sientes por ese joven al que has visto un par de veces en tu vida? ¡No, hija, no…! El amor es otra cosa… ya lo comprenderás. Por lo pronto… tienes que cumplir con tu obligación y no defraudar a tu padre.

Tantana no encontró el apoyo que buscaba en su madre. No es fácil salirse de lo establecido, de lo que se espera de uno. El buen comportamiento suele ser siempre un criterio ajeno, un criterio impuesto. Nieves estaba acostumbrada a ello… Y, por encima de todo, nunca se hubiera atrevido a desafiar a su esposo. Nunca se había enfrentado a su madre ni a su padre. Ni, por supuesto, a Dios.

—¡Recuerda el cuarto Mandamiento de la Ley de Dios, Tantana!… ¡No te confundas! ¡No te pierdas, mi amor!

Por supuesto, Tantana no colaboró en la organización de su boda. Ni siquiera eligió el traje con el que la llevarían al altar. Dos meses después, contrajo matrimonio con el hombre escogido por su padre. Mucho mejor partido, sin punto de comparación, a los ojos de P. A. y de Nieves, que el hijo de aquel que llevaba ya demasiado tiempo designando el presente y el futuro de la República Dominicana.

El día señalado, Tantana llegó a la iglesia del brazo de su padre, vestida de blanco, preciosa y con una cara de corderillo que parece saber que le están llevando al matadero. Pero después de la ceremonia y el banquete, en el que ella no probó bocado, al verse sola con su recién estrenado consorte, Tantana reaccionó de forma inesperada. Al entrar en la suite nupcial del lujoso hotel, la joven cogió su maleta y se dirigió al cuarto de baño. Una vez allí, cerró la puerta con pestillo y abrió la maleta.

Aunque precipitada y directa, aquella reacción no pareció sorprender a Wilhem. Pensó que la joven esposa estaba asustada, algo muy natural, a su modo de ver, la primera noche de bodas. Con tranquilidad, el joven se desvistió, sacó de su bolso de viaje un pijama que había comprado expresamente para la ocasión, se perfumó y se metió en la cama a esperar a que ella saliese.

Mientras, Tantana se había despojado de su odiado vestido de novia. Después de darse una ducha, la joven se calzó tres fajas, una encima de la otra. Estaba convencida de que esas prendas la protegerían de la fogosidad de Wilhem en el caso de que lograse entrar a buscarla. Después se puso ropa de calle y se quedó sentada encima del inodoro esperando la reacción del esposo que, tendido en la cama, empezaba a inquietarse.

Al cabo de una hora Wilhem, impaciente y nervioso, decidió llamar a la puerta del lavabo. Tantana, decidida a no salir, le contestó de mala manera. Y así se consumió la noche. El marido golpeando la puerta y la mujer negándose a abrirla. Ella no le abrió la puerta por más que él insistió, y se tumbó en el suelo encima de unas toallas. Pudo dar una cabezada, pero con un ojo cerrado y el otro abierto. Fue cuando, su Ángel de la Guarda, se le presentó y le vaticinó su inminente libertad. Gracias a aquella aparición y al resplandor del sol de la mañana, Wilhem pudo convencerla para que saliera.

Gracias a aquella aparición, y al tono de su voz, ya por la mañana, Wilhem pudo convencerla para que saliera. El resplandor del sol también le infundió confianza y ella accedió a salir de su encerramiento voluntario.

Cuando Tantana se dio cuenta de que su marido no tenía intención de violarla, se relajó mucho más. Los dos estuvieron conversando durante algunas horas. Ella aprovechó la ocasión de sincerarse con él como no se había atrevido a hacerlo nunca con nadie. El carácter práctico de holandés, llevó a Wilhem a la conclusión de que aquella farsa tenía que terminar cuanto antes, aunque a él le doliese. Por eso le dijo que la llevaría a casa de sus padres. Pero, la recién casada, aunque era lo que quería, sintió mucho miedo. Sabía que allí no le esperaba nada bueno.

Una vez que la pareja llegó al jardín del hogar de los Ricart, varios miembros de la familia salieron a recibirles. Todos pensaban que aquella era una visita de cortesía. Entraron con ellos a la casa y les ofrecieron café. La familia, casi completa, no podía creer lo que estaba oyendo cuando Wilhem explicó que había venido a "devolverles" a Tantana. El hombre confi mó, además, que el matrimonio no se había consumado y que él no quería cargar con una niña que no sabía lo que quería.

Así fue el comienzo y el final del enlace de Octavia Ricart con el frustrado y acaudalado joven holandés. Ella conservó de recuerdo las fotos de la boda y un enorme agradecimiento hacia Wilhem por su generosidad y delicadeza.

Poco tiempo después, él se marchó a Holanda para evitar los comentarios maliciosos de la gente. A su regreso solicitó la anulación eclesiástica del vínculo que le fue concedida gracias a la comprobación de la virginidad de Tantana. A partir del momento en el que Wilhem la había regresado a su casa, Pedro Adolfo, enormemente contrariado, obligó a su hija a llevar una vida monacal. Ella era ahora una "divorciada". No tendría más remedio que cargar con aquel sambenito y ser, si cabía, mucho más recatada que antes.

Los Ricart regresaron nuevamente a Ciudad Trujillo con la intención de establecerse allí, pasase lo que pasase. En el plano económico P. A. no tenía problemas, socialmente era muy bien reconocido en Dominicana y ahora Trujillo, a pesar de saber que era su enemigo, por algún extraño motivo, lo respetaba. El mandatario era consciente, además, de que el permitir a P.A. volver a residir en su país, daría a su mandato cierta imagen democrática. Y eso le interesaba.

Tantana, aunque controlada rigurosamente por sus padres y sus hermanos mayores, se las apañó para volver a verse con Ramfi . No se sabe cómo pero la gente enamorada suele lograr escaparse de las vigilancias por más rígidas que éstas puedan llegar a ser. El amor de la pareja resurgió con más fuerza que nunca. Ramfis perdió el miedo que había tenido antaño a la virginidad de la joven. Pensaba, sinceramente que, al haber contraído matrimonio, su amada había dejado de ser una niña. Intentó seducirla y lo consiguió fácilmente. Ella estaba loca por él y no opuso demasiada resistencia a sus deseos. Fue cuando él, realmente sorprendido, pudo comprobar su inocencia y, sin más dilación, decidió ir a pedir la mano a su padre.

Pero, a pesar de las creencias de honorabilidad de la época, P. A. se negó rotundamente a que se celebrase esa unión. Sin embargo, su negativa no hizo más que reforzar el empeño de los jóvenes en contraer matrimonio. En un último y desesperado intento, el contrariado padre llamó un día a su hija.

—Vamos a conversar, Tantana… —le dijo, invitándola a entrar en su despacho. Una vez sentado enfrente de ella la miró fijamente a los ojos y le preguntó:

—¿Tú eres consciente del paso que vas a dar?

—Sí, papá… —respondió la joven, bajando la mirada.

—¡Vas a convertirte en un miembro de la familia Trujillo! ¡Tus hijos, si los llegas a tener, serán nietos del dictador! ¡¿Te das cuenta, carajo?! —P.A. levantó fuertemente la voz. El asunto le sacaba de sus casillas.

—Sí, papá... —contestó ella nuevamente.

—Muy bien —exclamó cansado y sin ninguna esperanza el anciano—, aunque creo sinceramente que no tienes ni idea de adonde te estás metiendo, ya no puedo hacer nada más por evitar tu desgracia. Lo único… eso sí, no me queda más que advertirte una cosa: Te vas a acordar toda la vida de estas palabras. Y, créeme, no sabes cuánto siento el tener que hacerte partícipe de esta terrible premonición.

—¿A qué te refieres, papá? —contestó la joven con un nudo en la garganta.

—Hija mía… óyeme bien —afirmó él con aterradora convicción—: ¡vas a escupir sangre en una bacinilla de oro!

Antes de que los jóvenes llegasen a contraer matrimonio, Pedro Adolfo falleció. No sabemos si fue por su avanzada edad y su diabetes o si fue por el disgusto que le produjo el saber que no iba a poder evitar la unión de su hija con el primogénito de Rafael Leonidas Trujillo Molina.

La boda fue aplazada un tiempo, por guardar y respetar el luto al padre de ella. Pero los jóvenes decidieron no esperar más para irse a vivir juntos, a pesar de que Tantana lloró mucho a su padre y, que en más de una ocasión, se sintió culpable por haberlo contrariado.

Rafael Leonidas Trujillo Martínez, el padre elegido por Aída, desde su estado incorpóreo, tenía la tez muy blanca, herencia de su familia materna, que contrastaba con un pelo negro, casi azulado. Su nariz aguileña delataba la herencia de sus antecesores judíos españoles. Sus ojos, que albergaban cierta expresión de tristeza, eran grandes y también negros. Ramfis era, además, de estatura muy alta para la época y el lugar de su nacimiento; tenía un porte distinguido y gustos refinado . Gozaba de mucho éxito con el sexo opuesto. Quizás en demasía, para mortificación de su celosa mujer. Era el primer hijo varón de Trujillo, fruto de su unión con María de los Ángeles Martínez de Alba, "doña María, La Blanca", tercera de sus esposas.

Los orígenes de su padre eran humildes. Había tenido que trabajar duramente para llegar adonde había llegado. Su vida estaba llena de dicotomías, luchas consigo mismo y batallas con otros. Había tenido que superar pruebas nada fáciles. Para conseguirlo tuvo que dejar a Sensibilidad, encerrada bajo llave, en su modesta casa de San Cristóbal. Rafael Leonidas Trujillo Molina, el Jefe, no quiso dejarla salir hasta pasado mucho tiempo. Pensaba que ella, Sensibilidad, era una traba y un handicap para triunfar en la vida. Después, cuando se dio cuenta de los muchos errores e injusticias que había cometido, era tarde, o así él lo creía, para rectifica . Sensibilidad se cobró caro el que Rafael la hubiese tratado de aquel modo y lo hizo llorar, más de una vez, en silencio.

Pero por entonces, cuando el Jefe empezó a triunfar, Ambición, la gran seductora, había ganado la batalla y compartía su vida. Él no había escatimado en nada por complacerla. Ambición, por la cuenta que le tenía, procuraba encubrir, a través de él mismo y de otros, cualquier cosa que hubiese podido interferir con sus planes. Sabía que, si Sensibilidad regresaba y se mostraba plenamente, sus días estarían contados.

Rafael Leonidas era un hombre apuesto, de estatura media y elegancia natural. Desde que comenzara su férreo mandato, con la única excepción de su esposa María, todos le obedecían ciegamente. De ella, "La Blanca", se decía que era la única persona que se atrevía a desafiarlo y a "ponerlo en su sitio".

Doña María era bajita y algo rechoncha pero su cara era hermosa y nívea. Tenía la boca pequeña y los ojos oscuros, típicos de Andalucía en donde ella había nacido. Era una mujer de temperamento fuerte. De las pocas con inquietudes intelectuales para la época. De las pocas que se atrevían a vestir pantalones y también… a fumar cigarrillos. María de los Ángeles sufrió mucho durante su infancia y juventud. Su familia se había visto obligada a emigrar hacia esos países cálidos que ofrecían, por aquel entonces, mayores oportunidades. Echaba de menos su tierra natal pero compartía el parecer de sus padres. Había que ganar dinero y dejar atrás aquella pequeña vida de pueblo, a como diese lugar.

Aunque su corazón albergaba más ternura de la que ella hubiese deseado, desde niña se propuso convertirse en una persona dura. María, en ese sentido, era de la misma opinión que el que después se convertiría en su esposo. El demostrar sus sentimientos era sinónimo de debilidad. Por ahí podrían atacarla, vencerla. Ella también tomó la decisión de dejar encerrada a Sensibilidad en la primera casa en donde había vivido con su familia, una vez instalada en Santo Domingo. Cuando pudieron mudarse a un lugar mejor, decidió abandonarla en el cuarto que había compartido con sus hermanas. Sentía una adoración desmedida por su hijo Ramfi , aunque fue madre de otros dos: Angelita y Rhadamés.

Cuando Ramfis decidió casarse con Tantana, María sintió celos de la joven y empezó a hacerle la vida insoportable. Siempre que se le presentaba la ocasión intentaba disgustar a los esposos.

Por entonces la familia Trujillo Ricart tenían ya dos hijos, María Altagracia y Ramfis Rafael, y no deseaba volver a procrear. Pero por aquellos años no resultaba fácil decidir porque la ciencia y Dios ayudaban poco. La mejor píldora anticonceptiva era la abstinencia y para la gente joven que se quería, aquel era un remedio poco práctico.

Al año de haber visto Ramfis Rafael la luz, ahí, en el vientre blanco de Tantana, se metió el alma de la que sería Aída. Aprovechó la oportunidad una noche en la que su padre llegó muy alegre a casa. Su espíritu, agazapado detrás de una cortina, como si hubiese temido ser visto, había estado esperando la ocasión ideal. Y consiguió transformarse en materia humana cuando los jóvenes se amaron, compartiendo sus cuerpos y su gran pasión. En aquellos momentos se sentían felices por estar juntos y ni pensaron en las consecuencias.

El no saberse deseada fue uno de los motivos por los que después, de forma inconsciente, Aída conservó un sentimiento inexplicable de culpabilidad. Durante la que fue su nueva vida, mantuvo largamente el pensamiento negativo e involuntario de que ella era una intrusa. El espíritu de Aída conocía perfectamente el desafío que se había propuesto vivir, conocía a la perfección los detalles de la vida que le esperaba. Intuía cómo iban a desarrollarse los acontecimientos después de que cayera el régimen político del que iba a ser su abuelo. Todo aquello formaba parte del plan de Universo para su crecimiento espiritual. Estaba algo asustado porque ya conocía la naturaleza humana pero su decisión era fi me. No quería seguir vagando por el éter. Tenía que volver al mundo de la materia y completar su ciclo. O al menos intentarlo.

Ramfi , escogido como padre de Aída, era un hombre muy machista, como la gran mayoría de los de la época. Tantana, por su lado, como también lo eran la mayor parte de las féminas de entonces, compartía el modo de ver de su marido. Se había anulado a sí misma renunciando a su propio poder. No sabía cómo llenar el vacío que las ausencias de su marido le dejaban y se sentía incapaz de dedicarse a ser "ella misma".

A pesar de ser una virtuosa del piano y de los pinceles con aroma de óleo y trementina, poco a poco fue dejando de lado aquellos dones artísticos que el cielo le había regalado. Estaba excesivamente volcada en el cuidado y la vigilancia de su esposo.

Tantana era, además, muy dotada para el arte culinario y sabía dar un toque especial a los guisos. Pero solo lo hacía cuando quería festejar el paladar de su esposo. El día a día de la cocina lo había encomendado a otra persona: Dulce, una buena mujer, una gran cocinera. Dulce, que hacía honor a su nombre, la mulata de ojos claros y generosas carnes, se fue convirtiendo, poco a poco, en su gran aliada y amiga. Tantana solía recluirse en su dormitorio cuando su hombre no estaba en casa, algo que ocurría con frecuencia y, ahora que estaba embarazada, lo hacía con mayor asiduidad. Su estado gestante y la ausencia de su marido hacían que la joven se sintiese anímicamente débil y muy sensible.

Para compensar su desazón, Tantana engullía enormes platos de comida que su querida marmitona le preparaba amorosamente y le llevaba a su alcoba, preciosamente servidos en fuentecillas de porcelana fina, colocadas en una bandeja con un mantel individual de hilo, bordado a mano y unos cubiertos de plata.

Dulce, en la medida de sus posibilidades, era su protectora y confidente y le profesaba el gran cariño que no había podido volcar en un hijo propio. Aunque ella lo había deseado con todas sus fuerzas, el Cielo no le había concedido el regalo de ser madre.

El quedarse embarazada por tercera vez hizo que en Tantana fluyeran sentimientos contradictorios. Por un lado, el sentir nuevamente aquella vida latente en su vientre le hacía feliz. Por otro, tenía miedo de que su marido la rechazara. En varias ocasiones él la había comparado con una coneja. Con sólo mirarla ya estaba pariendo, le decía, riendo.

Ramfis, que era muy mujeriego, ponía aquello como una excusa para buscar a otras fuera del lecho conyugal. Pretendía convencerse a sí mismo de que aquella era la mejor manera de evitar tener más hijos. Tantana, por su lado, sentía un profundo miedo a que alguna de "esas otras" mujeres pudiese apartarlo de ella. Empeñada, como estaba, en que su relación con su marido funcionara, olvidaba sus propias necesidades. Contaba, sin embargo, con el apoyo incondicional de su suegro que era el único que llamaba al orden a su hijo para protegerla. El Jefe la quería y la trataba como a una hija.

Para doña María que, como sabemos, no compartía los sentimientos de su esposo, los embarazos de Tantana suponían una amenaza. Ella albergaba la esperanza de separarla de su hijo y cada vástago que concebían era, a su modo de ver, un paso hacia atrás. Aquello dolía mucho a la joven que intentaba en vano conquistar su afecto.

El anuncio de la llegada de otro bebé fue calificado por doña María como "una barbaridad", tal fue el disgusto que le produjo. Como tenía un gran poder sobre su hijo, lo convenció. Provocar un aborto era lo indicado y él tenía que seguir sus consejos antes de que fuese demasiado tarde. Por supuesto, ni siquiera la propia Tantana debía enterarse de sus planes, le había dicho a Ramfi. Haciendo uso de su autoridad materna, María ya la había forzado a interrumpir dos embarazos, anteriores al nacimiento de María Altagracia y Ramfis Rafael, con la excusa de que, tanto ella como su hijo, eran aún demasiado jóvenes para procrear.

Después y durante toda su vida, la entonces joven mujer, tuvo que soportar un intenso sentimiento de culpabilidad. Llegó a asumir y a aceptar el dolor y la infelicidad como un tributo que le debía a Dios por haber cometido un pecado imperdonable. Así había sido educada, tanto en su casa como en el colegio de monjas, y no había sabido superar aquellas enseñanzas bloqueadoras que no le permitieron nunca perdonarse a sí misma.

Cuando ocurrió aquello, que tuvo una repercusión inmensamente negativa en su vida, Tantana, se había sentido tan presionada por los dos, su suegra y su marido, que Miedo fue más poderoso que ella. Por eso accedió, con gran dolor de su corazón, ya que ella sí los deseaba, a interrumpir aquellos embarazos. Aún no tenía la suficiente confianza para contar nada a su suegro que la hubiese amparado totalmente aunque, de eso, ella todavía no tenía conciencia. Más tarde, cuando Tantana le abrió su corazón a Trujillo y le contó lo acaecido, éste amonestó seria y duramente a su esposa y a su hijo. Pero ya las cosas habían ocurrido y el pasado no puede cambiarse. Si uno quiere enmendarse de algo, tiene que mirar hacia delante y no hacia atrás.

Por eso, consciente de que ahora Tantana se había convertido, más que en una nuera, en una hija de su esposo, doña María estaba plenamente convencida de que, esta vez, la joven, sintiéndose apoyada y más fuerte, se negaría a obedecerla. Y, además, se lo contaría a él, algo que no le interesaba en absoluto.

El doctor Morgan, médico de cabecera de los Trujillo en la época, fue el que María eligió para llevar a cabo sus planes en absoluto secreto. Sabía que él era un hombre sin escrúpulos y que a ella no le iba a negar nada de lo que le pidiese.

Durante un tiempo y sin levantar ninguna sospecha en Tantana, Morgan estuvo suministrándole algunas sustancias altamente abortivas. Él le había diagnosticado una anemia gravídica, algo que es frecuente durante los embarazos. Era, pues, muy normal que viniese a diario a ponerle inyecciones que él decía que contenían hierro y otros minerales. Tantana, totalmente ajena, no sospechaba del ardid del que estaba siendo víctima.

Unos días después de empezar aquel nocivo tratamiento, la mujer se sintió indispuesta. Tuvo que meterse en cama y pidió que llamasen a Morgan. Cuando éste llegó a la casa, subió a su habitación, cogió una silla y fue a sentarse a su lado. Tantana empezó a contarle los síntomas que estaba sufriendo. Le dolía la cabeza y el vientre, tenía náuseas y mareos, y se sentía muy débil.

Él la escuchó muy interesado durante unos instantes y, cuando ella hubo terminado de hablar, el galeno no tuvo el menor reparo en confesarle los motivos por los que estaba sintiéndose tan mal. Fríamente le explicó el tipo de terapia al que, por deseos de su marido y su suegra, él la había sometido. Terapia que se completaría cuando ella ingiriese unos laxantes específicos que rematarían el proceso y la librarían de aquella inoportuna gestación.

La joven, ante aquella inesperada confesión, palideció y, por unos instantes, quedó paralizada. De pronto, recobrando toda la energía que parecía haber perdido, se incorporó en la cama, miró al doctor Morgan con gran desprecio y le gritó: —¡Asesino! ¡Eso es lo que es usted… un despreciable asesino, un asqueroso gusano!

—Yo sólo cumplía órdenes… —contestó el médico sin inmutarse— y, una de ellas es que te advierta de que no debes, por tu bien, informar de esto al Jefe. Eso es lo que me ha dicho doña María. Además… —prosiguió Morgan con la parsimonia que lo caracterizaba— Tantana, seamos sinceros, ¿para qué quieres tú seguir cargando de hijos a Ramfi , eh?

—¡Esa es una decisión que tengo que tomar yo, hijo de mala madre! —contestó ella levantándose de la cama de un brinco y tambaleándose en dirección al cuarto de baño.

—¿Y… no te parece suficiente que la haya tomado tu marido, Tantana? —gritó el médico como si de algo personal y suyo se tratase— Desengáñate, Ramfis no desea olver a ser padre.

El tono de Morgan se había vuelto atrevido y despiadado.

—¡No! —gritó la joven— ¡No me parece suficiente! Además, estoy segura de que ha sido su madre la que le ha convencido para hacerme esta monstruosidad a mis espaldas. —Y se metió en el baño dando un portazo.

Cuando Tantana salió, ya había recobrado un poco la serenidad. El doctor Morgan seguía sentado al lado de su cama como si tal cosa. Estaba dispuesto a volver a la carga y convencerla de que tenía que continuar el tratamiento. No había otra solución, le afi mó. Era demasiado tarde como para no hacerlo.

Estuvo sermoneándola durante un largo rato en el que ella intentó tranquilizarse y reprimió el intenso deseo que tenía de escupirle a la cara. Lo dejó terminar de hablar, cargada de rabia, y después le expuso su decisión. No estaba dispuesta a deshacerse de su hijo y no tomaría, jamás en su vida, ninguna otra cosa que él le recetase.

Morgan la amenazó con toda suerte de avisos. Le aseguró que si no abortaba su hijo nacería deforme.

—No seas cabeza dura, Tantana —le gritó—. Tienes que tomarte los purgantes que te he mandado porque si no… te garantizo que el niño va a ser un "fenómeno".

Después, en tono irónico, con gesto sonriente y sarcástico le dijo: —Una buena madre no desearía que su hijo naciese con alguna tara física o mental… o ambas cosas, ¿no?

Tantana lo observaba con cara de asco… ¡Qué hombre tan repugnante! ¡Qué clase de médico era este que se atrevía a obligarla a abortar sin que ella lo supiese!

—Salga de mi aposento inmediatamente, doctor Morgan. Y sepa que sí pienso informar de esto al Jefe. —le ordenó con un grito.

Tantana se sentía cada vez peor y Dulce, alarmada, llamó al hospital Marión para que mandaran una ambulancia. La preñada estuvo ingresada tres días en los que le limpiaron la sangre a base de diuréticos, sueros salinos y glucosados, además de otros medicamentos antiabortivos.

Su marido, alarmado y culpable, fue a visitarla pero ella le prohibió la entrada a su habitación. Durante aquellos días únicamente recibió a Nieves, su madre, que se limitó a acompañarla y cuidarla sin hacer preguntas ni comentarios.

Tantana regresó a casa cansada pero satisfecha de haber hecho lo posible por salvar la vida de su hijo nonato. Ningún médico pudo garantizarle, empero, que el embarazo pudiese llegar a término felizmente.

La joven se sentía muy apenada por la inmensa traición que había sufrido por parte de su esposo. No quiso hablar ni discutir el asunto con él y mucho menos con su suegra. Había tomado una decisión: No escucharía los sermones ni los consejos de nadie y seguiría adelante con su embarazo. Más adelante le contaría todo a su suegro, desde luego, y, por supuesto, ya no la atendería el despreciable Dr. Morgan.

Como le hubiese ocurrido a cualquier madre gestante, Tantana sufrió enormemente durante el embarazo y no pudo escapar a la preocupación de que le naciese un niño con taras. Tampoco pudo evitar las advertencias de mal agero de su suegra a las que solo respondía con miradas de reproche y un absoluto silencio.

Para consolarla, su fiel Dulce le preparaba sus platos favoritos. En los casi seis meses siguientes, Tantana comió más tartas de chocolate que en toda su vida. Engordó excesivamente, para gran deleite de Dulce. La mujer le aseguraba que si engordaba mucho tendría más defensas a la hora del alumbramiento. Y que el niño por venir también estaría más fuerte.

En la cocina, Dulce erigió un altarcillo. Puso algunas imágene religiosas y otras que no lo eran tanto. Encendía velas de distintos colores, según los días, y rezaba en voz baja. Por su actitud, la cocinera terminó de ganarse el afecto incondicional de Tantana. Sus demostraciones de cariño la enternecían. Con ella se había podido desahogar. Con su madre y con sus hermanas, para no perjudicar a Ramfis, había evitado sincerarse.

Ramfi , por entonces, se sentía culpable y trataba de pasar más tiempo en casa. Le traía flores a su mujer intentando que ella le perdonase. Aquel cambio de actitud hizo que la pareja se acercara de nuevo. Pero ambos tenían miedo de que pudiese producirse un desenlace fatal al final del embarazo. El hombre estaba arrepentido y se le había contagiado la aprensión y el miedo de su esposa.

Sin embargo, y a pesar de las terribles conjeturas de Morgan, unos meses después, con algo de retraso, Tantana se puso de parto. Tardó tres días en dar a luz a una niña de más de cuatro kilos y con el cordón umbilical alrededor del cuello. Fue como si, al saberse no deseada, Aída tampoco hubiese querido darse prisa en llegar a este mundo.

Ramfis se sintió inmensamente aliviado tras el alumbramiento. A pesar del riesgo que su mujer había corrido, la niña nació preciosa, con los grandes ojos bien abiertos y un bucle de pelo negro en lo alto de la redonda cabeza. Pero el joven estaba algo decepcionado porque no le había nacido otro varón. ¡Así somos los humanos!

Aunque vino al mundo en un país tropical, en los instantes que siguieron a su llegada, Aída sintió un frío muy intenso pues la separaron enseguida de su extenuada madre. El primer pensamiento que tuvo fue "Lo bueno está lejos…", aunque, y a través de una técnica que aprendió en una época de su vida, no pudo recordarlo hasta muchos años más tarde. Olvidamos esos primeros pensamientos que después, sin darnos cuenta, marcan nuestra existencia porque quedan grabados en nuestro subconsciente, como si de hierro incandescente se tratase.

Con la visión borrosa propia del recién nacido, Aída vio a la que la trajo al mundo, desde la mesa en la que se encargaron de vestirla para su presentación al planeta. Su madre estaba tan aturdida, lejana y doliente que, en aquel momento, la niña se sintió culpable por haber nacido. Y, sin el consuelo de su pecho, rompió a llorar con tal amargura que las mujeres presentes se apiadaron de ella y los hombres pensaron que "Vaya joyita que les ha caído a sus padres: mujer y llorona".

Tantana estaba física y emocionalmente muy débil de modo que Aída no fue amamantada por prescripción facultativa y enseguida se hicieron cargo de ella las niñeras. Los Trujillo Ricart vivían en una bonita y confortable casa frente al mar, en las afueras de la capital. Villa Marina* pasaba inadvertida ya que no era un lugar más lujoso que cualquier otra residencia de familia dominicana acomodada. El inmueble, de dos plantas, era luminoso, con grandes ventanales y vidrieras, sin persianas, ni contraventanas. De estructura sencilla y azotea plana, a la usanza de la época, los colores terracota de sus paredes armonizaban con el entorno. Contrastaban agradablemente con el azul índigo del mar que salpicaba los muros del frondoso jardín tropical que terminaba en pendiente hacia una diminuta playa.

El 20 de agosto del año en que nací fue caluroso, húmedo y con lluvias intermitentes, un día típico de la temporada en Dominicana. Mi madre amaneció con fuertes dolores y molestias que resultaron ser, por fin, las contracciones del parto que ya tenía que haber acontecido unas semanas antes. Sin embargo, aunque continuos y poderosos, los dolores de parto no pudieron dilatar el cuello del útero de mi madre hasta tres largos días después.

Para entonces yo, que no quería salir de su vientre por miedo al rechazo, me las había ingeniado para enroscarme el cordón umbilical alrededor del cuello. No tenía ganas de nacer e hice el último intento por evitarlo. Mas, a las doce menos cinco de la noche del 23 de agosto del año 1952 llegué, por fin, a este mundo, después de enormes sufrimientos por parte de mi madre.

Cuando salí del canal del parto, me desenroscaron el cordón del cuello, me lavaron y me dejaron encima de una mesa a pocos metros del paritorio en donde una enfermera se ocupó de mí. Cuando mi madre supo que yo era una niña sana y que pesaba más de cuatro kilos y medio, se durmió pensando en su marido y deseando que volviera a casa.

A pesar de todos aquellos contratiempos yo, Aída Trujillo Ricart, estaba allí, con mi triunfo por haber llegado a nacer, pero también con mi dolor por no haber sido deseada. Además, ya tenía un título: Era, y sería para toda la vida, la tercera nieta del amo y señor del país en donde yo había elegido nacer.

Despedí a mis acompañantes del infinito y di la bienvenida al principal de los ángeles que me acompañarían en mi nueva vida en el planeta Tierra.

CAPÍTULO II

...Las semillas de aquella fábula prendieron en lo más profundo de la alta sociedad dominicana. Ramfis pagó con creces el haber sucumbido a los encantos de aquella caprichosa joven...

Después del nacimiento de su tercer hijo, para Tantana los días hubieran podido transcurrir sosegadamente de no haber sido porque en "Villa Marina" empezaron a ocurrir acontecimientos enigmáticos que siguen siéndolo hasta el día de hoy.

Sentía una presencia extraña en casa. No en vano había heredado los poderes de videncia de su madre que, a su vez los había adquirido de su difunta abuela. Sin embargo, Tantana intentaba convencerse de que, muy posiblemente, aquella percepción, era la consecuencia de ciertas alteraciones hormonales que suelen ser frecuentes después de un parto.

La realidad era que las puertas de su casa se abrían y cerraban inesperadamente. Se encendía la radio sola. El televisor blanco y negro, de los primeros de la época, se cambiaba de canal él solito, o se apagaba de repente como si hubiese tenido vida propia. En algunas habitaciones, se producían corrientes de aire misteriosas, que no parecían tener sentido por encontrarse todas las ventanas cerradas. Además, a veces, las paredes chorreaban agua, como si se hubiese roto alguna tubería. Pero, siempre que venían a arreglar la posible avería, volvían a estar secas como por arte de magia.

Tantana llevaba una vida sencilla, dedicada a su hogar. Estaba contenta de ver crecer sana, feliz y regordeta a su bebé, y gracias a ella ya no se encerraba en su habitación como hacía antes.

26

Había decidido refinar su arte culinario porque corría por ahí un dicho que afi maba que "Por el estómago se conquista al hombre". Permanecía muchas horas en la cocina, que era una pieza grande y cuadrada, el santuario de Dulce, separada de la casa principal, con un fogón antiguo de leña y otro de gas y de electricidad. En el medio había una mesa rectangular de mármol y cuatro sillas y, colgados en las paredes, diversos armarios de madera pintados de color blanco. Todo impecablemente limpio. Cuando la marmitona y ella se juntaban en aquella entrañable estancia, olvidaban por completo quién era la dueña y quién la sirvienta, y se ponían a improvisar platos nuevos para sorprender agradablemente a Ramfi . Como era la receta: "Cangrejos en salsa picante y gratinados al horno".

Esta receta resultó ser la favorita de Ramfi . Cuando Tantana intuía que él iba a llegar tarde en la noche, en vez de amonestarle como hacía antes, ella se la preparaba. Tenía el don de ponerlo de buen humor y aliviarle la posible resaca. Además, le hacía sentirse plenamente agradecido de ella y de su arte culinario. Y también… un poquitín culpable.

Tantana era consciente de que su marido era un "picaflor" y lo tenía asumido. Había aprendido, con el tiempo y no poca voluntad, a no darle excesiva importancia al asunto. A pesar de esto, muchas veces sufría porque se sentía abandonada y sola.

Ocurrió por aquel entonces que, una joven perteneciente a la alta sociedad dominicana, empezó a perseguir a Ramfi , con ahínco y descaro. Su nombre era Margarita Perdigón*. Su familia consintió su comportamiento descarado, emprendiendo, incluso, cierto tipo de acciones para favorecer el asunto. ¡Cómo les hubiera gustado emparentar con el presidente Trujillo! Y aquella podía ser la ocasión de su vida para lograrlo.

Margarita se le había metido literalmente en la cama a Ramfis con la intención de conquistarlo. Como no consiguió despertar otro tipo de interés en él, su primera reacción fue montarle un par de escenas románticas. Sin venir a cuento, y en más de una ocasión, se puso a llorar diciéndole que para ella la vida sin él no tenía ningún sentido. Pero, al constatar que aquella treta resultaba estéril, decidió cambiar de táctica y resolvió atacarle por las malas.

Margarita Perdigón había sido y seguía siendo una niña mimada. Su mayor aspiración consistía en llegar a ser "Segunda Dama" del país y no iba a dejar que el propio Ramfis fuese el que estropease sus planes. Además, quería vengarse. No soportaba la idea de haber sido solo una diversión para él. Pero, al mismo tiempo, no quería abandonar su lucha por intentar convencerlo de que ella era la mujer idónea para él. Sabía que doña María, su madre, no se llevaba bien con Tantana y eso le daba fuerzas para seguir intentando lograr su ambiciosa meta.

Tanto el señor Perdigón como su esposa, conocían bien a su hija y eran muy conscientes de que les había mentido con respecto a Ramfi . No obstante, don Adulación no quiso desaprovechar la ocasión que las consabidas calumnias de Margarita le habían brindado. De modo que tomó la decisión de hacer una visita a su gran amiga, María Martínez de Alba, la esposa del Jefe, enarbolando la bandera del honor de padre herido y de la amistad que les unía.

Adulación ensayó tanto sus argumentos, antes de visitar a su amiga, que hasta él mismo llegó a creerse su rol de padre deshonrado. Lo único que deseaba sacar en aquel encuentro con doña María era su conformidad. Ramfi , como hombre de bien, tenía la obligación de reparar el daño que le había causado a su hija.

Si lo conseguía, pensó, era muy posible conseguir que la "Primera Dama" se pusiera de su parte para "enganchar" a su propio hijo. Estaba dispuesto a conseguir que los sueños de su Margarita, los suyos y los de su mujer se hicieran realidad. Como era hombre acaudalado, iba con la certeza de que a la señora de Trujillo ni se le iba a ocurrir pensar que lo que él buscaba era dinero. Y como, al igual que su hija, conocía la pésima relación que ella tenía con su nuera casi tenía la seguridad de obtener su apoyo incondicional.

El día en que Adulación se sintió preparado para llevar a la práctica su deplorable plan, se levantó temprano y llamó por teléfono a doña María, que contestó a su petición de ser recibido, con un sí amable y espontáneo.

Adulación, aquel día, se sentía algo nervioso pero contento a la vez. Se tomó un café negro y se bañó y afeitó cuidadosamente. No quiso desayunar porque tenía un nudo en la boca del estómago que se lo impedía. Para que su visita pareciese informal, se puso unos pantalones de lino, una guayabera, y no llevó sombrero.

Cuando llegó a la residencia de Trujillo, el mayordomo, como era su costumbre, lo recibió cordialmente y lo invitó a pasar a un saloncito que estaba situado al lado del comedor. Las paredes de la estancia estaban recubiertas de tela de moharé de color granate. Los sillones, estilo Louis XV, estaban tapizados en tonos claros y eran sorprendentemente cómodos. Un aparador de madera y una mesita central, de la misma época, además de algunos cuadros valiosos, completaban el mobiliario.

Había quien creía, sobre todo en el extranjero, que el máximo mandatario de la República Dominicana vivía en "El Palacio", obra de arte arquitectónico que todavía es admirado en Santo Domingo. Sin embargo, al Generalísimo Trujillo le gustaba separar totalmente a la familia de sus obligaciones y prefería residir en otro lugar. A pesar de ello, muchas veces, la gente se refería a su casa particular como "El Palacio".

Cuando llegó, aquella mañana que a él se le antojó más calurosa de lo que realmente era, el mayordomo preguntó a Adulación si deseaba tomar alguna cosa. Él pidió un poco de agua mineral sin hielo. Al rato, un tiempo que al hombre se le hizo eterno, doña María se presentó ataviada con un sencillo traje de pantalón y chaqueta de mangas cortas de color blanco. Adulación se levantó de golpe y ella le saludó dándole la mano e indicándole, con un agradable gesto, que volviese a sentarse.

—¿Cómo estás, Adulación? —preguntó cariñosamente la "Primera Dama"— Y tu esposa e hija, ¿cómo están?

A doña María no le extrañó la visita de don Adulación que, de tanto en tanto, solía recibir. Sin embargo, el hombre parecía alterado y ella volvió a preguntarle.

—¿Estás preocupado por algo? ¡Te noto un poquito nervioso!

—¡Qué va, María! ¡Estoy muy bien, de veras! —respondió él maldiciéndose por dejar que los nervios lo estuviesen traicionando.

Después de aquel primer momento de tensión, la conversación entre los dos amigos empezó a fluir libremente. Hablaron de todo un poco. La situación política exterior, el arte, la arquitectura… en fin, de todo aquello de lo que solían hablar en sus encuentros.

Cuando Adulación lo consideró oportuno, precisamente en un momento en que estaban criticando la falta de responsabilidad de algunos padres con respecto a sus hijos, sacó el tema que venía a exponerle a su amiga. Pero las cosas no salieron como él había esperado, ni muchísimo menos. María se olía que aquello iba a suceder; conocía bien el coqueteo, o lo que fuese, que había habido entre Ramfis y la hija de Adulación. Era algo con lo que ella no estaba de acuerdo y así se lo manifestó al contrariado amigo que, no obstante, no se dio por vencido.

Cuando Adulación empezó a pedirle a María, en nombre de su amistad recíproca, que le ayudase, ella intentó razonar con él.

—Sabes que te aprecio, a ti y también a tu familia, Adulación —le dijo con toda sinceridad— y que no le tengo especial cariño a Tantana… Pero, me guste o no, ella sigue siendo, y es, la esposa de mi hijo.

Adulación empezó a ponerse nervioso pues conocía muy bien a su amiga y la conversación no había comenzado bien.

—Tu hija —prosiguió María—, sabiendo que Ramfis es un hombre casado, ha querido conquistarlo utilizando medios poco honorables para una jovencita de buena familia como es ella. Y las cosas no le han salido bien, Adulación. ¡Ni más ni menos!

El tono de su voz era amable y severo a la vez. Adulación se quedó mudo, sabiendo que su interlocutora llevaba toda la razón del mundo. Estaba petrificad , sentado en su butaca, esperando a que ella terminase de hablar.

—Conozco bien a mi hijo y puedo asegurarte que él no ama a tu hija —continuó la mujer a la que no se le había movido ni una pestaña—. Y ya ni siquiera la respeta. No sabes lo que me duele el tener que decirte esto a la cara, pero te considero amigo mío y, como tal, pienso que debo ser muy sincera.

Así de clara era ella y el hombre, arrellanado en su asiento, no alcanzaba a pronunciar una sola palabra. Era como si todo el vocabulario que tenía preparado se hubiese escondido, y bien, en algún lugar secreto de sus entrañas.

—Creo que huelga decirte —insistió María— que, cuando una mujer lo da todo, lo pierde todo. Margarita ha querido conseguir el amor de mi hijo muy a destiempo, Adulación… ¡Al fin y al cabo, él y Tantana tienen ya tres hijos!

Adulación estaba muy tenso. Como un autómata se dirigió hacia el mueble-bar y se sirvió un trago. No esperaba aquella respuesta ya que su amiga siempre le había apoyado en casi todo. A pesar de ello, se confesó a sí mismo, en silencio, que sí la esperaba. De pronto se sintió un poco ridículo pero, ya que estaba allí, enfrente de aquella mujer poderosa y sabia, a su modo de ver, no pensaba "tirar la toalla" sin más. Empezó a cavilar cuál sería la llave que abriría la comprensión y el sostén de María. Necesitaba tiempo y no lo tenía. Sabía que aquella sería la única oportunidad que tendría para hablar con ella de ese tema.

Doña María encendió un cigarrillo y le ofreció otro a él. Cogió una campanilla de porcelana y, con una breve oscilación de su mano, la hizo sonar. Al momento apareció Samuel, el mayordomo, inmaculadamente vestido de un blanco que contrastaba con su piel, negra como un zapato de charol.

—¿Qué se le ofrece, doña María? —preguntó con la amabilidad que lo caracterizaba.

—Tráigale a don Adulación algo para picar, por favor. ¡Ah! y ponga otro cubierto en la mesa. El señor nos va a acompañar a almorzar… —respondió ella, también amablemente.

Perdigón no se atrevió a rechazar la invitación y, aprovechando el tiempo de más que se le estaba regalando, insistió intentando tocar la fibra sensible de María.

—Pero, amiga —le soltó con voz de mártir—, ¡tú deberías intentar poner fin a la actitud de tu hijo! Si él es y se siente un hombre casado, sin intenciones de divorciarse, ¿por qué no deja en paz a las muchachas jóvenes, de buena familia?

Sin inmutarse, María encendió otro cigarrillo y le lanzó al hombre una mirada burlona y altiva. —Adulación —le dijo convencida—, tu pregunta solo tiene una respuesta. Y, créeme, me gustaría no tener que decirte esto pero… no me dejas otra alternativa. Yo suelto a mi gallo… ustedes… ¡agarren a sus gallinas!

El almuerzo transcurrió, por lo menos en apariencia, cordial y agradablemente y Adulación no quiso, delante del Jefe, tocar el asunto en lo más mínimo. Después de tomar café, se marchó decepcionado, "con el rabo entre las piernas".

Tras aquella infructuosa entrevista, Adulación tomó la decisión de enviar a Margarita a estudiar —lo que fuera— al extranjero. Estaba seguro de que en Ciudad Trujillo, entre la mentalidad del país y los chismorreos, a su hija le iba a costar mucho encontrar un marido acorde a su categoría social. La muy estúpida, a su modo de ver, estaba desacreditada.

En el fondo, Adulación estaba de acuerdo con lo que doña María le había dicho. ¡Esta niña, carajo, qué puta me ha salido!, pensó. Margarita se había empeñado en conseguir a Ramfis a cualquier precio y simplemente le había salido el tiro por la culata. Aquella era la realidad. Si una mujer no se daba a respetar, ¿quién iba a hacerlo? Cavilaba el hombre durante el trayecto que separaba la casa de los Trujillo de la suya. Para recorrerlo Adulación se había refugiado en su flamante Cadillac azul marino, con chofer ataviado del mismo color y aire acondicionado regulado para enfriar al máximo, como si tuviese que protegerse de un bombardeo. Se sentía impotente e indignado a la vez. Y lo curioso era que con quien estaba realmente furioso era con Margarita. —¡La muy idiota! —exclamaba de vez en cuando en voz alta, y no tanto con doña María.

Perdigón no conseguía quitarse de la cabeza la conversación que había mantenido con la Primera Dama. Si su gran amiga no le había apoyado, con toda la razón del mundo, ¿cómo iba a hacerlo Trujillo? A él no le contaría nada… Sabía que María tampoco lo haría. Era harto sabido lo mucho que el Jefe quería y respetaba a su nuera Tantana. La estúpida de su hija se había ganado a pulso lo que le estaba ocurriendo.

Cuando llegó a su mansión, rodeada de un jardín frondoso y bien cuidado, salió del coche rápidamente. Tenía ganas de enfrentarse a su familia. Estaba sumamente alterado y el sudor le caía a chorros desde la cabeza hasta los pies. Entró a la casa, se dirigió a su despacho y mandó a un sirviente que avisara enseguida a su esposa y a su hija que debían reunirse allí con él.

—Mira, mija… —lo primero que hizo al entrar Margarita en la habitación, fue tomarla "por banda"— ¡la verdad es que, aunque me duela reconocerlo, tú no eres más que una putica barata! Después le comunicó su decisión.

—¡Ah, otra cosa… Gertrudis —prosiguió Adulación— ve encargándote, que a ti eso se te da de maravilla, de regar una vaina por toda Ciudad Trujillo… si no quieres que a Margarita le vayan peor las cosas!

La noticia del destierro de Margarita Perdigón tranquilizó el espíritu de Tantana. Poco después también le llegarían aquellas calumnias sobre su esposo que, a ella le constaba, eran falsas. Ni con Margarita, ni con otras mujeres, a su marido no le hacía falta ni drogar, ni emborrachar, ni violar. Más bien sucedía lo contrario. Había muchas, demasiadas hembras, que lo perseguían por ser buen mozo, joven, acaudalado e hijo de quien era.

Margarita no consiguió el amor de Ramfis pero su madre hizo bien su trabajo y convenció a todos de que el hijo del Jefe abusaba de su poder, utilizándolo para beneficiarse de cuanta joven se le acercaba.

Las semillas de aquella fábula prendieron en lo más profundo de la alta sociedad dominicana. Ramfis pagó con creces el haber sucumbido a los encantos de aquella caprichosa joven.

Mientras, la vida cotidiana de su hogar, aunque él lo ignoraba o pretendía hacerlo, continuaba dándole la mano a los fenómenos paranormales. Los extraños acontecimientos se habían recrudecido con el paso del tiempo. Una noche cualquiera, de sopetón y como el que no quiere las cosas, se presentó en el dormitorio de los esposos Trujillo Ricart alguien que no había sido invitado. La primera vez que Tantana lo vio llevaba ya un rato acostada. Así es que pensó que se había quedado dormida sin darse cuenta y que estaba soñando.

El desconocido estaba parado a los pies de su cama. Era de estatura media, vestía un anticuado uniforme militar y la miraba fijamente. Tantana no conseguía gritar, inmovilizada por la sorpresa y el miedo. Se preguntaba, sin poder apartar la vista de aquella aparición, más extrañada que atemorizada, que cómo era posible que aquel hombre la mirara si… no tenía cabeza. Aquel pensamiento surgido en décimas de segundo la convenció: estaba siendo víctima de una pesadilla. De modo que cerró los ojos, se dio media vuelta y al rato logró conciliar el sueño, ignorando lo que le había parecido haber visto. Durmió tranquila, sin sobresaltos, sin ni siquiera los de tipo onírico.

Pero desde aquella noche, aquel ser de aspecto humanoide empezó a visitar a la joven casi a diario. En un principio Tantana creyó, convencida, de que aquella extraña visión se trataba únicamente de un sueño repetitivo. Pero pasado un tiempo, más que razonable, tuvo que aceptar que, aún estando ella despierta, podía ver claramente a aquel hombre… o lo que fuese.

Sin embargo, cuando despertaba por las mañanas, se decía a sí misma que no iba a tener más remedio que ir a visitar a algún médico especialista puesto que a ella era a la única en la casa a la que aquello le sucedía.

Muchas veces, la joven había oído decir que, cuando se sufren alucinaciones, es mejor no intentar huir de ellas sino darles la cara. De esa manera se les quita importancia y poco a poco se van esfumando. De modo que, cuando aquel ser, que ella creía un producto de su imaginación, se presentaba, ella lo observaba tratando de controlar el terror que le causaba su supuesta presencia. Pero, noche tras noche, Tantana volvía a quedar petrificada por el miedo y el estupor mientras Ramfis dormía o no estaba. Aquel, que ella creía pertenecer a su ensueño, la observaba, clavando en ella unos ojos inexistentes. Pero, por su actitud muda y expresiva a la vez, parecía querer transmitirle algo que no llegaba a expresar.

Un día decidió contárselo a la cocinera y después, aunque Dulce era de su total confianza, se arrepintió. Temía que ella pudiese irse de lengua, creando, sin quererlo, el caos en su casa.

—Prométeme que no vas a decir nada a nadie, Dulce. —le suplicó, y la mujer hizo una promesa que sabía que no iba a mantener.

Como los raros sucesos se iban multiplicando con el paso del tiempo, Tantana no se extrañaba cuando alguno de sus empleados afi maba: —Doña, aquí en eta casa hay arguien... ¡y ese arguien no e de ete mundo!

Y aunque intentaba quitar importancia al asunto, el miedo se iba apoderando cada vez más de Tantana. Una noche resolvió sincerarse con Ramfi . No podía seguir llevando ella sola aquella carga. Prefirió, sin embargo, omitir esos comentarios que lo único que iban a conseguir era que él pensara que se estaba dejando influenciar por las supersticiones del personal doméstico. Después de la cena, la joven se armó de valor. Se acercó a su marido que se había sentado en la galería a tomar el fresco y le soltó de sopetón: —Sabes... yo veo casi todas las noches a una especie de militar, que no tiene cabeza, en nuestro aposento...

Ramfis la miró sorprendido durante unos segundos y enseguida soltó una sonora carcajada. Empezó a burlarse descaradamente de ella y le contestó: —Pero... ¿quién se va a atrever a entrar en nuestra casa? ¡Je, je..., esas son pesadillas!

Acostumbrado, como estaba, a su vida militar, él era hombre de hábitos estrictos y horarios perfectamente planificado . Como era totalmente escéptico en lo referente a asuntos paranormales, evitaba hablar de ello y los llamaba "cuentos de viejas". Se levantaba todos los días a las seis de la mañana y salía media hora más tarde rumbo a la base aérea de San Isidro, en donde estaba destinado. Recorría muchos kilómetros para llegar, cada mañana, a ocuparse de asuntos militares que no lo llenaban en absoluto. Pero, como era el hijo de quien era, no tenía otra elección.

No obstante, Ramfis continuaba con sus estudios de abogado. Los había dejado y, apoyado por su mujer, los había retomado con gran ilusión. Una vez cumplidas sus obligaciones para con el ejército, Ramfis regresaba a su casa a las doce en punto del mediodía. Sin pararse a saludar a nadie, subía directamente a la planta superior. Cogía ropa limpia del armario y se dirigía al cuarto de baño para darse una ducha. A la una en punto, todos lo sabían, la comida tenía que estar ya dispuesta en la mesa.

Una mañana cualquiera, como de costumbre, Tantana estaba ocupada, inmersa en sus gloriosos menesteres culinarios. (Lo único que variaba la rutina de aquel día era que los niños habían ido a pasarlo en casa de sus abuelos.) Aprovechando la ocasión, la joven había dado el día libre al personal de servicio. Le apetecía estar a solas con Ramfis, cosa que lograba muy de tarde en tarde, y se sorprendió cuando oyó abrirse la puerta principal y el ruido de unos pasos. Miró el reloj y observó que faltaban más de veinte minutos para la hora en la que su esposo solía llegar. Los pasos se dirigieron a la planta de arriba y al rato alguien abrió el grifo de la ducha.

A Tantana aquel cambio de horario sin previo aviso le pareció muy romántico y antes de que él bajase se dispuso a colocar en un jarrón de cristal transparente unas flores que había cogido en el jardín. Después colocó el jarrón en la mesa que ya estaba coquetamente dispuesta.

Volvió al pantry y terminó de preparar una ensalada especial para la ocasión. Era una rica combinación de camarones, aguacates y mangos a la que ella añadía una vinagreta con un toque personal. De segundo plato había preparado un roast-beef que cortaría en el momento de servirlo para que no se secase. Cuando ya estaba casi todo preparado sonó el timbre del teléfono. Tantana se dirigió al salón y cogió el auricular. Al escuchar la voz de su marido al otro lado quedó pasmada. Ramfis la llamaba para decirle que no le esperase a comer que habían surgido unos problemas en la base y que para recompensarla la invitaría después a cenar a un restaurante.

Ella no pudo, ni quiso, comentar nada. Al colgar se dirigió a la planta superior, reprimiendo el terror que empezaba a apoderarse de ella. ¿Quién andaría allá arriba?, se preguntó en silencio.

Una vez en el segundo piso, y cuando llegó al cuarto de baño, comprobó que, efectivamente, el grifo de la ducha estaba abierto pero que allí no había nadie. Se acercó a su dormitorio pero tampoco vio a nadie. Entonces decidió salir al jardín para preguntar al jardinero que era el único al que, aquel día, no había librado. El hombre estaba entregado a su tarea con gran atención y entusiasmo.

Príamo era su nombre y poseía un gran talento. Sin haber jamás estudiado nada, era un gran profesional de casi todos los asuntos relacionados con los jardines y con el campo. La propia naturaleza le había transmitido toda su sabiduría. Tenía "la mano verde" y una intuición especial para con las plantas. Él les hablaba y ellas lo entendían perfectamente, tal era la comunicación que había entre ellos.

Cuando Tantana le preguntó, Príamo contestó que no había visto llegar ni entrar a ninguna persona… Todos se habían marchado temprano, alrededor de las nueve de la mañana.

—Príamo, eso no puede ser verdad —exclamó ella, incrédula—. Alguien acaba de subir a mi cuarto de baño porque la ducha estaba abierta. ¿Usted quiere asustarme? —continuó ella, sin saber ya ni lo que decía.

—Pero, doñita… ¿poi qué iba yo a querei hacé una cosa así? ¡Seguramente que la llave de su ducha ta estropiá! Depué, si uté quiere, yo voy pallá y se la compongo… —exclamó el hombre que, visible y súbitamente, se había puesto muy nervioso.

Pero cuando subió a comprobar los daños, el grifo funcionaba a la perfección y Príamo ya sabía que en esa casa se recibían visitas extrañas y si él hubiese podido se hubiera marchado de allí; pero, por el momento, no se atrevía ni a insinuarlo.

Después de este nuevo episodio, Tantana decidió ir a visitar a su confesor espiritual, y gran amigo, el Padre Julio. Él intentó tranquilizarla, enarbolando distintos argumentos, pero le prometió que la visitaría e iría a bendecir su casa a menudo.

Pero, a pesar de que el sacerdote cumplió con su palabra, aquellos extraños fenómenos siguieron recrudeciéndose. Una noche cualquiera fue a Ramfis a quien le tocó el turno de desvelarse. El tema político de Dominicana, debido a la dictadura de Trujillo y a sus oponentes, era algo fuerte de digerir incluso para él.

Después de tomarse una infusión de tilo, leer algunos capítulos de un libro de esos que siempre tenía pendiente y, finalment , exhausto, decidir tomarse un somnífero ligero, apagó la luz para quedarse a oscuras con sus pensamientos hasta que el medicamento surtiera efecto. Al rato, cuando aún seguía dando vueltas sobre sí mismo, como una croqueta, "el visitante" de Tantana se manifestó claramente delante de sus incrédulos ojos. Ramfis se los restregó y volvió a fijarse en aquello que tan nítidamente estaba viendo. En décimas de segundo se preguntó si aquella histeria colectiva de la que le había hablado el Padre Julio, que estaba preocupado por Tantana, le estaba afectando también a él.

Ella seguía durmiendo, ajena a lo que acontecía a su alrededor. Cuando su marido estaba en casa Tantana se tranquilizaba porque, para ella, su presencia tenía el efecto de un sedante.

Cuando se dio cuenta de que la rara visión no desaparecía, Ramfis se levantó de la cama de un salto y cogió una pistola que guardaba en su mesita de noche. Y por si lo de la histeria del Padre no era del todo verdad, apuntó directamente con el arma al desconocido y le increpó: —¡Se te van a quitar las ganas de jugar, seas quien seas, maldito! —Y se sintió algo ridículo.

Pero cuando, por respuesta a su amenaza, recibió una leve carcajada, como la de alguien que no tuviese fuerzas físicas ni siquiera para reírse, se olvidó de su ridiculez. El cura no había hablado de nada que tuviese que ver con los sonidos. Aquello, fuese lo que fuese, se estaba riendo de él en su propia cara.

De repente, la aparición abandonó lentamente la habitación y se dirigió hacia la planta baja, descendiendo lánguidamente por la escalera. Ramfis la había seguido y alucinaba viendo como algo tan amorfo, tan etéreo, bajaba perfectamente, con una parsimonia fuera de lo normal, escalón tras escalón.

Un tiempo después de lo ocurrido, sin hacer mención del episodio, Ramfis consintió en mudarse de casa. Dijo a Tantana que había llegado el momento de volver a vivir en la capital. Tenía además un buen pretexto: un amigo de su padre, Anselmo Paulino, vendía una villa justo al lado de la de su abuela paterna, "Mamá Julia".

Tantana, encantada por la decisión que había tomado su marido, se limitó a seguirle la corriente. Mientras, junto a su confesor espiritual, siguió bendiciendo a "Villa Marina". Pero, a pesar del agua bendita y los exorcismos, su extraño huésped volvía cada noche a traerle no se sabe qué mensaje del otro mundo. Ella se acostumbró a sus visitas y no dio más lata a su esposo.

Transcurrió algo más de un año hasta que se mudaron al nuevo hogar. Entonces Tantana ya estaba esperando la llegada de otro hijo, otra niña que se llamaría Mercedes de los Ángeles.

Tantata con bebe Aida

Aida en su primera comunion

Mi hermana Claudia del Carmen

Aida en Cannes 1960

CAPÍTULO III

...La propia Iglesia lo apoyaba. Y los dominicanos, en su gran mayoría, lo querían. Así se lo habían demostrado y seguían demostrándolo en numerosos actos públicos. Todo el mundo no podía equivocarse...

Santo Domingo tiene, como la mayoría de las ciudades costeras, su malecón y su puerto que unen el olor salitre del mar al resto de las múltiples fragancias. Y, a corta distancia un poco más allá del aeropuerto Las Américas, una de las playas más bellas del mundo: Boca Chica. El color azul turquesa del mar y la fi ura de la arena que evoca, por su blancura, a la harina de trigo refinada, cautivan al que la visita por primera vez. Y al cabo de los años sigue sorprendiéndole agradablemente. Parecería, al contemplarla, que uno se ha metido en una de esas postales o fotos de ensueño que suelen exhibir en las agencias de viaje.

Muchas familias acaudaladas tenían en Boca Chica, en la época de la infancia de Aída, una segunda vivienda en donde pasaban fines de semana y temporadas de vacaciones. Con el tiempo el lugar se popularizaría perdiendo ese aire aristócrata sui generis, estilo isleño, pero ganando en sabor.

Aída guardó para siempre maravillosos recuerdos de aquel lugar de expansión y juegos. Nunca olvidaría el color y la transparencia del mar. En aquella casa de playa, cuya dueña era su madre y no su padre, o abuelo, como ocurría con todas las demás propiedades, sus progenitores parecían estar más unidos. O por lo menos a ella se lo parecía.

Posteriormente, esa casa le sería injustamente expropiada a Tantana por el gobierno de Balaguer, el secretario personal de Trujillo y que después ocupó la presidencia en no pocas ocasiones. La finca le pertenecía a ella, y no a los Trujillo, porque le había sido regalada por un primo lejano suyo, Manolito Baquero. Pero el astuto doctor Balaguer quiso ganar puntos ante sus compatriotas, con la incautación de cualquier pertenencia que oliese, aunque fuese de lejos, al mandato del dictador.

La propiedad fue entonces convertida en un club náutico privado para socios, que sigue funcionando hoy en día. Ya después, en su edad adulta, y desde la primera vez que volvió a pisar suelo dominicano, Aída sintió la necesidad de visitarla y bañarse en la playa de Boca Chica. El lugar sido y seguía siendo un bálsamo y un imán irresistible para ella. Gracias a él, preservaba un rincón en su mente en el que albergaba únicamente recuerdos alegres. Si Aída allí tuvo momentos tristes, su cerebro se apañó para ocultarlos en algún lugar recóndito de sus múltiples recovecos.

La casa de la playa, al igual que en su momento lo fue "Villa Marina", no era ostentosa. Tenía varias habitaciones espaciosas y un gran salón-comedor. Embalsamados y colgados en las paredes, se conservaban allí los trofeos de pesca de Ramfis y Tantana, grandes aficionados a ese deporte. Las paredes de los dormitorios destinados a los niños, estaban decoradas con imágenes de cuentos populares pintadas a mano. El que pertenecía a María Altagracia, la mayor, y a Aída, con secuencias de "Ricitos de Oro".

Durante su exilio a Europa, a la niña Aída se le alegraba el pensamiento visualizando a los tres osos, el papá, la mamá y el hijito que lloraba porque la protagonista le había roto su sillita. El recuerdo de aquellas imágenes de su habitación tenía el poder de dibujar una sonrisa en su rostro.

En el breve lapso de tiempo de su infancia, en el que pudo disfrutar de su tierra natal, Aída vivía entre la escuela a la que asistía, el Colegio Apostolado; el jardín y los mimos en casa de su abuelo. Allí se empapaba de sol y de barro, y disfrutaba cazando lagartijas que era su deporte favorito. No lo era tanto montar a caballo, obligada por su padre, pues hacerlo le daba bastante miedo aunque le atraía.

Como a la mayoría de las niñas, le gustaba jugar a las muñecas, pero siempre al aire libre. Por eso su tez morena se había tornado aún más oscura. Su piel se tostaba horas y horas al día en espacios de libertad. Aquel tono de su carita contrastaba con el de sus ojos color miel. Más tarde su piel se aclararía, llegando su dueña a quejarse de su involuntaria palidez. En España no llevaría el mismo tipo de vida. La lejanía se encargaría de blanquear los pigmentos de su dermis y le alisaría milagrosamente el pelo.

Aunque parecía ser feliz por entonces, Aída no podía evitar sentir una sensación continua de pena y de culpabilidad, desde el día de su nacimiento. Lo único a lo que cualquiera hubiese podido achacarle ese sentimiento, porque a la niña no le faltaba de nada, podría haber sido a la tristeza que se iba apoderando, cada vez más frecuentemente, de su madre. Las continuas ausencias de Ramfis se habían intensificado y producían en Tantana una melancolía que ni los más pequeños podían ignorar. Ahora ella volvía a pasar mucho tiempo en su habitación encerrada con su dolor.

Cuando el alumbramiento de Mercedes de los Ángeles, Tantana se encontraba de visita en los Estados Unidos junto a su hermana Teresita. Por muy poco, y gracias a los avances que ya en la época allí existían, no perdieron la vida ella y la recién nacida. Sin embargo, poco más de un año después, Tantana fue madre de otra niña, Claudia del Carmen que, por recomendación facultativa, también vio la luz en aquel país.

A pesar de que su médico norteamericano se lo prohibió tajantemente, ella se arriesgó a tener otro bebé, buscando darle a Ramfis otro hijo varón. Tuvo mucha suerte. Aunque puso en gravísimo peligro su vida, el siguiente en nacer fue un niño, Rafael Leonidas.

Pero la relación con Ramfis no cambió. Tantana se sentía perdida sin su marido que, para ella, era lo más importante. Ella pensaba que los niños lo tenían todo: amor, salud y bienestar, y que no la necesitaban. No era consciente de la herida emocional que su actitud provocaba en ellos. Ella no estaba. Solo su cuerpo permanecía allí, en su dormitorio, doliente, esperando alguna respuesta, algún cambio radical en su pareja.

El Jefe era un gran especialista que solía rescatar a sus nietos en los momentos en que la pena hubiese podido tornarse insoportable para ellos. Abuelito los colmaba de regalos y de risas, y todo lo demás se olvidaba. El abuelo era lo más tierno y amoroso para la niña Aída y ella lo adoraba. Se sentía orgullosa de ser su nieta pues él era el gobernante más importante y de él se decía que lo hacía bien todo y que gracias a él su país marchaba sobre ruedas. ¡Él era el Benefactor de la Patria!

—¿Sabes en dónde está el ingenio de azúcar más grande del mundo? —preguntaba Ramfis Rafael a su hermana Aída.

Y sin esperar su respuesta contestaba, con la boca llena y el pecho henchido por el orgullo: "En la República Dominicana". Hasta transcurridos unos años, ella no supo lo que era un ingenio pero no se atrevió a preguntarlo nunca. Temía que su hermano se burlase de ella.

Aída, debido a su corta edad, ignoraba que su abuelo había tomado las riendas de su patria desde hacía ya mucho tiempo. A ella le parecía natural que fuese él, y solo él, quien gobernase el país. No podía imaginar que su mandato estaba rodeado de un clima de terror encubierto. Como en la mayoría de las dictaduras, en Dominicana, la primera impresión del visitante era la de encontrarse en un país pacífico y prósper .

En la creencia del buen hacer de su abuelo, pasó Aída sus primeros años de vida. Hubo de transcurrir aún mucho tiempo hasta ver lo que se escondía detrás de su cara de expresión bonachona.

Doña María, desde lo de Aída, no se había vuelto a entrometer en el asunto de los embarazos de Tantana. Como madre, durante aquel embarazo, cuyo desenlace tenía un pronóstico incierto, también había sufrido una gran incertidumbre y miedo. La mujer había aprendido la lección. Habían pasado más de cuatro años desde aquel nacimiento y Tantana y Ramfis ya eran padres de seis niños que, entre ellos, se llevaban poca edad. La mayor de todos le llevaba tan solo siete años al más pequeño.

María Altagracia, Ramfis Rafael, Aída, Mercedes de los Ángeles, Claudia del Carmen y Rafael Leonidas eran el único remanso de paz y de alegría para Rafael Leonidas Trujillo Molina quien no escatimaba mimos, ni dinero, con tal de ver una sonrisa dibujada en sus rostros infantiles. Para Tantana, después de tres *"chancletas"*, como llamaba Ramfis a las niñas, la llegada del segundo varón fue un triunfo aunque, a pesar de todo, el feliz acontecimiento no consiguió arreglar las cosas entre ellos. Pero la joven albergaba la esperanza de salvar su matrimonio y rezaba cada día para que así fuese.

Por aquella época la pequeña Aída enfermó gravemente.

—Es difteria, Tantana… —diagnosticó el desolado pediatra de la familia, el Dr. Jorge— Suele ser hereditaria…

—Doctor, ¿usted quiere decir que la niña puede haberla heredado de su abuelo? —preguntó la angustiada madre.

—Y no olvides… —continuó Jorge— que también su padre, aunque muy levemente, la padeció también.

En la misma habitación, sin mediar palabra, estaba Trujillo, escuchando la conversación entre el médico y su nuera. De forma irrazonable, se sentía culpable por haber padecido aquella enfermedad que ahora afectaba a su nietecilla.

—¡Diga algo, señor! —imploraba Tantana a su suegro como si del Todopoderoso se tratase y con una sola palabra hubiese podido sanar a su hija.

El mandatario que, en aquellos tristes momentos se había convertido en un simple abuelo, la abrazó y salió de la habitación para que no le viese llorar. Salió a escondidas por la parte trasera de la casa y se dirigió caminando al malecón. Necesitaba estar completamente a solas con su gran pena. El día estaba despidiéndose y dentro de poco caería, de golpe, la noche tropical con su intensidad y sus sonidos heterogéneos. En parte eso le consolaba. Las sombras sabrían ocultar su cara bañada en lágrimas. Y la naciente oscuridad apartaría a la gente de aquella parte del murallón.

Trujillo se asomó al inmenso balcón azul del mar cuyas olas azotaban con gran fuerza los muros del malecón. Sentía algo en su interior, una sensación absurda pero tremendamente potente. Algo así como que, si permanecía allí, podría pescar, cual si de un pez se tratara, la solución para combatir el mal que abatía a su nieta. Sin pararse a considerar, ni por un instante, lo que estaba haciendo, empezó a rezar dirigiéndose al Arcángel San Rafael, su patrono, el mismo que le había salvado la vida a él cuando era niño. Trujillo recordaba a aquel Ser de Luz perfectamente aunque nunca lo había comentado con nadie.

—¡Yo sé que no soy bueno! —gritó en medio de sus plegarias, ahogándose en el océano de su amargo llanto— Pero ella no tiene la culpa. Y es tan pequeñita… Por favor… pídele a Dios que me lleve a mí si quiere… ¡pero a ella no!

—¿Por qué has echado a perder el don que te di, Rafael? —Creyó oír de pronto.

Se quedó un rato aguzando el oído. ¡Lo que había escuchado le había parecido tan real! ¿O solo era el susurro del viento y el romper de las olas cuyos sonidos habían penetrado en su cerebro deteriorado por su inmenso sufrimiento?

Después de cavilar un rato, intentando reponerse, Trujillo regresó sobre sus pasos y volvió a casa de su hijo Ramfis que en ese preciso momento acababa de llegar. Nadie se había dado cuenta de que el Jefe había salido a la calle. Pensaban que se encontraba en el jardín, tomando el aire.

—Ramfis, me gustaría que trasladasen a Aída, si el médico no tiene inconveniente, a mi casa… —pidió a su hijo al verle. Ramfis no se opuso a la petición de su padre, aunque antes quiso consultar con Tantana que accedió al instante— Quizás allí, cerca de su abuelo, la niña mejore… Puede ser que la alegría la cure —gimoteó la desolada mujer que lucía totalmente deshecha.

Casi al mismo tiempo, como iluminada por su intuición, y recobrando su perdido arresto, ordenó enérgicamente: —Doctor Jorge, cuando Aída esté instalada en casa de su abuelo, póngale ese suero del que me habló. ¡Bajo mi responsabilidad!

El galeno palideció: —Pero Tantana —replicó, convencido—, ya te lo he dicho. ¡Ese suero es tremendamente peligroso!

Jorge estaba perplejo por ese cambio tan radical en la actitud de Tantana, y nada convencido de su súbita decisión.

—¡He dicho que bajo mi responsabilidad! —contestó con gran fi meza, con una fuerte y lúcida seguridad. De pronto, parecía otra mujer, una a la que el dolor no había podido doblegar.

Tanto el médico como el padre y el abuelo de Aída, aunque sorprendidos por la metamorfosis producida en Tantana, que se reflejaba en su rostro y hasta en su porte, no se atrevieron a llevarle la contraria. La niña fue trasladada a una habitación situada en la casa de su abuelo y allí le inyectaron aquella sustancia portadora del mismo mal del que ella padecía. Un veneno que podría salvarla o lanzarla directamente a los brazos de Muerte.

Aunque yo entonces era muy chica, contaba con tres años de edad, recuerdo perfectamente que aquella habitación estaba decorada en tonos azules y grises y que también había algunos adornos de pintura plateada en el techo. Quizás el estado en el que me encontraba fijó en mi memoria algo que escapaba a la realidad, no lo sé. Me habían clavado dos agujas, que a mí se me antojaron enormes, una en cada ingle, que estaban comunicadas mediante unos tubitos a dos botellas de cristal que contenían una sustancia amarilla… y me pusieron una mascarilla, imagino que sería de oxígeno.

Veía la cara de mi madre muy cerca de mí y también, más lejos, la de otras personas, pero todas parecían estar deformadas, como alargadas… Y yo tenía sueño, mucho sueño, pero no podía dormir porque me faltaba el aire y sentía calor y frío a la vez. Después vino la oscuridad… tuve mucho miedo porque nunca me gustó estar a oscuras… Creo que, finalment , me quedé dormida porque empecé a soñar que veía una gran luz. Luego me sentí en paz y feliz, pero no recuerdo nada más hasta después que desperté y sentí que había vuelto.

Tantana permaneció al lado de su hija día y noche. Con la ayuda de gasas, le iba sacando por la boca mucosidades y flemas que, de tan largas, parecían no tener fin. Pero fue constante en su empeño y consiguió que no tuviesen que practicar a la niña una traqueotomía, una práctica habitual en esos casos, cuyo fin es impedir que el paciente se ahogu .

Durante casi una semana estuvo Aída sumida en un profundo sueño del que parecía no iba a despertar nunca. El doctor Jorge apenas se ausentaba. Ramfis le había facilitado un transmisor conectado a uno de su propiedad por si tenía ante cualquier urgencia. Con sus padres, sus abuelos y el doctor Jorge en la habitación, de repente, una mañana, Aída abrió los ojos. Había vencido la difteria. Parecía un milagro, pero aquel temible suero había dado resultado.

Los Trujillo no sabían cómo agradecerle a Jorge. El dinero les parecía poca cosa, aunque fue muy bien remunerado a pesar de que él no quería aceptar más de lo que cobraba habitualmente. Pero para el médico, la satisfacción de haber visto recuperarse a la niña fue el mejor de los regalos. Tantana le tenía un inmenso afecto y no se había equivocado, Jorge era una gran persona y un muy buen profesional.

Por su parte Trujillo estuvo durante un tiempo reflexionando sobre lo acontecido. Algo en su interior le decía que tenía que amainar su férreo mandato, que tenía que dar un giro a su vida y a la de sus conciudadanos. Lo que había sucedido parecía una señal. Su nieta, al igual que él, se había salvado de una muerte casi segura. Además, por más que en un principio quiso convencerse de que había sido una ilusión de su mente, no podía olvidar aquella voz que le había susurrado cuando estaba en el malecón. Aquella voz le recordaba a una que había escuchado hacía mucho tiempo, en casa de sus padres en San Cristóbal, cuando era un niño.

Aunque Trujillo, en un principio, se había propuesto evolucionar hacia una apertura política, convencido de que el Todopoderoso así se lo estaba señalando, una serie de circunstancias le hicieron desatender esa buena intención. Los factores más trascendentales que influyeron negativamente en esa primera decisión fueron, sobre todo, dos: el miedo a perder el poder absoluto y las presiones de sus colaboradores. Ellos, sus colaboradores, también sentían temor a verse derrocados junto al caudillo, si éste caía de su trono.

De modo que, transcurrido un tiempo prudencial después de la recuperación total de Aída, Rafael Leonidas Trujillo retomó las duras riendas que caracterizaban su régimen. Sepultó completamente, en lo más recóndito de su cerebro, el eco de aquella voz que ya tan solo "le parecía" haber escuchado. Y quiso convencerse de que, si Dios le había concedido el milagro de salvar a su nieta, era porque su camino no estaba tan desacertado. Muchos hombres, demasiados, pensó, coincidían con él. La propia Iglesia lo apoyaba. Y los dominicanos, en su gran mayoría, lo querían. Así se lo habían demostrado y seguían demostrándolo en numerosos actos públicos. No todo el mundo podía equivocarse.

Cuando queremos persuadirnos de cosas que, en lo profundo de nuestro ser, sabemos que no son verdad, nos convertimos en verdaderos artistas de la autoconvicción. Así es que, el mandatario, siguió haciendo de las suyas, malas y buenas obras, según quien las mire, y olvidó absolutamente el episodio de la difteria de Aída.

No se paró nunca a pensar que si él hubiese convocado elecciones democráticas, el mismo pueblo, libre de las presiones y abusos característicos de cualquier dictadura, quizás hubiese elegido reelegirle por voluntad propia. Aquel fue uno de sus mayores errores.

Sin ser consciente de ello, ya desde muy niña, Aída poseía un don que le hacía percibir muchas cosas que no le contaba a nadie y que ella tampoco hubiera entendido ni entendía. Sentía una tristeza y una inquietud inexplicables. Aquellos eran unos sentimientos que no se hubiera atrevido, ni se atrevió nunca, a comentar con nadie. Ni siquiera con su abuelo, al que adoraba. Pero ella "sabía" que, a su alrededor, se producían acontecimientos que "no eran normales". Sin embargo, en parte, ella era una niña feliz, rodeada de las cosas que tantos niños hubiesen deseado.

Desde aquel momento y como, además, era muy obediente, toda la familia le colgó a Aidita la etiqueta de "buena"; un fardo pesado y duro de llevar y, sobre todo, de conservar. Un sambenito disfrazado de elogio que hizo que su autoestima cayese en picada. Ella hizo suya la idea de que, si su familia la quería, era porque era una buena niña. Cualquiera en su lugar no se hubiese atrevido a comprobar lo contrario. Era mejor fastidiarse, incluso sacrificars . Pero había que mantener el título. Necesitaba que la quisieran.

CAPÍTULO IV

...Jesús Galíndez, además de haber denunciado los abusos políticos de Trujillo, se atrevió a poner en tela de juicio su paternidad. En aquella tristemente famosa tesis, afirmó que Ramfis, su primogénito y su gran pasión, no era hijo suyo...

En la República Dominicana de la "Era de Trujillo", el extranjero era bien acogido, sobre todo si provenía de Europa, fuese o no dueño de una fortuna. El que esa persona tuviese buena predisposición para trabajar ya era suficiente para el Jefe. Si además el inmigrante era culto, las evaluaciones para obtener su estadía en el país eran aprobadas con matrícula de honor.

Algo que resultó ser muy curioso para una gran mayoría fue el hecho de que, a pesar de la estrecha amistad que unía a Trujillo con Francisco Franco, en Dominicana se recibía muy bien al español que se había visto obligado a exiliarse. Casi nadie podía comprender el porqué de aquel modo de actuar del homónimo del que gobernaba España. Quizás el eterno rebelde que vivía dentro del dominicano le hacía proceder siempre como le daba la gana y no doblegarse ante las exigencias de nadie. A Franco, al que evidentemente aquello no le hacía ninguna gracia, no se le ocurrió nunca retirarle su amistad ni su apoyo político. Y menos después de la ayuda económica que había obtenido de Trujillo cuando la guerra civil de España y, sobre todo después, durante la posguerra.

Por aquellos años, la década de los cincuenta, un hombre de letras, español y exiliado, se instaló en Ciudad Trujillo. Debido a su talento y cultura, llegó, incluso, a deslumbrar al Jefe, quien amaba cualquier expresión de sabiduría. Tanto sabía apreciarla el mandatario que hasta sentía admiración por algunos de sus enemigos declarados, como el profesor Juan Bosch. Aquello era algo que Aída escuchó más de una vez en boca de Tantana, su madre y que, de niña, no acertaba a comprender del todo.

Trujillo ofreció asilo a aquel español y un lugar destacado en los ministerios y cátedras además de su amistad personal. El hombre aceptó y fijó su residencia durante algunos años en Dominicana. Su nombre era Jesús de Galíndez y, las circunstancias en que el tiempo de sus días acabó, resultaron ser un enigma para la historia. Mientras escribo estas líneas aún no se ha aclarado quién terminó con su vida, aunque se barajan diversas posibilidades.

Galíndez era un hombre inquieto y con grandes ideales políticos. Más que nada en el mundo, quería ver derrocado a Franco y por ese motivo, y mientras durase su dictadura, se había propuesto no pisar más suelo español, ni siquiera el que él consideraba un país aparte. Su tierra natal, el País Vasco, había luchado y seguía luchando por su independencia, algo a lo que Franco se negaba. Galíndez estaba convencido de que, desde el extranjero, podría adquirir, con mayor facilidad, el poderío suficiente para acabar con aquella dictadura que él consideraba terrorífica. Se instaló en la República Dominicana, sin plantearse que allí también reinaba un poder dictatorial, sino que, más bien, aprovechó la forma en la que Trujillo le trató durante varios años. En la hermosa isla caribeña vivió una tranquilidad aparente pues, sin que nadie se percatara, se hizo cómplice de una conocida agencia de espionaje internacional perteneciente al gobierno norteamericano.

Un tiempo después, Galíndez decidió mudarse y fijar su residencia en Nueva York para, desde allí, continuar la lucha contra Franco. Estaba indignado por el hecho de que éste empezaba a ser aceptado por la ONU. Una vez instalado allí, los norteamericanos ofrecieron a Galíndez una cátedra en una importante universidad del país, y aquella fue su perdición.

Después de tanto tiempo disfrutando de la amistad de Trujillo y conociendo bien los entresijos de su régimen, el español cometió un grave error. Cuando se le presentó la ocasión, no se le ocurrió otra cosa que escribir una tesis sobre la dictadura del Jefe. Ahora que residía en un país democrático y poderoso, Galíndez se sentía amparado. Allí no tenía que temer las posibles represalias que el dictador hubiese querido tomar en contra de él.

Su intención primordial no era tanto el injuriar al mandatario. Al fin y al cabo, Trujillo se había portado bien con él. Lo que él quería conseguir era que el mundo le reconociese como alguien que luchaba contra las dictaduras y que estaba por encima de cualquier favoritismo recibido en el pasado o en el presente. La tesis haría desaparecer cualquier amago de sospecha de que él hubiese podido dejarse comprar por alguien similar a Franco.

Rafael Leonidas Trujillo, el Jefe, fue rápidamente informado de que, el que había sido su protegido, le estaba traicionando. No solo se atrevía a escribir en contra de su régimen sino que también se estaba metiendo públicamente en su vida privada. Su primera reacción, decepcionado, fue tratar de acallar a aquel hombre ingrato. Estaba acostumbrado a ello. Se puso en contacto con él y le ofreció una buena suma de dinero para que no sacara a la luz su escrito. Pensaba que era eso lo que Jesús Galíndez perseguía. Pero, por desgracia, obtuvo un "no" por respuesta.

Jesús Galíndez, además de haber denunciado los abusos políticos de Trujillo, se atrevió a poner en tela de juicio su paternidad. En aquella tristemente famosa tesis, afi mó que Ramfi , su primogénito y su gran pasión, no era hijo suyo sino de otro hombre que había sido pareja anterior de doña María. A Trujillo, cuyo talón de Aquiles era la familia, aquella declaración lo superó. De inmediato lo mandó a secuestrar.

Galíndez no recibió ayuda, ni fue reclamado por las autoridades de ningún gobierno. Los Estados Unidos, misteriosamente, no se ocuparon de él a pesar de que el secuestro se había producido en su propio territorio, algo que llamó enormemente la atención de la opinión pública.

El representante del gobierno español en Dominicana fue una vez a visitar a Galíndez a la cárcel en donde estaba preso. Pero, muy claramente le expresó que, para mover un solo dedo a su favor, se le exigía que reconociese públicamente la soberanía de España y, por supuesto, la de Francisco Franco.

En el caso de que Trujillo aceptara, Galíndez tendría que regresar a Madrid en donde sería encarcelado y subsiguientemente juzgado por delitos en contra de su patria. Sin embargo, eso sería tratado de una forma más suave a la que, por traidor, se merecía. Serviría de ejemplo a muchos insurrectos que, quizás, seguirían su ejemplo y atenderían a razones.

La proposición no sedujo al vasco, que confiaba en que, el gobierno en exilio de su pueblo, se encargaría de su rescate. De modo que, encarándose con el embajador español, no solo le dio un "no" definit vo por respuesta sino que se atrevió a gritarle, en su idioma natal, un "¡Viva el País Vasco!"

Así concluyó el frustrado intento de conciliación entre los dos individuos, unidos tan solo por el hecho de haber nacido en el mismo país. El embajador abandonó aquel deplorable recinto pensando que Galíndez era menos inteligente de lo que él opinaba antes de aquella conversación.

CAPÍTULO V

...¿Por qué no pone fin a esas barbaridades que se cometen en nombre suyo? ¿Por qué le permite a ese asesino, Johnny Abbes García, y a otros de su misma calaña, que mate, que torture en nombre de Trujillo?...

Aída, que unos meses más tarde cumpliría los siete años, iba a hacer su Primera Comunión, como era costumbre en la época. Ella no lo sabía aún pero le quedaba poco tiempo por vivir en Dominicana. Aunque estaba siendo educada en la religión católica y estudiaba en un colegio de monjas, a la niña le hacía más ilusión el vestido que llevaría aquel día y los regalos que le harían, que el hecho mismo de recibir un sacramento.

La religión era algo que se practicaba en su casa pero de una manera muy liviana. Sí, se asistía de vez en cuando a misa y había sacerdotes amigos que visitaban a la familia, pero Aída nunca vio a sus padres empuñar un rosario ni un misal. Solo Nieves, su abuela materna, parecía tener esa costumbre. Su aspecto era la de una abuela tradicional española: llevaba el pelo corto y blanco, la cara lavada, y vestía siempre falda y blusa, se sentaba en una mecedora y se ponía a rezar por todos, según afi maba ella misma.

Pero Aída, que también rezaba, sobre todo en el colegio o antes de acostarse por las noches, vivía la existencia de Dios como algo natural, y todavía no había tenido tiempo de plantearse el significado de la palabra "pecado". La había escuchado alguna vez pero nadie, ni siquiera las monjas ni los curas, habían insistido en su contenido.

Cuando la familia estaba en Ciudad Trujillo, cada tarde, y no sin antes haber visitado a su madre, el Jefe iba a ver a sus nietos. Con frecuencia no podía resistirse y se los llevaba a su casa. Tantana se sentía incapaz de negarle algo a su suegro.

—Señor, usted me los daña —Alcanzaba a decirle tímidamente, cuando él, sin ningún reparo, les sacaba de la cama, haciendo las delicias de los chiquillos, y le lanzaba a ella una mirada cómplice.

La casa de la ciudad en donde entonces vivían, estaba situada en la Avenida Máximo Gómez y únicamente una tapia la separaba de la de la bisabuela, "Mamá Julia". Tenía un jardín con piscina y Trujillo había mandado a construir en el fondo del patio una sala de proyecciones cinematográfica . Conocía la gran afición de su nuera por el cine. Sabía además que a Ramfis no le agradaba que ella saliese de casa pues era muy celoso.

La todavía joven esposa de Ramfis que, a pesar de haber sido madre de seis hijos conservaba una lozanía y una gran belleza, se sentía agradecida y contenta con el regalo de su suegro. Se distraía de su pena, por la eterna ausencia de su esposo, viendo películas y comiendo de forma compulsiva. Por entonces engordó más de la cuenta y tomó la costumbre de su suegra: fumar cigarrillo tras cigarrillo, los que le gustaban emboquillados y mentolados.

El Jefe no entendía la actitud de su hijo para con su nuera. Era normal, a su modo de ver y el de la mayoría de sus contemporáneos, que un hombre tuviese sus aventurillas por ahí. Sin embargo él era de la opinión de que Ramfis se sobr pasaba y abandonaba en exceso a su esposa.

Él parecía ser el único de los Trujillo, a excepción de su hijo menor, Rhadamés, que también le tenía cariño, que era consciente de la valía de la joven. Además de ser preciosa, toda una dama, buena madre y excelente cocinera, Tantana, él lo sabía, amaba profundamente a su hijo Ramfi . Y por si fuese poco, ella llevaba el ilustre apellido Ricart.

Rafael sentía, además, un grande y sincero cariño por su nuera que le trataba con el respeto y la dulzura que, según él, un padre merecía. No como su hija, Angelita, que era también muy bonita pero no se le parecía en nada. Ella era una joven que siempre iba a lo suyo y Tantana, contrariamente, tenía un carácter altruista y amoroso.

En más de una ocasión Trujillo reprendía a su hijo porque deseaba de todo corazón que él aprendiese a valorar a su esposa. Intentaba hacerle ver que cabía la posibilidad de que ella se cansara de sus infidelidades y le abandonase.

Fue por aquel entonces cuando Aída oyó hablar por primera vez, y por pura casualidad, del gobernante de una isla hermana, Cuba. En Dominicana se decía que aquel hombre tenía a su pueblo sumido en una gran miseria y que muchos cubanos habían emigrado o habían sido desterrados.

Los cubanos, había oído decir Aída, ahora no podían entrar ni salir de su país, por ley, a su libre albedrío. Además, tampoco tenían permiso para practicar su religión abiertamente ya que se les había impuesto el ateísmo a pesar de ser un pueblo de carácter profundamente religioso, al igual que el dominicano. Aquel hombre, por tanto, eso fue lo que la niña entendió, era un revolucionario representante del mal y se llamaba Fidel Castro.

Aída escuchaba, mientras fingía que jugaba, las conversaciones de los mayores. De boca de su abuelo, de casi toda su familia y de otras personas, habían salido cosas que le habían impactado. Tiempo después, en España, los propios cubanos exiliados se las confi maron.

En Cuba, se decía, las cosas no eran como en Dominicana en donde el campesino tenía derecho al uso y disfrute de los dones de la tierra que cultivaba. Allí no se podía criar un ternero para el sustento familiar sino únicamente para darlo al gobierno que sería el encargado de decidir su fin. Había equipos destinados a mantener todo ello bajo control. Al campesino que se le ocurriese matar a un animal, aun siendo de su propiedad, por cuenta propia, sin previa declaración oficial, era apresado y condenado a pasar veinte años recluido en la cárcel.

Se decía, y Aída lo pudo comprobar por los testimonios de los cubanos que conoció mucho más tarde en España u otros países, que los pocos que se atrevían a arriesgarse a sacrificar a uno de sus animales para su propio mantenimiento, lo hacían completamente desnudos para evitar dejar rastro alguno de sangre en sus ropas.

En la intimidad familiar era rara la vez que el Jefe hablara de política y mucho menos con tanta vehemencia. Por eso Aída aguzaba bien el oído. Casi siempre esas conversaciones eran interrumpidas por doña María que era la encargada de mantener la discreción y la disciplina en la casa. Sobre todo en cuanto a los nietos se refería.

¡A la escuela sin tachuela! Doña María Martínez de Alba, abuelita María, resultaba ser bastante más estricta y menos cariñosa que su esposo. Aunque también quería mucho a sus nietos, tenía otra manera de ser y un cierto carácter áspero. A Aída le inspiraba mucho respeto, incluso una brizna de miedo, lo contrario que su abuelo que no sabía qué hacer para complacerles y que, para ella, era un verdadero regalo del cielo. Doña María era una mujer inteligente aunque menos culta de lo que pretendía ser. Se empeñaba en escribir libros que, de no haber sido ella quien era, lo más probable es que jamás se habrían publicado.

Su espíritu deportista de antaño se había perdido entre las pesas de su gimnasio particular al que, no obstante, ella acudía diariamente con la intención de no perderlo del todo. Y el mismo espíritu se había ahogado en las decenas de cajetillas de "Chester" y "Camel" sin filtro que fumaba y cuyas colillas se amontonaban en los ceniceros que yacían en la mesa de su saloncito privado, esperando a ser evacuados.

Habían transcurrido ya muchos años desde que doña María había exigido a su esposo el dormir en habitaciones separadas. Cuando se enteró de que él tenía una amante a la que realmente amaba no pudo perdonarle. Ella pensaba que una cosa era una "cana al aire" y otra era entregar su amor a otra persona. Le dolía mucho pero no quería demostrarlo. Sólo quería salvar su amor propio y su soberbia. Era una mujer que sufría mucho en silencio. No deseaba demostrar su vulnerabilidad. Pretendía que todos creyeran que era dura como una roca.

Se confeccionaba ella misma sus prendas de ropa del diario: chaqueta de mangas cortas y pantalón, generalmente en blanco y negro o tonos claros, a partir del mismo patrón y con las mismas telas. Quería dar la impresión de que rara vez cambiaba su atuendo, con el propósito de "no ser motivo de envidias".

La vida no había sido fácil para María Martínez hasta que encontró a Trujillo. Pero, un tiempo después de que contrajeran matrimonio, los cónyuges tampoco se habían entendido, creándose entre ellos una distancia insalvable. La relación se convirtió en una conveniencia político-social en la que ninguno de los dos era feliz.

Ella, como la mayoría de las mujeres de la época, optó por la castidad y se volcó en todo lo que su esposo, como político, le exigía a la "Primera Dama" del país.

Sus aspiraciones de llegar a tener éxito en el mundo de las ciencias eran difíciles de realizar debido a la mentalidad de entonces. María anteponía, porque creía en ello, la dedicación a su familia. Estudiaba en casa y se rodeaba de profesionales: arquitectos, abogados, médicos. Discutía y mantenía con ellos coloquios que le hacían sentirse viva. Con el paso del tiempo se convirtió en una mujer dura, guiada por sus ambiciones y las de su esposo. Los sentimientos que engalanaban a aquella niña andaluza le hacían daño, y optó por prescindir de ellos. Se convirtió en un ser práctico que intentaba evitar el dolor a quienes ella quería y procuraba que aquellos también se convirtiesen en personas poco sensibles y carentes de debilidades.

Las ñoñerías la sacaban de quicio y el romanticismo lo había relegado al plano que le correspondía. Hacía bien su papel en aquellas novelas que ella había dejado de leer. Ahora estaba interesada únicamente en la lectura de ensayos y tratados. Le gustaban los niños pero únicamente los que demostrasen tener carácter. Por eso convenció a su esposo para que le pidiera a Tantana que le dejase traer a vivir permanentemente a su casa a su nieta Mercedes de los Ángeles. Aunque era muy pequeña, la niña demostraba una fuerza que le recordaba a ella misma. Le caía mejor que ninguno de sus nietos. Sabía que su nuera no le negaría a Rafael nada que él le pidiese.

A edad muy temprana, Mercedes de los Ángeles se trasladó indefin- damente a la residencia de sus abuelos convirtiéndose en la envidia de sus hermanos.

A doña María le costaba esbozar una sonrisa, un gesto de dulzura aún en presencia de sus nietos. Aunque los quería mucho, a ella le parecía que eran demasiados, que su hijo tenía derecho a disfrutar de la vida antes de cargarse con el gran peso que suponían todas esas criaturas.

Había que entender, sin embargo, en parte, su rechazo por los Ricart que desde siempre habían simbolizado a una parte importante de la oposición política y que, por la fuerza social de su apellido representaban, en cierto modo, una amenaza. Por ese motivo ambas familias estaban siempre enfrentadas.

Angelita, la hermana de Ramfi , que entonces era muy joven y estaba acostumbrada (había nacido dentro de aquel poder absoluto), también se sentía amenazada por la presencia de su cuñada en el ámbito familiar. No sentía cariño por ella. Acababa de contraer matrimonio con un joven militar, Luís José León, bastante odiado por entonces por sus demostraciones de crueldad. Al joven le habían apodado "Pechito" por su forma orgullosa de erguirse, sin que se supiese el motivo.

Pero para Trujillo todo era diferente y él ignoraba esa parte opositora quedándose con lo que le convenía: Tantana, su insigne apellido y, sobre todo, sus adorados nietos que habían venido a traer un sentido diferente a su vida.

—¿A quién quieren más? —preguntaba a menudo a sus nietos aquel mandatario que en presencia de ellos perdía todos los papeles, condecoraciones y títulos— ¿A papá viejo o a papá joven?

Y los chiquillos, gritando excitados por aquella reiterada pregunta, contestaban al unísono: —¡A papá viejo! ¡A papá viejo! —y se abalanzaban sobre él.

A Trujillo le encantaba llevárselos a todos a su casa, llamada "La Caoba", que estaba ubicada en San Cristóbal, su pueblo natal. El rodearse de aquellas criaturas le hacía volver a sentir la inocencia y el candor que había olvidado después de tantos años de dictadura.

Tantana que lo quería tanto como se puede querer a un padre, cuando lo notaba agobiado, provocaba, cuando estaban a solas, conversaciones claras, sin tapujos, sin medias suelas porque, de eso estaba segura, sabía que a aquel hombre tan temido, a quien nadie se atrevía enfrentar, aquellas charlas sinceras le hacían bien y le daban la oportunidad de desahogarse.

—Señor —se atrevió a sugerirle en cierta ocasión—, ¿por qué no se retira a descansar fuera del país? Usted ya ha hecho bastante y merece vivir la vida, disfrutar de los niños… ¿Por qué sigue atormentándose de este modo?

Ella era la única persona, además de doña María, que osaba hablarle de frente y sin temor. Era la única en cuya presencia y en algunas ocasiones, se le habían escapado, al poderoso Rafael Leonidas Trujillo, algunas lágrimas de amargo pesar.

El amor que la joven le profesaba era tan auténtico que a menudo ella también se cegaba ante los desatinos de él. Tantana intentaba justificar a su suegro arguyendo, aunque no estuviese del todo convencida, que aquellas brutalidades que le achacaban, las cometían otros en nombre suyo. Y, en no pocas ocasiones, aquello era una verdad que, cuando él murió, esos otros desmintieron para librarse de las garras de la justicia.

—Tú eres todavía demasiado inocente, Tantana, y no lo entenderías… —contestó en aquella ocasión el afligido, y ya entrado en años, mandatario.

—¡Yo moriré con las botas puestas! ¡Ese es mi destino! ¡Ya no puedo retirarme! Y sabe Dios que… a veces siento que estoy agotado, que no puedo más. Se me han ido muchas cosas de la mano… Es verdad. También es cierto que mucha gente que me rodea hace cosas horribles en nombre mío… Y sé que yo mismo he cometido muchos crímenes… Tantos, que ya no espero que Dios pueda perdonarme.

—Precisamente de eso quería yo hablarle, señor… ¿Por qué no pone fin a esas barbaridades que se cometen en nombre suyo? ¿Por qué le permite a ese asesino, Johnny Abbes García, y a otros de su misma calaña, que mate, que torture en nombre de Trujillo? ¿No se da cuenta de que a ellos, esas monstruosidades les producen un horrible y desmesurado placer?

Tantana se ponía muy nerviosa cuando le hablaba tan francamente a su suegro porque aquellas ocasiones les permitían a ambos enfrentar la realidad. Él era consciente de que ella sabía casi todo y ella era consciente de esto. No quería hacerle daño pero tampoco podía mentirle ni ser falsa. Ya lo era con él la mayoría de la gente que le rodeaba.

—¿Cómo ha podido mandar a asesinar a esas mujeres, las llamadas "Mariposas"? —Tantana tenía un carácter dulce pero también fuerte— ¡Esas jóvenes, las hermanas Mirabal, eran personas inocentes, señor! —insistió— ¡Es verdad que, tanto ellas como sus esposos, estaban en contra de su política! Pero, si en esta vida tuviéramos que matar a todos los que están en contra de nuestra manera de pensar y actuar… no quedaría "títere con cabeza". ¡Además… ellas amaban y apoyaban a sus maridos! ¿A usted no le gustaría que yo actuara del mismo modo con su hijo?

Aquel terrible asunto que, según dicen algunos historiadores "se le había escapado de las manos", desconcertaba totalmente a Trujillo. El dictador sentía que debía una explicación a Tantana, al mundo entero, a Dios y… a sí mismo. Eso era lo peor. No tenía ni idea de cómo justificar aquell .

—Tú sabes muy bien que yo no las mandé matar, Tantana… Eso fue un accidente, y además… hay algo que tú tienes que entender, aunque no estés de acuerdo. Cuando un régimen, como el mío, no es "democrático", algo en lo que yo personalmente no creo, uno tiene que protegerse de sus enemigos y…

—Señor, con todo mi respeto, a mí no tiene que mentirme —machacó la joven, interrumpiéndole.

—Ya lo sé, Tantana, ya lo sé. "Cuántas noches en vela he pasado a causa de ese terrible crimen", pensó el mandatario, pero ya era demasiado tarde, aquellas mujeres inocentes, valientes y jóvenes habían perdido la vida.

—Muchas veces me pregunto si usted puede dormir tranquilo… Pero, a pesar de eso yo lo quiero como si usted fuese mi padre. Por eso mismo, en numerosas ocasiones siento hasta lástima por usted. No se me ofenda, señor. La que yo siento es una pena "sana"…

Trujillo era consciente de que las acciones de los hombres que habían matado a las hermanas Mirabal, y a otros seres inocentes, eran habitualmente provocadas por órdenes suyas. Los miembros del Servicio de Inteligencia Militar, el espeluznante SIM, eran muy crueles y, en no pocas ocasiones, hacían cosas que ni él les había encargado, adelantándose "a sus deseos".

Pero, al fin y al cabo, se decía en silencio, él mismo los había elegido precisamente por su crueldad desmedida y su falta de sentimientos humanos. Trujillo sabía que no podía escapar a aquello que era una responsabilidad suya. Él era el único que hubiese podido frenar el ansia de sangre de aquellos terribles seres y… no lo había hecho. Ahora no tenía más remedio que cargar con las consecuencias. Además, ¿no se había convertido él en el dueño de todo, absolutamente todo lo que acontecía en el país? ¿No era ya él, realmente, el amo de hasta las conciencias de todos?

—Además… —prosiguió Tantana casi despiadadamente, porque quería que su suegro llegase al fondo de la cuestión y descargara su conciencia— se rumorea que usted estaba enfrentado, sobre todo con una de esas pobres mujeres, Minerva, por el simple hecho de que ella lo despreció una noche en una fiesta. Eso me decepciona enormemente, señor. Con todo el respeto que sabe que le tengo…

—¡Basta ya, Tantana! —la interrumpió bruscamente Rafael— ¡No puedes ni imaginar lo arrepentido que estoy! Pero… ya es tarde, demasiado tarde. Por favor, por hoy, cambiemos de tema… No puedo soportarlo.

Trujillo tocó un timbre y al ratito, Samuel, el mozo de comedor, apareció.

—¿En qué puedo servirle, Su Excelencia? —inquirió contoneándose en su inmaculado uniforme.

—Tantana, ¿qué quieres tomar? —preguntó cariñosamente el Jefe a su nuera.

—Una cervecita, señor, gracias. —contestó ella a la vez que encendía un "Salem" extralargo.

—Samuel, haga el favor de traerme otra a mí… —pidió el mandatario al sirviente, quien salió enseguida de la habitación a cumplir con los deseos de su amo.

—Y, ¿cómo va a ser eso de que Dios no le va a perdonar si usted se arrepiente? —Tantana seguía arremetiendo en contra de su suegro a pesar de su petición— Dios siempre perdona, señor. Nunca lo olvide. Por eso, usted debería plantearse el dejar todo este infie no, retirarse, dedicar el resto de su vida a Su servicio; intentar, dentro de lo posible, compensar de alguna manera a tanta gente a la que ha hecho daño y…

—No sigas, Tantana, eso ya es imposible… —la interrumpió— Yo no puedo ahora coger y largarme. No puedo ni siquiera plantearme abandonar a todos esos hombres, mis colaboradores, aunque sean unos asesinos y unos sinvergenzas.

—Pero, ¿por qué señor? ¿Por qué no puede dejar en la estacada a esa gentuza?

—¡Ellos me ayudan a mantenerme en donde estoy! —contestó Trujillo convencido— Si no fuera por esos hombres que me apoyan ¿qué crees? Ya me habrían aniquilado. Yo ya no puedo más pero… tengo que seguir. A pesar de todo, Tantana, tienes que reconocer que nuestro país, hoy en día, es una nación económicamente próspera. Tú no tienes ni la menor idea de lo que era esto cuando yo subí al poder. Eras apenas una niña de menos de tres años. El caos, el desorden y la pobreza se habían apoderado de nuestra república; además de los norteamericanos, claro.

A Trujillo, en aquel momento, parecía habérsele subido nuevamente la moral. Cuando recordaba que había liberado a su pueblo de las zarpas de la gran potencia y que la República Dominicana ya no dependía de ellos, parecía olvidar que, ahora, su país estaba completamente esclavizado por otras, las suyas.

—Sin embargo —insistió Tantana—, usted sabe que, a pesar de tener muchas virtudes y de haber hecho mucho por Dominicana…

—Está claro que hoy mi querida nuera quiere desmoralizarme… y lo está consiguiendo —exclamó él, retornando a sus remordimientos y a sus tristezas anteriores.

—No era esa mi intención, señor, pero…

—Aunque muchas veces siento terribles temores… —volvió a interrumpirla él, ausente e inmerso en sus cavilaciones— ¡Y no se trata precisamente de miedo a morir!

Tantana observaba a su suegro que, en momentos como aquellos, le inspiraba una gran ternura y también cierta compasión. Prefirió, aquel día, permitirle hablar y desahogarse. Intuía que era lo mejor que podía hacer para intentar aliviar, aunque fuese un poquito, su alma que parecía atrapada en su propio juego de vida y de muerte.

—¡Morir sería un alivio! —prosiguió Trujillo, tomando un sorbo de la cerveza negra helada que le había traído Samuel— Tengo miedo de que muchas personas… y el mismo Dios no puedan perdonarme. He cometido tantos horrores. Y, aunque no lo creas, muchos de ellos, si estuviera en mis manos, los borraría, no volvería a cometerlos… Pero ya es tarde, muy tarde… No sé si seré digno de compasión en la otra vida, ya sabes lo que dice la Biblia: "Ojo por ojo…"

Y Tantana se convirtió en un testigo presencial y exclusivo. En no pocas ocasiones, que sobrevenían tras mantener conversaciones como aquella, vio al poderoso Rafael Leonidas Trujillo Molina, encender una vela a la Virgen de la Altagracia, patrona de la República Dominicana, con lágrimas que, sin recato, brotaban de sus cansados ojos. Pero, ella sabía muy bien que eso no lo iba a escribir nunca la historia…

CAPÍTULO VI

*...Muchos de los haitianos que permanecieron indocumentados en Do-
minicana corrieron peor suerte que sus hermanos. Por orden de Trujillo y de sus secuaces, miles de ellos fueron asesinados impunemente...*

Rafael Leonidas Trujillo Molina contaba con solo cinco años de edad y se
debatía entre la vida y la muerte. Difteria era el nombre de la parca y le visitaba a diario con la intención de llevárselo de este mundo. Sus atribulados
padres seguían teniendo un pequeño rescoldo de esperanza porque doña
Chen*, la santera del pueblo, había prometido que vendría a verle. Y, a pesar de no estar realmente convencidos, quisieron creer que ella podía ser la
salvación de su hijo.

En el mismo momento en que llegó, la anciana puso cara de asco cuando vio a Muerte, que vestía sus mejores galas, sentada al lado del chiquillo
que miraba hacia otro lado e intentaba ignorarla.

—¿Tú no sabe que ete niño e epeciá? ¿Que tiene una misión en esta
vida? ¡No pierdas tu tiempo, viejita! —exclamó Chen, ante la mirada sorprendida de "Mamá Julia" que no había visto a nadie entrar en la casa.
Transcurrido un breve lapso, antes de marcharse, la santera le aseguró que
el niño no se iba a morir.

Aquella misma noche y a pesar del cansancio que le invadía, Rafael permaneció despierto, aunque cuando su madre entraba él se hacía el dormido.
De pronto vio como una luz resplandeciente que penetraba por la angosta
ventana de su humilde cuartito y que, tras ella, entraba un ser blanco, transparente y desmesuradamente alto que le dijo: —¡Rafael, soy tu patrono, no
tengas miedo! Todavía no ha llegado la hora de que abandones la tierra.

Tienes mucho que hacer en esta vida —a continuación se sentó a su lado, le acarició la cabeza y prosiguió—. Tienes una gran misión que cumplir y serás ayudado por el inmenso don que voy a darte ahora. La habitación se llenó entonces de rayos dorados que lo envolvieron absolutamente todo, y unos instantes después Rafael, descansando en el regazo de su bienhechor, se sumió en un profundo sueño.

Al cabo de tres días y sus tres noches, Rafael abrió los ojos, llamó a su madre y le dijo que tenía hambre. Julia pensó que su hijo estaba delirando y fue corriendo a despertar a don Pepe, su marido. Pero Rafael estaba bien despierto, se sentía perfectamente y devoró todo lo que ella le trajo.

En los días que siguieron, Rafael se repuso completamente y aunque sus padres no creyeron la historia del Ser de Luz, se apresuraron a dar las gracias a Dios por haberlo salvado. Como eran profundamente creyentes, se dirigieron a la menesterosa iglesia de San Cristóbal y pidieron al párroco que celebrase varias misas en agradecimiento por el milagro. Después, por la tarde, celebraron una fiesta en su casa, gastando los escasos ahorros que tenían, a la que invitaron a todo el pueblo a comer sancocho y beber ron. Escasez, la inseparable compañera de aquella familia, no fue invitada. Durante unas horas anduvo vagando por los campos junto a Tristeza que también había sido desterrada, y junto a Dolor que iba del brazo de Enfermedad.

La prensa del país se enteró de la noticia y, como aquello realmente parecía un milagro, el diario de más tirada no pudo a menos que publicarla. Nadie podía imaginar, entonces, que aquella sería la primera de muchísimas ocasiones en las que Trujillo saldría en la primera plana de los periódicos.

José Trujillo, su padre, era extremeño y, como tantos otros españoles en la época, había emigrado a Dominicana, buscando nuevos horizontes y mejores oportunidades. Allí conoció a Julia Molina, una joven de estatura pequeña, rasgos bellos y dulces, ligeramente mulatos, muy piadosa, afable y amorosa y que se convertiría, posteriormente, en cariñosa madre de sus hijos.

En San Cristóbal la ascendencia haitiana de Julia estaba mal vista. A menudo la mujer se disgustaba con sus convecinos por el trato que daban a alguno de sus hijos, los de piel más oscura, y a ella misma por ese motivo.

El hecho de que don Pepe, que así le llamaban en el pueblo, fuese español "por los cuatro costados", como solía decir él, era la otra cara de la moneda. La gente del pueblo, de piel más oscura, enaltecía a sus hijos y aquello también desagradaba a su mujer que pensaba que todos los humanos somos iguales. Desde siempre, la mujer intentó inculcar esos valores religiosos y morales a sus hijos, que crecieron agarrados de la mano de una gran dicotomía. Rafael Trujillo, y algunos de sus hermanos, en San Cristóbal, estaban considerados como "más finos" pero el tener ancestros haitianos los marcó para toda la vida.

Fue entonces cuando Rafael Leonidas, aquel niño herido, decidió de forma inconsciente que, a lo largo de su vida, no solo ocultaría su procedencia sino que, para borrarla definitivamente, lucharía en contra de ella.

En ese paradójico ambiente se crió el niño Rafael: igualdad en casa y diferencia fuera de ella. Con el paso de los años él se convirtió en un mozo apuesto e inteligente y encontró trabajo como repartidor de telégrafos. Pero cuando el joven se enteró de la posibilidad de enrolarse en el ejército, empezó a soñar con su gran vocación. No en vano en el pueblo le habían apodado "Chapita" pues, desde muy pequeño, coleccionaba las tapas de los refrescos y se las prendía en la camisa a modo de condecorada premonición.

Al cumplir la edad reglamentaria, entre los vecinos de San Cristóbal decidieron asar un lechón en su honor, porque el joven se convertiría en el primer militar del pueblo, y la ocasión lo merecía. La aldea se engalanó con guirnaldas, lamparillas de petróleo y velas y las muchachas y muchachos lucieron sus mejores galas.

La única que recibió la noticia de la partida de Rafael sin entusiasmo fue Aminta Ledesma, una joven que él cortejaba desde hacía un tiempo.

—Volveré más pronto de lo que crees… —le aseguraba el muchacho para consolarla— y nos casaremos. ¡Entonces tendré una vida mejor que ofrecerte… El quedarme aquí no sería bueno ni para ti ni para mí, Adminta…intenta comprenderlo!

Pero ella, desesperada ante la idea de su partida, decidió seducirle. Quería quedarse embarazada, así lo retendría a su lado. Aquella noche, los jóvenes terminaron durmiendo juntos en un establo situado en la salida del pueblo.

Hacía un tiempo, la muchacha había ido varias veces a visitar a doña Chen que le había recetado algunas pócimas para enamorar a Trujillo. —¡Si él así lo quiere, mija! ¡Hay que respetar el "libre albedrío"!

La santera, poderosa y dueña de una cultura innata, era una mujer de estatura extremadamente pequeña, casi diminuta. Tenía aspecto de haber sido succionada por algún demonio con los que se decía que ella trataba. Sus piernas enarcadas hacían que su caminar fuera lento y fatigoso.

La gente de San Cristóbal no conocía su verdadera edad. Los más viejos le contaban hasta ciento veinticinco años. Sabían que Chen se había casado once veces de las cuales enseguida había enviudado. De esas uniones había parido veintidós hijos que también habían muerto a edad temprana. Vivía sola en un conuco situado al lado de un manantial al que llamaban "La Toma". Aquella agua dulce y fresca era la mayor riqueza del lugar.

Chen era buena mujer y ayudaba, en lo que podía, a quien lo necesitara. Pero también era muy temida por sus convecinos que, cuando querían solucionar sus problemas, iban a visitarla a su mísero rancho.

Unos meses antes, Aminta, en una de sus frecuentes visitas, había ido a quejarse. Rafael, el hombre al que ella amaba, estaba centrado únicamente en su meta, convertirse en militar, y ella lo veía muy poco.

—¡Sí... ya lo sé, mija! —contestó la mujer con gran seguridad.

—¿...lo... sabe? Pero, ¿y cómo es eso, doña? Si yo no le había dicho nada a nadie...

—¿Y eso qué impolta, mija? Yo ya llevo tanto tiempo en este mundo que no me hace falta que alguien me cuente na pa sabelo... —volvió a responder Chen.

—Bueno... por eso he venido a verla... Yo lo amo y pienso que, si pudiera salir embarazada, podría retenerlo a mi lado.

La anciana encendió su cachimba y se quedó mirándola fijamente durante un buen rato tras el cual exclamó: —Mira, Aminta, ... yo te voy a ayudá... te tengo que ayudá. Me lo están diciendo... Y cuando me lo dicen... hay que hacelo.

—Ay, doña... me está asustando. ¿Quién le dice qué? —preguntó la muchacha muy alarmada.

—Pero también te voy a advertir de una vaina, mija. Ese muchacho, aunque te quedes encinta se va a ir pa la capital porque él tiene que cumplir una misión, ¿tú me entiendes? Si, a pesar de lo que te estoy diciendo, tú le quieres tanto que deseas seguir palante...

Chen se levantó lentamente de su mecedora de caoba y se dirigió a un mueble en donde guardaba tabacos y ron. Tomó una botella que estaba casi entera, y dos puros. Después, y con andares muy pausados, se dirigió a su aposento que estaba repleto de figuras r ligiosas. Al rato regresó con un paquete de yerbas, tres estampitas, una de la Virgen madre de Dios y las otras de dos santas, también vírgenes.

—Síentate, mija… —pidió suavemente a Aminta.

Chen tomó asiento, cerró los ojos y comenzó a balancearse en la mecedora. Hablaba, ensimismada, susurrando palabras en un idioma que la muchacha no entendía. Al rato se incorporó y sirvió dos vasos de ron y le ofreció un cigarro a la joven. —Mija… prende el tabaco y bébete el ron de tres tragos… —ordenó.

Después de dudar durante unas décimas de segundo, la muchacha obedeció. Tosió y se mareó un poco. Chen le pasó la bolsa con las yerbas y le indicó que cogiese un puñadito y lo masticara durante tres minutos. Después tenía que escupirlas. Cuando terminó el ritual la bruja se puso a rezar. A los pocos minutos despachó amablemente a la joven. —Ven pasao mañana… por la tardecita… Hasta entonces tienes que masticá las yerbas tres veces al día… y volvé a escupirlas, ¡eh!

Cuando salió de la casa, Aminta se sentía rara. Aquella noche tuvo un sueño en el que se veía a sí misma con senos grandes y turgentes, nalgas redondeadas y abundante vello púbico. Al día siguiente hizo todo lo que Chen le había mandado y regresó la tarde convenida.

—¿Qué has hecho con las estampas que te di? —fue lo primero que le preguntó Chen, a modo de saludo, al verla llegar.

—Se las he vuelto a traer, doña… —contestó la joven sonriendo, al tiempo que se las devolvía.

—¡Eso es buena señal, mijita! —exclamó Chen sonriendo y mostrando un flamante diente de oro, presente de un agradecido dentista, cliente suyo— Coge este muñeco de trapo, llévatelo a tu casa, ponlo debajo de tu almohada… y regresa dentro de tres días.

—¿Y qué hago después, se lo vuelvo a traer? —preguntó la joven algo confundida.

—Mija, ¿acaso tu me preguntaste si tenías que devolverme las estampitas? —fue la respuesta de la santera.

La muchacha no sabía qué contestar… ¿Se habría ofendido doña Chen por ella haberle devuelto las estampas? ¿Qué tendría que hacer en esta ocasión?

—Lo que tú tienes que hacel… —le contestó Chen, leyéndole el pensamiento— es lo que te mande el corazón. No te esfuerces.

Cuando la jovencita se volvió a presentar en casa de Chen era viernes por la tarde.

—Bueno, mijita, ¿has traído el muñeco que te di?

—¡Ay no, doña! Como usted me dijo que hiciera lo que me mandara el corazón, yo... yo no...

—Estás prepará, mija —afirmó la santera.

—¿Para qué, doña? —preguntó Aminta completamente perdida.

—¿Cómo que para qué? ¿Tú no quieres darle un muchachito a tu hombre?

—¡Claro que sí! Pero no entiendo...

—Mira, mija, te lo voy a explicá... de la manera en que estas cosas pueden explicarse... claro... Siéntate.

—Cuando yo te di las estampas de las tres vírgenes, a los tres días regresaste y me las devolviste, ¿no es veldá?

—¡Sí! Pero yo no tenía intención de ofenderla, doña —contestó la muchacha bastante alterada.

—Y no me ofendiste, mija... pero eran imágenes de mujeres santas. Una de ellas, la más santa que ha existido y existirá en la faz de la tierra. Y entre esas tres mujeres... algo en común: su virginidad. Tú me las devolviste. Eso quiere decir que pronto, muy pronto, te desprenderás de la tuya... ¿Tú me entiende, mija?

—En cambio —prosiguió Chen— no me has devuelto el muñeco...

—Pero usté me dijo que...

—¿Qué fue lo que te dije, mija? —preguntó la anciana sonriendo largamente.

—Usted me dijo que hiciera lo que me mandara el corazón.

—Eres muy linda, Aminta, pero te voy a decí una vaina, mija: La cabeza nos la puso el Todopoderoso pa pensá, ¿verdá? No sólo como un adolno. —Chen trataba de confundirla para observar su reacción.

—Quisiera poder pensar, pero no puedo.

—Tranquilízate, mija, tranquilízate —contestó la anciana, acariciándole suavemente la cabeza—. Ahora mismito voy a explicarte por qué te has quedado con el muñeco...

Nuevamente, Chen tomó asiento en su mecedora, encendió su cachimba y volvió a dirigirse a Aminta: —Mija, cuando tú me devolviste las estampas, que no son otra cosa que algo simbólico, inconscientemente me estabas devolviendo tu propia virginidad.

—Y… ¿eso es malo? —preguntó Aminta, sintiéndose culpable.

—No, mija, no hay nada malo en eso… es simplemente una señá que indica claramente que pronto dejarás de ser una niña y te convertirás en una mujer.

—Y lo otro, doñita… ¿qué quiere decir lo del muñeco?

—¡Ay, mijita! Lo otro quiere decí que pronto, antes de lo que yo misma hubiera pensao, vas a parir un hijo.

Aminta salió de casa de la hechicera con la plena convicción de que iba a conseguir lo que se había propuesto. Aquella noche, durante la fiesta en honor a Rafael Leonidas Trujillo Molina, empleó todo su instinto y todas sus armas femeninas para seducir a su amado. Un apasionado beso fue el comienzo de aquella primera relación carnal que en breve tiempo terminaría en matrimonio.

Siete días después, Trujillo, emocionado, cogió la guagua que le llevaría a Santo Domingo, su destino, cargado de ideales, ilusiones y esperanzas. Al llegar a la capital tropezó con el mismo racismo que conocía en su pueblo, o incluso peor. Ahora, además, Rafael tenía que soportar las bromas de los capitaleños hacia los pueblerinos.

Tres meses después de su llegada a la urbe, Aminta le dio la noticia de que estaba esperando un hijo suyo. Pocos días después los jóvenes contrajeron matrimonio. De esa unión a Trujillo le nació su primera hija, Flor de Oro. Sin embargo, poco tiempo después la pareja se divorció y cuando él volvió a San Cristóbal, ya estaba casado con Bienvenida, que fue la madre de su segunda hija, Odette Altagracia. Pero tampoco pudo encontrar la felicidad en su segundo enlace, que se deshizo unos años después.

Contrariamente a sus fracasos matrimoniales, la carrera de Trujillo iba viento en popa. El gobierno norteamericano había tomado la decisión de ocupar militarmente la República Dominicana y hay que reconocer que, en aquel momento, no existía otra alternativa para solucionar el conflicto que afectaba al país. Trujillo fue sabio apoyándoles y supo sacarle partido, a pesar de que se sentía corroído, lleno de resentimiento hacia aquellos intrusos. Aquella ocupación que tanto le desagradaba también le sirvió para ser nombrado Jefe del Ejército..

En el año 1931 consiguió derrocar al presidente Horacio Vázquez y con verdadera vocación, cogido de la mano de un ciclón que devastó Santo Domingo, el de San Zenón, Trujillo luchó fuertemente por encauzar la desastrosa situación del país. Pero el inmenso poder adquirido y la devoción que su persona despertaba pudieron con su espíritu. Él, Trujillo, se había convertido en lo máximo en la República Dominicana.

Santo Domingo pasó a llamarse oficialmente Ciudad Trujillo. Los que rodeaban a su presidente se encargaron de convencerle de que su apellido otorgaría más grandeza al nombre de la capital. Él trabajaba con ahínco y constancia, mientras conseguía el apoyo y la confianza de hombres y mujeres. En aquellos momentos ni él mismo imaginaba de qué manera el poder le iba a corromper.

Para el bien del país, se decía para justificarse ante sí mismo, procuró nacionalizar cuanta industria fuese productiva. Pero, aquella incautación propasó cualquier límite. La mayor parte de todo aquel caudal fue a parar a sus bolsillos y a los de sus protegidos. Sin embargo, nunca sacó dinero de Dominicana.

Trujillo escuchaba relatos e historias en las que nunca había ahondado pero que ahora se le presentaban como paradigmas de su propia vida. Las Cruzadas y otras hazañas, se convirtieron en un ejemplo a seguir. Había que luchar, e incluso matar si era necesario, por lo que uno creía. Y como económicamente el país empezó a avanzar a pasos agigantados, el mandatario se iba convenciendo cada vez más de ello. Aunque a él personalmente pudiesen dolerle ciertas brutalidades, tenía que ignorar a Sensibilidad, que seguía encerrada en San Cristóbal, en aras del progreso y del bienestar nacional. Alentado por sus colaboradores, empezó a juzgar, ejecutar o exiliar a todo aquel que se declaró enemigo suyo y de su labor.

Los vecinos geográficos de Dominicana, la República de Haití constituyó, a modo de ver de los dominicanos y desde siempre, una amenaza. En la época, como no existían leyes fronterizas que se lo impidieran, el trasiego, con buenas o malas intenciones, era continuo. Trujillo, como cualquier dominicano, sabía que los haitianos habían invadido su país en múltiples ocasiones y decidió que, a pesar de conocer que por sus venas corría sangre haitiana, aquello no volvería a ocurrir. Tenía que demostrar al gobierno de Haití, y a cualquier otro, quién era el más fuerte. Y cuando un fin, una meta o una idea se convierten en fanatismo, su resultado puede ser insólito, despiadado e incluso cruel.

Unos años después de comenzar su mandato, Trujillo, movido por anima adversión y un sectarismo hacia el país vecino, y también respaldado por sus incondicionales, por motivos puntuales desconocidos, dio orden de ejecución de muchos de sus convecinos. Desgraciados fueron los que se atrevieron a cruzar la frontera sin permiso y sin identificación. Algunos lo hacían porque insistían en permanecer en suelo dominicano para trabajar como braceros, cortadores de caña de azúcar. El caso es que Trujillo promulgó una ley que obligaba a todos los ciudadanos de Haití a conseguir su certificación de nacimiento y ciudadanía en su consulado. Por aquel entonces, para el populacho, aquello era algo casi imposible. La mayoría de ellos no estaban inscritos en ningún registro y eran automáticamente expulsados, regresados al hambre y a la miseria que sufrían en su tierra.

Muchos de los haitianos que permanecieron indocumentados en Dominicana corrieron peor suerte que sus hermanos. Por orden de Trujillo y de sus secuaces, miles de ellos fueron asesinados impunemente. Pero el mandatario intentó convencerse de que aquel genocidio había sido altamente justific do y necesario. Y, en aquellos momentos, le amparaban su espíritu nacionalista y, por desgracia, el apoyo de muchos compatriotas.

Además, un hecho histórico acontecido a principios del siglo anterior también le animó a cometer aquella terrible matanza. El emperador de Haití, hubo promulgado una orden similar en contra del pueblo dominicano. La barbarie se produjo durante una ocupación haitiana de la que finalmente la República Dominicana se proclamó vencedora. El triste suceso parecía tener el poder de aquietar la conciencia de Trujillo.

—Ojo por ojo y diente por diente —se decía y le decían otros al mandatario.

Trujillo consiguió lo que parecía imposible, y mantuvo buenas relaciones diplomáticas con las autoridades de la República de Haití, gracias a la donación de una importante suma de dinero. Considerando que la vida de un ser humano no tiene precio, no lo fue tanto. Gracias al dinero y al poder, que pueden resultar más nocivos que una droga dura, Trujillo soterró durante mucho tiempo el mal sabor que le dejaban algunas de las pesadillas en las que se veía a sí mismo, asqueado, nadando en un mar de sangre. La sangre de miles de personas de cuya vida él se había adueñado y que, en sueños, venían a reclamarle.

Una parte de los dominicanos que habían apoyado aquel terrible precepto que acabaría con la silenciosa invasión haitiana, basaban su actitud en el hecho de que en Haití se seguía practicando el canibalismo. Por eso, cuando en uno de sus discursos Trujillo proclamó que la amenaza haitiana debía ser arrasada y cortada de cuajo, la moción fue respaldada por muchos más de los que podríamos imaginar hoy en día.

Con el pretexto de dar ejemplo a los dominicanos, cuando lo de la masacre, las autoridades estadounidenses protestaron un poco. Pero sus verdaderos intereses no eran tan nobles como su gobierno quería demostrar al mundo. Por entonces, bastantes ciudadanos o empresas norteamericanas eran propietarios de extensas fincas de caña de azúcar en Dominicana. Como los trabajadores haitianos representaban mano de obra fuerte y barata, se opusieron a que Trujillo los echara del país o los exterminara. Y fue ese el principal motivo para que trataran, y consiguieran, negociar con Trujillo. Llegaron al acuerdo de que, los trabajadores de las plantaciones de las que ellos eran dueños, fuesen respetados. Para esto, aquellas personas y sus familias, eran obligadas a llevar sendas chapas de identificación que les salvaguardaría de cualquier contingencia.

Pero, al sospechoso que no llevase su placa colgada del cuello se le retenía y se le ordenaba que pronunciase en voz alta la palabra "perejil". Por la dificultad que suponía articular aquella palabra para su idioma, los soldados pretendían diferenciar a los haitianos de los dominicanos. Si el infeliz de turno no era capaz de pronunciarla correctamente, era aniquilado a golpes de machete. Los militares los asesinaban de aquel modo con el fin de que el pueblo creyese que aquellos crímenes eran ajustes de cuentas entre campesinos. No pocos dominicanos, de tez muy oscura y que por su incultura no hablaban correctamente su propio idioma, fueron también asesinados por no saber pronunciar la famosa palabrita. Por eso, aquella barbarie fue tristemente conocida como "Operación Perejil".

Del mismo modo en que empezó aquella carnicería, unos meses después y sin previo aviso, terminó. Mucho se especuló sobre los verdaderos motivos que impulsaron a Trujillo a actuar sin piedad en contra de sus convecinos. Y también se teorizó sobre el porqué del cese repentino de aquel espeluznante episodio. Pero nunca se pudieron confi mar las auténticas razones del comienzo ni del término de la masacre.

La enorme deuda externa de Dominicana había representado hasta entonces una auténtica espada de Damocles. El mandatario se prometió que iba a eliminarla costase lo que costase. Se juró a sí mismo que pagaría hasta el último centavo que le comprometiese con los Estados Unidos de

América. Él, Rafael Leonidas Trujillo Molina, impulsaría el comercio y las exportaciones industriales de Dominicana, los multiplicaría por mil. Sabía que habría que trabajar dura y constantemente para alcanzar esas metas. Aquellos fueron sus propósitos y, cuando nació Aída, habían pasado alrededor de veintidós años desde que se los había planteado como su máximo colofón. Y ya hacía tiempo que se habían convertido en una realidad.

El dictador era perfectamente consciente de que, para conseguirlos, habían tenido que rodar algunas cabezas. Sabía muy bien, o por lo menos aquellas eran sus creencias, que el conseguir algo en la vida la mayoría de las veces implicaba comportarse de un modo frío e impersonal. "El fin justifica los medios", había oído decir en no pocas ocasiones.

Muchos de los que le rodeaban eran tremendos lisonjeros que, no sólo le consentían, sino que no desperdiciaban la ocasión para ensalzarlo. Con el paso del tiempo, el mandatario se rodeó de gente que le sugería, cada vez más, glorificarse a sí mismo y a su obra

Tal era la exaltación e hipocresía de la que el dictador estaba circundado que, en múltiples ocasiones, se llegó a afi mar que él era un enviado directo del propio Dios. Uno de los que se encargaron de ello fue su secretario personal, Joaquín Balaguer, que había estado junto a él desde antes de su toma de posesión gubernamental. Aquel personaje, que ahora se había convertido en su vicepresidente, lo afi mó en una de sus célebres alocuciones. Este paradójico protagonista de la historia dominicana, Balaguer, era un hombre culto y muy inteligente. Seguía apoyando a Trujillo y así lo haría hasta el final de su mandat , elevándolo hasta las alturas del mismo cielo.

Los seguidores de Trujillo, inspirándose en las barbaridades cometidas por lo que fue "La Santa Inquisición", tristemente conocida por todos, le alentaban a seguir los pasos que marcaron su largo mandato. El propio Dios, solían decirle sus coautores, era el inspirador de su epopeya que, aunque de gran dureza, era sabia y bienhechora.

El joven, que entonces había conseguido el apoyo de prácticamente todo el ejército dominicano, contaba también con el de poderosos caciques que habían depositado su confianza y sus esperanzas en él. Uno de aquellos jefes regionales, por definirlos de alguna forma, fue Desiderio Arias, un personaje muy importante.

Una tarde cualquiera, en la que estaba encerrado en el cuartel estudian-do, Trujillo recibió la visita de unos desconocidos. Eran dos hombres que no se identificaron. Uno de estatura muy alta y el otro de estatura extremadamente pequeña. Habían entrado en su estudio sin previo aviso y sin ser acompañados por ningún soldado, cosa que extrañó a Rafael que, sin embargo, no sintió el impulso de avisar a sus subordinados.

El hombre de estatura alta iba vestido con un elegante traje de hilo blanco, impecablemente limpio y planchado. Llevaba puesto un sombrero "jipi-japa" del mismo tono. Los rasgos de su cara eran poderosos y dulces a la vez. Sus ojos brillaban con una luz especial que transmitía paz y confianza. El pelo castaño con matices dorados le caía sobre los hombros. El de estatura pequeña vestía pantalones negros, camisa del mismo color y llevaba el pelo cortado "al uno". Sus ojos, de expresión vacía, recordaban a los de un tiburón y parecían poder observarlo todo.

Rafael invitó a los desconocidos a sentarse, por lo que ambos tomaron asiento. Aunque desconfiaba de aquella inesperada visita, Trujillo se dijo que, toda información, a su favor o en su contra, sería de utilidad para él.

—Cada uno de nosotros viene a traerte un mensaje "muy diferente" —exclamó de pronto el bajito con un tono bastante burlón.

—Pues, ustedes dirán —respondió Rafael, algo irritado por el timbre de sorna que había empleado aquel desconocido—, aunque les agradecería que fueran breves, tengo mucho trabajo.

El hombre alto miró al recién estrenado mandatario y le sonrió. Le dijo que, aunque él seguramente no lo recordaría, los dos habían tenido el gusto de conocerse muchos años antes, en San Cristóbal.

—¿En San Cristóbal? La verdad es que no… No recuerdo haberle visto antes. —Acto seguido Trujillo recibió una sacudida en el hombro izquierdo, el lado de la intuición. El hombre alto le dijo dulcemente, mirándole directamente a los ojos: —Rafael, usa tu poder para hacer el bien. Es lo único que vengo a aconsejarte.

El hombre bajito parecía estar molesto y le lanzó a ambos.

—¿Qué bien ni qué bien? Trujillo, has llegado muy lejos. Pero ten cuidado, tienes muchos enemigos que quieren arrebatarte lo que has conseguido con tu esfuerzo. De modo que… mira por ti y para ti. Ese es mi mensaje. Roba, tortura, mata… haz lo que sea, pero no dejes que te quiten lo que has conseguido con tanta lucha.

Rafael se no logró moverse ni articular palabra ante aquellos hombres tan dispares y que parecían haber escapado de un manicomio. Cuando se

71

despidieron amablemente, asegurándole que no volverían a molestarle por el momento, él permaneció petrificad , sentado en su butaca. Ellos abandonaron el despacho del joven que de repente empezó a sentirse físicamente mal. Los párpados le pesaban y, sin poder remediarlo, se estaba quedando dormido. Y aunque quería resistirse al sueño, no lo consiguió. Luchó durante unos momentos que le parecieron eternos y, por fin consiguió abrir los ojos. Alguien le estaba zarandeando.

—¡Señor! ¡Despierte, despierte, señor! Está usted ardiendo de fiebr . Vamos a llevarlo a la enfermería… —Era la voz del oficial que estaba de guardia y que había entrado a su despacho dos horas después de que Trujillo recibiese aquella extraña visita de la que él, ni nadie más, habían tenido noticias.

Francisco Franco y su esposa, apadrinaron el Bautizo de Aida en Madrid, 1954, en el Palacio de El Pardo.

Octavia Ricart con su marido Ramfis Trujillo

CAPÍTULO VII

...Lo que no le encajaba del todo era que también había oído decir que los militares de Dominicana, a los que admiraba, estaban matando a muchos de sus compatriotas por orden de un tal Trujillo que era el presidente de la nación...

En los años que siguieron a la toma de posesión de su mandato, Trujillo dedicó todo su tiempo y esfuerzo a levantar la nación. Parecía que las cosas iban sobre ruedas. Tuvo, no obstante, que deshacerse de muchos que hubiesen deseado suplantarle. Olvidó parte de sus raíces y los buenos consejos de su madre, y se dejó infl ir por el racismo que caracterizaba a muchos dominicanos con respecto a sus vecinos haitianos.

Aquel racismo fue cuajando en su mente como prende una hiedra en un muro hasta que sus ramas llegan hasta arriba y se vuelven fuertes y resistentes. Sus ascendencias haitianas lo habían hecho sufrir mucho. Le habían hecho sentirse despreciado e inferior y, por ello, decidió borrarlas de su memoria.

La obsesión de Trujillo, además, por impedir cualquier tipo de invasión, tanto en su país como en su dictadura, unida a aquellos sentimientos, aumentó considerablemente. Aunque nunca se supo el verdadero motivo, fue artífice de una terrible matanza. Tanto del comienzo como del fin de la misma se barajaron diversas conjeturas.

Era bien entrada la noche y Démosthènes* permanecía aún junto a los cañaverales. No sentía el menor deseo de regresar a su miserable choza construida, en su mayor parte, con hojas de plátano secas. Aún así se dijo en silencio que tenía que hacer "de tripas corazón" y dar la cara al hambre y a la estrechez que reinaban en ella, enfrentándose a la tristeza reflejada en el rostro de los suyos. No tenía más remedio que, dentro de sus escasas posibilidades, proteger a su familia, intentando también aportarles un poquito de la perdida alegría de antaño. Había empezado a trabajar desde mucho antes del alba para que le doblaran el "rancho" con el que le pagaban. Casi nunca percibía dinero en metálico por su trabajo.

—Los haitianos no necesitan plata… no tienen tiempo pa irla a gastá. Con que se les dé un catre y comida ya es suficiente… —Solían decir despectivamente los capataces de las plantaciones.

Y Démosthènes, a pesar de tener una familia que mantener, no tenía más remedio que conformarse. El hombre pensaba, no obstante, que hubiese sido peor el tener que permanecer en Haití donde ni para un plato de comida había y en donde, a veces, tenía que hacer cualquier cosa para poder alimentar a su familia. Llegó a su casa con ese cansancio que no sólo es producido por el esfuerzo físico. Tenía cuatro hijos pequeños y Elmire, su mujer, estaba por darle el quinto.

—Ye ve devuá "cupé ma qué" u otreman "visité les-otre" —Se decía en silencio a la vez que pensaba que esa segunda opción, en su caso, no tenía sentido.

—¿Sacré blé… sil ni a mem pá a manyé shé muá… coman ye vé alé mamisé ailler? —Se corregía enseguida, sintiéndose culpable por su apetito sexual de hombre joven.

Se lavó con agua salada del lago Enriquillo que tenían guardada en una tinaja de barro que se había ganado arreglando el jardín de uno de los capataces. Aquel inmenso lago de agua salada, un pequeño mar, no se encontraba demasiado lejos de su casa. La caminata para llegar hasta él resultaba menos penosa que el tener que desplazarse hasta el río para acarrear agua dulce. Además, Démothènes estaba convencido de que la sal era curativa. El agua dulce, escasa en los alrededores, se reservaba para beber y para cocinar.

—Purcuá, mon Dió, purcuá ti nus a fé netre, nú les haitian dan la pir par de set il? —rezaba algunas veces, preguntando, desesperado, como si el cielo fuese a contestarle.

Era una realidad que en Haití hasta el agua era un don muy apreciado ya que los lagos y ríos pecaban por su ausencia. Pero también, en la parte de Dominicana, en donde se habían podido instalar, muy cerca de la frontera, ocurría casi lo mismo, con excepción de un oasis que bordeaba un río pero que se encontraba a no poca distancia de su plantación. El extranjero, y hasta el nativo, que no había viajado al sur, la primera vez que lo hacía, quedaba sorprendido ante la vista del contraste del resto de una isla verde y paradisíaca y aquel territorio que parecía empeñarse en reproducir los parajes desérticos que se veían en algunas películas norteamericanas de vaqueros.

—Se pá com le dominican —continuaba Démosthnes cuando le daba por rezar protestando— ti les a doné ta gras mem an sá. Ils-on in ter fertil é de ló sufisa te… Nu, nusavon la montañe é de la ter sesh… é coman fon lé fam de se peí pur ne pa acushé tan que le notre? Petetre sé a cos de tú sé quel manye é buá?

Y, creyendo en la existencia de esa posibilidad, Démosthènes daba la mayor parte del rancho a Elmire*, su amada esposa… Pero ni así.

Había podido ganar aquel día media libra de arroz, dos plátanos y, por caerle en gracia a uno de los capataces al que siempre contaba historias de su pueblo, media vara de longaniza. Todo aquello significaba un verdadero festín para ellos porque su mujer sabía de sobra hacer que los víveres cundieran, como por arte de magia, más de la cuenta.

—¿…coman ti va preparé le diné se suá? Frí u "sanchochao", com dis isi? —Démosthnes se moría de hambre y ante la expectativa de la cena, y después del salado baño, una gran sonrisa le hacía resplandecer a pesar del cansancio y el abatimiento que solían acompañarle.

Después de cenar y dar gracias a Dios por la suerte de su pequeña abundancia, Démosthènes salió a contemplar las estrellas que brillaban con tal fuerza que a él le daba la impresión de que el cielo iba a caérsele encima en cualquier momento. Y aquella sensación le encantaba. Aquel era un ritual que practicaba casi cada noche y una de las pocas satisfacciones que le regalaba la vida. Una ráfaga de luz estuvo a punto de rozarle la cara… Eran las luciérnagas… ¡Qué bellezas tan misteriosas podía regalar la naturaleza! Y también los pobres podían disfrutar de ellas, pensó. Con la cachimba que le había dado aquel capataz amigo, el campesino fumaba quietamente tabaco, cuando lo había, y en su defecto unas hojas aromáticas recogidas por su mujer.

—¡Sesí té fé d bian… Lotre te fé di mal! —le decía ella para consolarlo.

Tal era su agotamiento que Démosthènes, muchas veces, se desvelaba y tardaba en conciliar el sueño. Quizás su insomnio se debía a que no tenía ganas de dormirse pronto, dejando así pasar las únicas horas de expansión a las que tenía derecho, sin vivirlas plenamente.

A su hijo mayor, Eugène, de apenas ocho años, le gustaba acompañar a su padre en aquellos momentos de ocio. El chico había empezado a ayudarle en las tareas del campo y tenía derecho a acostarse algo más tarde que los demás. Para los haitianos y la ley del cañaveral, a esa edad ya se era lo suficientemente maduro como para ayudar a llevar el pan a casa. Eugène era delgado pero muy fuerte. De tez considerablemente oscura, con la que contrastaban sus enormes ojos azules, era predispuesto, listo y obediente. Soñaba con algún día poder enrolarse en el ejército.

—¿Dan quel... Haití u Dominicana? —inquiría su padre en tono burlón.

—¡Dan Dominicana! —contestaba orgulloso el crío.

El chiquillo había oído decir que los haitianos que habían nacido en la República Dominicana tenían ciertos derechos. Él, no solo había nacido allí sino que, además, ya hablaba bastante bien el idioma de su tierra natal. Además, el país de sus padres era muy pobre y, según le habían contado, los militares nativos eran malas personas. Lo que no le encajaba del todo era que también había oído decir que los militares de Dominicana, a los que admiraba, estaban matando a muchos de sus compatriotas por orden de un tal Trujillo que era el presidente de la nación. Eugène sabía, porque se había encargado de informarse de ello, que el ejército siempre tenía que acatar las órdenes de sus superiores y, hasta cierto punto, lo entendía. Pero se preguntaba si esos militares no serían también mala gente. Sin embargo, los acontecimientos que se estaban produciendo no habían mermado ni un ápice su intención de pertenecer al gran ejército que era, a su modo de ver, el de Dominicana. Cuando veía a alguno de sus miembros, se cuadraba tratando de imitarlo. El día más feliz de su vida, había sido cuando un conocido de su padre le había regalado un casco con la inscripción de las siglas E.R.D.

Una tarde cualquiera se presentó en su casa un destacamento militar. Démosthènes estaba trabajando en el cañaveral y así lo manifestó Elmire cuando preguntaron por su marido. Entonces los militares decidieron esperar a que anocheciera y él volviera, no sin antes haber dado una vuelta por los alrededores para comprobar las identidades de los vecinos.

A su regreso del obligado control, provistos de sendas botellas de ron que habían adquirido en el único colmado que había cerca, le pidieron a Elmire algo de comer. Ella sacó un trozo de casabe y unos chicharrones que tenía reservados para la cena de su esposo. Tenía miedo de que, si se negaba, los militares tomasen represalias en contra de Démosthènes.

Sin embargo, el que parecía ser su jefe, por su autoridad para con los otros militares, no les dejó aceptar aquel refrigerio. Intuía que ese era un sacrificio injusto y rande para aquella pobre familia.

—¡El que quiera comer algo que vuelva al colmado y se lo compre, carajo! Agradecidos tienen que estar de que yo no reporte que, estando de servicio, estén tomando ron.

Elmire, agradecida silenciosamente por el gesto del desconocido, se apresuró a acostar a los niños, antes de la hora acostumbrada, y se puso a limpiar y a ordenar la choza frenética e innecesariamente.

—¡Mírala! —dijo en tono lascivo uno de los militares refiriéndose a ella— Aunque es prieta y está preñá… la haitianita es bien buenamosa, ¿eh? A mí no me impoltaría…

—¡Cállese, Toronto! —le reprendió el jefe del comando— ¿Usté no tiene sensibilidá? Y si fuera su mujer la que estuviera encinta… ¿a usté le gustaría que un hombre hablara así de ella?

—¡Con todo mi respeto, mi comandante! —contestó el militar en tono irónico y soltando una carcajada— Pero en eso existe una diferencia abismal. Mi esposa es dominicana y esta… esta no es más que una puerca haitiana. Gracias tendría que darme por tan siquiera haberla mirao, ¡carajo!

—¡Ya basta! Si no se comporta usted como es debido, tendré que dar parte al Gobierno Militar y… —contestó a su ironía y a su mal gusto haciendo uso de su autoridad. Su nombre era Ortega, Feliciano Ortega*, un hombre decente al que no le agradaba en lo más mínimo hacer el sucio trabajo al que estaba destinado.

—Bueno, bueno… jefesito… —contestó Toronto un poco chulo, debido a los efluvios del alcohol, pero con algo más de precaución— No se me ponga bravo. Ya me voy a callar… Es que esta gente me pone de mal humor.

Mientras esperaban a Démosthènes y a pesar de que Elmire había prohibido a los niños que se levantaran, Eugène no pudo contener su curiosidad y se asomó, con la excusa de que tenía sed, a observar de cerca a los militares. Ortega, al ver al niño, que le recordaba al suyo que era también de tez muy oscura, le sonrió. Eugène le devolvió la sonrisa, cogió un vaso de agua y cuando se disponía a regresar a su catre el militar le preguntó:

—¿Cuántos años tienes y cómo te llamas, tigre?

El chiquillo se apresuró a contestar, cuadrándose: —¡Tengo ocho años, señol!

—¡Ah!, ¿pero hablas español? —preguntó el oficial.

—Pues, claro que sí —respondió orgulloso el chico al que por poco se le derrama el agua ante la excitación de que aquel oficial se interesara por él

—Yo pensé que ustedes, los haitianos, sólo hablaban…

—De ninguna manera, señol… Además yo he nació aquí, en la República Dominicana, y sé que tengo derechos… y ademá… cuando yo sea grande quiero ser militar. Como usté que, ademá… es un poco jefe, ¿no? —contestó Eugène que hubiera deseado que aquella conversación no acabara nunca.

—Muy bien… sigue pensando así y llegarás lejos, mijo… ¿cómo te llamas? —preguntó nuevamente Ortega, esbozando una sonrisa, mientras sus compañeros se miraban los unos a los otros preguntándose por qué su superior perdía el tiempo hablando con aquel muchachito.

—Eugne, señor… —y prosiguió— Lo único que no entiendo, señol, es por qué el presidente Trujillo quiere matar a todos los haitianos.

Elmire, alarmada, intervino: —¡Eugne!, no siga moletando —exclamó en el poco español que sabía hablar y, después, continuó amonestando a su hijo en su propio idioma: —Alé o li, vit, mon fis.

—No, no, mijo… —contestó Ortega, ignorando a la mujer, algo sorprendido por la afi mación que sin ningún pudor había hecho el muchacho— No quiere matar a todos los haitianos —repuso convencido a medias—. Es solamente que él quiere que solo la gente honrada y trabajadora permanezca en Dominicana. ¿Tú me entiendes?

El chico se quedó callado y esperando a que aquel hombre siguiera dándole explicaciones.

—Por eso hemos venido hoy aquí… —continuó Ortega— Simplemente para comprobar algo que ya sabemos… A que tu papá tiene una chapa identificat va con su nombre y el de la plantación en la que trabaja, ¿eh? —Ortega se sentía algo nervioso y bastante desarmado ante la inocente presencia y la pregunta del niño.

—Sí… —contestó Eugne.

—¿Ves? Cuando tu papá llegue y nos enseñe la chapa, habremos comprobado que él sí es un hombre trabajador y que está aquí de forma legal. Y él no va a tener ningún problema con el gobierno… ¿Tú me entiendes, mijo? —volvió a preguntar.

—Pué… a mí me han dicho que ese hombre, el presidente Trujillo, e malo y quiere matalnos a tos…

El pánico había hecho presa de Elmire. No tenía idea de cómo iba a acabar aquella conversación, que entendía a medias, y, paralizada, no lograba articular palabra. El bebé en su vientre le daba fuertes patadas, tal era la descarga de adrenalina que su madre le estaba suministrando.

Ortega no sabía cómo salir airoso de la conversación... Se mantuvo silencioso durante unos momentos y al rato contestó: —Eugne, ¿a ti te gustaría conocer al Presidente para que veas que no son veldá todas esas vainas que dicen de él?

—Pero... usté delira, Otega —interrumpió Toronto que no daba crédito a sus oídos.

—¡Cállese, Toronto! ¡Más respeto a un superior! —le espetó indignado el militar.

Dirigió de nuevo la mirada al chico que los observaba incrédulo. Nunca hubiera imaginado que en su casa hubiera podido ocurrir algo así.

—Mira, mijo, yo conozco muy bien a Su Excelencia —Feliciano Ortega intentaba convencerse a sí mismo de lo que iba a decir—, y estoy seguro de que, si yo se lo pido, y le hablo bien de ti, él va a querer conocerte... Y más siendo un niño haitiano que quiere convertirse en militar dominicano.

En aquel instante entraba Démosthènes por la puerta, con la cara desencajada, pues ya le habían advertido de que había una patrulla en su casa, esperándole desde hacía un buen rato.

—¿Qué sé qué sé le ofré, senior? —preguntó el hombre dirigiéndose a Ortega.

—Simplemente hemos venido a comprobar su placa... Ya sabe... hay muchos maliantes e impostores por esta zona... —contestó el oficial, con cierta tranquilidad.

Démosthènes, visiblemente nervioso, se apresuró a enseñarle la placa que llevaba colgada al cuello.

"Démosthènes Evremont. Varón. Fecha de nacimiento: 1/2/1905. Plantación: Zona suroeste F24"

—Bueno... pues parece que todo está en regla... ¿Ves, tigre? Tal y como yo te lo dije —dijo, dirigiéndose a Eugne. Y, acto seguido, exclamó: —¡Vámonos, muchachos!

El grupo se dirigió a la puerta y antes de franquearla, Ortega volvió a hablarle a Eugène que parecía querer retenerlo con la mirada.

—Mijo, cuando Oreguita da su palabra, la cumple. Vas a conocer a nuestro querido Bienhechor, te lo prometo. —le dijo cariñosamente pasándole la mano por su negra y ensortijada cabeza.

Y con esas palabras abandonó el hogar de los atemorizados Démosthènes y Elmire Evremont, llevándose consigo a unos hombres hartos y aburridos por el servicio que desempeñaban día tras día.

Cuando la familia, aliviada al comprobar que la presencia militar en su hogar había sido únicamente de rutina, se quedó a solas, Démosthènes preguntó a su hijo: —¿Qué parlé ti avec le militer?

—Era el jefe del grupo, mon pér, y me ha prometío que me va a presentá al presidan de Dominicana. —contestó más ancho que largo el sonriente chiquillo.

—¿Al presidan? ¿A mesié Trujillo? Mé sa, mon anfan, sé pa posible. —contestó Démosthnes convencido.

—Él me lo ha prometío, mon pér… y yo le creyó —afirmó Eugènœcon gran seguridad.

El hombre, agotado por el duro trabajo de la jornada, decidió no quitarle la ilusión a su hijo, no discutir con él y, después de haber cenado frugalmente, como de costumbre, acostarse. No tenía ganas ni de salir a fumar en su cachimba.

Al día siguiente, en la madrugada, el bracero se encaminó de nuevo hacia la plantación. Así se sucedían los días, uno tras otro, en casa de aquella pobre familia, como en la mayoría de los hogares haitianos "afortunados", afincados en las plantaciones de caña de la epública Dominicana.

La matanza de sus compatriotas se fue recrudeciendo y todos ellos temían por sus vidas y las de sus familiares. ¿Y por qué? Se preguntaban… ¿Cuál era el motivo por el cual Trujillo se había ensañado tanto con ellos, que lo único que hacían era trabajar, trabajar y trabajar, con la sola ventaja de tener un mísero techo y poder llevarse algún alimento a la boca?

Se había corrido la voz de que el Jefe tenía ascendencia haitiana, cosa que dejaba aún más consternados a los pobres cortadores de caña. Si él llevaba su sangre, ¿por qué los mandaba a matar? Aquellas eran las conversaciones que mantenían los atemorizados hombres haitianos en los colmados, en las pocas ocasiones en las que se reunían a tomarse un trago.

Un tiempo después, la voz popular contaba que Trujillo quería "refinar" la raza. Al ser ya muchos, demasiados, los habitantes de Haití que ocupaban tierras dominicanas, el mandatario temía que se mezclaran en exceso con sus paisanos. Pensaba que el consecuente "oscurecimiento" solo les aportaría desgracias a sus compatriotas. Se decía que él mismo sufría de complejos por tener sangre negra en su árbol genealógico. Que a causa de ello había sufrido muchas humillaciones y desplantes en su más temprana juventud. Se decía que al mundo no le gustaban los negros. Era mucho más acertado, bajo su punto de vista, que los dominicanos se fusionaran con blancos provenientes de Europa.

Trujillo ocultaba minuciosamente esa parte de su genética pues él había tenido "la suerte" de ser blanco. Aunque tenía rasgos criollos, estos hubiesen podido confundirse perfectamente con los de algún español del sur. Uno de los motivos por los que Rafael estaba orgulloso de haberse casado con su actual esposa, doña María, era que ella era blanca de verdad, lo que aumentaría las posibilidades de que su descendencia también lo fuera.

Un tiempo después de la visita militar que tanto lo había marcado, a través de la ventana, Eugène vio a otro grupo de soldados que se acercaba. Sin que a su madre le diera tiempo a darse cuenta, el niño salió corriendo a su encuentro. El comandante Ortega había vuelto. Eugène estaba sincera y felizmente emocionado.

—¡Buenos día, mijo! —le dijo el militar, a modo de saludo, y sonriéndole francamente.

Los dos, adelantándose al resto del grupo, se dirigieron a la casa en donde, sobresaltada, esperaba Elmire.

—¿Nos pelmite entrar, doña? —preguntó el hombre. La mujer, agradablemente sorprendida, ya que cada vez que recibían ese tipo de visitas no se les pedía permiso alguno, asintió con un leve movimiento de la cabeza.

Cuando entraron, Elmire preguntó a Ortega si deseaban tomar alguna cosa.

—No, doña, en todo caso, si es usté tan amable, le agradeceríamos uno vaso de agua… —contestó a la vez que tomaba asiento. Hacía mucho calor y el uniforme estorbaba, pensó Ortega deseando terminar su jornada.

Ella les sirvió y preguntó: —¿Qué é lo que mesié vulé?

—Vengo a traele una noticia a Eugne… —contestó él bebiéndose de un sorbo el vaso de agua.

—¿Pur… pur Eugne? —preguntó Elmire, inquieta. Tanto que Ortega se dio cuenta y enseguida pasó a darle una explicación.

—¡No se preocupe, doña! La última vez que estuvimos aquí, yo le prometí a su hijo que le iba a presentar a nuestro Excelentísimo Presidente. Y he venido a cumplir mi promesa… Pero tengo que llevarme a su muchachito unos días. Vengo a pedirle pelmiso.

Elmire estaba muy nerviosa y no sabía qué contestar… Eugène, al ver a su madre dudando, le suplicó que lo dejara irse con los militares. Y era tanto su empeño, su ilusión, que a la madre lo único que se le ocurrió fue pedir que esperasen a su marido porque ella sola no podía conceder esa clase de licencia.

Cuando ya había oscurecido llegó Démosthènes, que también se sobresaltó al ver otra vez a aquellos hombres en su casa.

—Buena talde, Sr. Evremont… imagino que se acuelda de mí… —saludó Ortega.

—Sí, mesié, ¿qué vulé vu? —contestó el haitiano, alarmado pero manteniendo una cortesía y una humildad obligatoria.

Después de que el comandante le explicara los motivos de su visita y Eugène insistiera, Démosthènes, con mucho miedo y cierta reticencia, dejó que el niño se marchara con él. Aquel padre temía por la seguridad de su hijo pero también tenía miedo de que si no le permitía ir con ellos se tomaran revanchas en contra del resto de su familia. En un intento de conformarla, más que de calmarla, así lo explicó a su esposa, que no comprendía cómo su marido había consentido en que el chico viajara con aquellos temibles desconocidos.

Eugène, radiante de alegría, recogió algunas de sus pocas pertenencias en un hatillo, dio un beso a sus afligidos padres y partió de la mano de Feliciano Ortega. Pero los días que siguieron fueron duros para ellos que no asimilaban cuáles eran los verdaderos fines de aquel impr visado viaje.

Después de un largo y caluroso trayecto, el grupo llegó a Ciudad Trujillo. Eugène no podía dar crédito a sus ojos cuando contemplaron por primera vez la urbe. Menos aún cuando le llevaron e instalaron en el que, para él era, un auténtico palacio. Todo lo que veía le recordaba los cuentos de hadas que su madre le contaba antes de acostarlo. En aquella mansión de ensueño fue recibido y atendido por una señora dominicana, de tez más clara que él, que lo acompañó a una habitación extraordinaria, lo bañó y le puso ropa nueva.

—¿Por qué me has regalado esta ropa tan linda? —preguntó maravillado, y algo coqueto el muchacho, sin quitar la vista de su imagen reflejada en el espejo del suntuoso baño.

—Porque mañana vas a tener el gran honol de ser recibido por Su Excelencia, nuestro bienamado Jefe. ¿Cómo iba a ser que te presentaras delante de él con los trapitos que tenías puestos, mi amol? —contestó la doña que era una mulata regordeta y de carácter afable.

—¡Ah! —prosiguió la mucama— Y tanbién tengo aquí un bonito pijama para que te lo ponga cuando te vaya a acostal esta noche, despué de cenar. Ademá, no he sido yo la que te los he regalado, mijo, ha sido el propio Jefe. Imagínate… ropa regalada por él, nuestro Bienhechor.

Eugène, eufórico y alucinando por todo lo que le estaba sucediendo, exclamó: —Pué… debe ser muy bueno el Jefe, ¿veldá?

Unos momentos después del aseo, hicieron pasar al niño a un comedor en donde le sirvieron una cena suculenta que él devoró con gran apetito, felicidad y enorme curiosidad, pues había platos que desconocía completamente.

Acostado en una cama mullida, que a él le pareció demasiado blanda, eran ya las once de la noche cuando Eugène logró conciliar el sueño, desvelado por tantas emociones acumuladas. Una vez que pudo cerrar los ojos, durmió ocho horas, como un tronco, y de un tirón.

Cuando la misma señora le trajo el desayuno por la mañana, brillaba un sol espléndido y el muchacho creía que todavía estaba soñando. En la habitación había algunos juguetes y libros con los que se recreó durante un buen par de horas. Después los volvió a meter en sus cajas para devolverlos en buen estado. Él era pobre pero educado y digno, se dijo, recordando lo que sus padres le habían enseñado. Pero la doña le aseguró que aquello era otro regalo de parte de ese mágico y desconocido Jefe.

Sobre las diez de la mañana entró Feliciano Ortega en la habitación en donde Eugène había seguido entreteniéndose con los juguetes. Traía una sonrisa que borraba el resto de su cara.

—¡Bueno día, mijo, ha llegado la hora! Arréglate que vamos a ver al Jefe. —le dijo entusiasmado, casi más que el propio niño.

Los dos salieron de la estancia y juntos recorrieron pasillos y salones. Eugène no podía digerir ni entendía los sentimientos que le asediaban. Tenía ganas de reír y de llorar a la vez, tal era su alegría. Por fin llegaron a un despacho cuyas paredes estaban recubiertas de madera de caoba. Había estanterías, del mismo material noble, que estaban cargadas de libros. El niño no pudo evitar preguntarse si alguien los habría leído todos alguna vez. Y sintió algo de envidia porque él no sabía, pero le hubiese encantado aprender a leer. Presidía la habitación un escritorio grande de madera, de la misma clase, maciza y tallada, repleta de documentos perfectamente ordenados.

Ortega se sentó en una silla, en posición muy recta, agarrando fuertemente el "quepis", como si fuese a escapársele, e invitó al niño a sentarse en otra situada al lado suyo.

El tiempo de espera duró menos de un minuto pero a Eugène se le hizo eterno. Cuando se abrió una puerta que parecía formar parte de la biblioteca, el comandante se levantó de la silla. Se irguió y saludó a la manera militar, colocando su mano perpendicularmente sobre su frente. Miraba hacia delante, sin realmente fijarse en nada. Eugène quiso imitarlo pero su curiosidad era tal que no pudo menos que observar, con cierto descaro, a aquel que estaba entrando en la habitación.

Rafael Leonidas Trujillo, vestido de paisano, impresionó al niño tan solo con su presencia. De estatura mediana, media sonrisa que no llegaba a serlo del todo, porte elegante y exhalando el aroma de su colonia muy fresca, Imperial de Guerlain, el hombre no resultó ser el arquetipo de mandatario que el niño esperaba encontrar. Eugène lo había imaginado vestido de militar, maloliente, muy serio, rayando el enfado, y sobre todo empuñando un arma de algún tipo.

El chiquillo no se atrevía a mirarle a la cara directamente, como hubiese deseado, para escrutar sus rasgos y observar sus gestos plenamente. Pensaba que, si lo hacía, el Jefe podría considerarlo una falta de respeto. Pero se moría de ganas de hacerlo. Eugène se mantuvo, por tanto, en posición de saludo hasta que, pasados unos breves segundos, Trujillo habló: —¡Descanse, Ortega! ¡Y tú también, muchachito!

El mandatario no pudo evitar, esta vez, sonreír abiertamente, divertido y sincero, al ver la actitud del niño.

—¿Cómo te llamas? —preguntó dirigiéndose al crío.

—Mi nombre es Eugène, señol.

—Me informa el comandante Ortega de tus intenciones de enrolarte en el ejército de Dominicana, cuando hayas alcanzado la mayoría de edad, claro. Pero descansa, pequeño soldado, descansa —ordenó Trujillo sin perder la sonrisa y el buen humor que le había invadido en su inocente presencia—. Y, como eres haitiano, tu deseo me ha llamado la atención

—continuó—. Ortega también me ha comentado que los militares haitianos te parecen malas personas. Pero, que tienes dudas de que los dominicanos también puedan serlo. ¿Puedo preguntarte el motivo?

Eugène, reponiéndose de la primera impresión que le había causado la personalidad del Jefe, y haciendo alarde de su valentía, exclamó: —Porque ellos matan a los haitianos. Y, según me ha dicho mi papá, ni siquiera se sabe el verdadero motivo por el que lo hacen. Solo sabemos que usté se lo ordena y ellos obedecen.

Ortega, que permanecía sentado sin inmutarse, al escuchar las palabras del niño, quedó petrificad . Nunca imaginó que se atreviese a hablarle así al mandatario.

—¡Eugne —le interrumpió bruscamente, amonestándolo—, tú no tienes derecho a hablarle así a Su Excelencia!

—Ortega —exclamó Trujillo—, deje al muchachito que me diga todo lo que él quiera. Para eso le he hecho venir aquí.

Con un gesto se dirigió al niño y le animó a continuar.

—¿Usté me va a matar si le cuento todo lo que yo sé? Porque dicen que usté mata al que no está de acueldo con lo que usté hace. —preguntó el niño, armado de un valor y un aplomo impropios de un chiquillo de su edad y adquiridos sin saber por qué.

—¿Eso es lo que dicen? ¿Y quién lo dice, mijo, los haitianos? —preguntó Trujillo, muy interesado.

—No, señor, también lo dicen los dominicanos. —contestó fi memente Eugène.

—¿Los dominicanos no están de acuerdo con que se ajusticie a algunos compatriotas tuyos? ¿Aquellos que quieren apoderarse, sin ningún derecho, de las tierras de nuestra república? —preguntó irónicamente el presidente.

—Algunos sí y otros no… —contestó Eugne preguntándose si no estaría llegando demasiado lejos.

—Y tú, ¿qué opinas de todo eso que dicen por ahí y que tú pareces conocer tan bien?

—A mí me parece que está mal matar a la gente inocente, sin ningún motivo. ¿O es que hay motivos para hacerlo?

Trujillo se sirvió un vaso de agua y ofreció a sus invitados una limonada que Samuel había traído en una jarra de cristal que depositó, en su correspondiente bandeja y con unos vasos, encima de una mesita auxiliar.

Después, el hombre se retiró tan silenciosamente como había entrado. Entonces transcurrió un momento de pesado silencio que a Ortega y al niño se les antojó eterno. De pronto Trujillo se levantó de su sillón, situado detrás de la mesa de madera de caoba maciza. Se dirigió a la ventana, la abrió de par en par, tomó una respiración profunda y comentó: —¡Qué buen día hace! Pero lamentablemente tengo muchos asuntos de estado que tratar.

Volvió a sentarse y se puso a observar directa y silenciosamente a aquel niño, negro como un tizón, que se atrevía a hablarle sin reparos. Eugène no pudo menos que bajar la mirada. Al cabo de un par de minutos el mandatario ordenó: —Ortega, dígale a mi chofer que mañana nos vamos a San Cristóbal, con Eugène, por supuesto.

—¿Con Eugne, señor? —balbuceó el comandante— Yo ya le había preparado al muchacho su viaje de regreso a la plantación para esta misma tarde… y…

—¿Qué pasa, comandante, es que usted no sabe cambiar de planes? —preguntó Trujillo, ligeramente irritado.

—Por supuesto que sí, señor —contestó Ortega levantándose de golpe y al tiempo que saludaba.

—¡Ay, Ortega! ¡Siéntese, hombre! ¿Qué le pasa? —preguntó Trujillo— ¿Tanto le sorprende mi decisión? —continuó— Avísele a Mauricio*, el español, el mozo del comedor de "La Caoba". Ya sabe, dígale que organice todo para recibir a nuestro pequeño invitado. Nos quedaremos allá hasta pasado mañana, después del almuerzo.

A continuación se levantó y desapareció por la misma puerta por la que había entrado, dejando mudos y desorientados a Eugène y al comandante.

Cuando éste último se repuso, cogió al niño de la mano y lo condujo de nuevo a su habitación. —Me dijeron que, si tú quería, podía salir un rato a jugar al patio, hasta la hora de comer.

Eugène, que nunca había gozado de tanto lujo ni de viandas tan exquisitas, vivió un día lleno de felicidad y plenitud, con la inocente confianza que caracteriza a los niños. Por la madrugada, a las cuatro en punto, la doña encargada del cuidado del niño entró en la habitación donde Eugène dormía plácidamente. Traía una bandeja de plata cargada de un desayuno típico dominicano: café con leche, mangú con huevos fritos, pan tostado y jugo de chinola.

El muchacho lo devoró todo y se puso una muda de ropa nueva, con unas botas apropiadas para ir al campo, que también le había traído la mucama.

Una vez alimentado y vestido, la doña le condujo hasta el automóvil del Jefe que ya estaba esperando. Los tres, junto a Zacarías, el chofer, viajaron sin dirigirse la palabra, hacia San Cristóbal.

Una vez en el pueblo, al chiquillo se le ofrecieron varias actividades como fueron nadar en el manantial de agua dulce, "La Toma", en donde en su infancia, el niño Rafael Leonidas también se había regocijado en el placer de remojarse, montar a caballo y ordeñar vacas para beberse la leche directamente de las ubres, un placer que Eugène desconocía.

Por la tarde, Trujillo lo invitó a merendar en un gran salón de la casa en el que se exhibían numerosos trofeos de ganadería. Allí, y a solas, ambos mantuvieron una larga conversación. Eugène, satisfecho por la merienda pero, sobre todo, por haber sido escuchado, salió nuevamente a montar a caballo hasta el final del atardecer. Era la primera vez que alguien escuchaba tan atentamente sus puntos de vista. Por la noche, el niño se aseó, se vistió y fue conducido al comedor donde Trujillo le esperaba para cenar.

—¿Usté no tiene hijos? —preguntó tímida y súbitamente el niño.

—Sí mijo, ¿por qué lo preguntas? —respondió Rafael sonriéndole.

—Porque me parecío como si usté se sintiera solo… —contestó Eugène fijando la mirada en el plat

—Es que muchas veces, por ser el que mando en este país, lo estoy, Eugne… —contestó Trujillo con una ligera mueca de amargura dibujada en su rostro.

Terminada la cena, ambos se retiraron a sus respectivos aposentos. La señora que cuidaba a Eugène permaneció a su lado leyéndole un cuento hasta que éste, agotado por el ejercicio físico y, sobre todo, por las emociones, cayó rendido en un profundo sueño. Por la madrugada, antes de lo previsto, los tres, nuevamente junto a Zacarías, regresaron a Ciudad Trujillo. Eugène sabía que todo aquel sueño se había terminado pero estaba contento de haberlo vivido. Trujillo le había dado algunos regalos para que los entregara a su familia, entre ellos un sobre con dinero. Además empezaba a echar de menos a sus padres.

Serían las dos de la tarde cuando el comandante Feliciano Ortega devolvió el niño a su casa y a su familia. Elmire, su madre, al verlo, lloró de alegría. Lo besó y abrazó tan efusivamente que, el chiquillo, avergonzado, se despegó bruscamente de ella y se cuadró, a modo de despedida, delante del militar. Démosthènes regresó a su hogar más tarde que de costumbre y en un evidente estado de excitación. No conocía la noticia del regreso de Eugène y, al verlo, también rodaron por su cara sendas lágrimas de emoción. No las había tenido todas consigo. No sabía si Trujillo se lo iba a devolver sano y salvo. El hombre traía una botellita de ron en la mano, lujo que normalmente no se permitía, y le pidió a su esposa que sirviera dos vasos. Ella extrañada, pero sin hacer preguntas, le obedeció y se sentó a su lado. Ambos permanecieron en silencio unos minutos hasta que Démosthènes comenzó a sollozar a la vez que se reía a carcajadas.

Elmire estaba consternada y confundida. —¡Mon amur! ¿Qués quil se pas? ¿Purcuá ti pler e ti rí a la fuá?.

Démosthènes se bebió el ron de un solo trago y sonriendo, con los ojos llenos de lágrimas, contestó casi en un grito: —¡Sé finí ¡Ti sé, ma sher, sé finí

—¿Qués, que sé finí? —preguntó ella, acostumbrada, como lo estaba, a que ocurriese lo peor.

—Lé asasiná dé haitian, la "matanza de lo haitiano", com il dís así, sé finí. ¿Ti compran, ma sher? ¡Finí!

Se puso de pie, levantó al vuelo a su esposa, asiéndola con cuidado por el redondo y abultado vientre, y se puso a bailar con ella que también había empezado a llorar de alegría.

—¿Mé... sé vré sá mon sher? ¿On é sové? ¿Pur tuyur?... —Elmire y Demósthènes Evremont parecían dos locos bailando sin música. Cuando se serenaron un poco, la pareja volvió a sentarse y siguió conversando. Él contó a su mujer todos los detalles de los que él se había podido enterar. Y cuando llegó el momento en que el hombre le comentó a su mujer que nadie conocía los motivos del deseado desenlace, Eugène, que había presenciado todo, se acercó a sus eufóricos padres y exclamó: —¡Yo sí... los conoco!

Rafael Leonidas Trujillo visitando el pais a caballo. Aida y Ramfis Trujillo en la boda de la misma.

Aida con Tantana y sus dos hermanos Claudia y Rafael Leonidas en compañia de el celebre chef Italiano Alfredo. Epoca de exilio en Roma.

CAPÍTULO VIII

CAPÍTULO VIII

...Aquella visita removió en lo más íntimo al dictador caribeño. Todo lo que la circundaba parecía sagrado, celestial… Sin embargo, pensó, hacía pocos años el mismo Papa Pío XII había bendecido también los cañones y el armamento de Hitler. ¿Qué sentido tenía entonces toda aquella santidad?...

A Aída, ya adulta, le gustaba ojear fotos de su infancia y, cada vez que lo hacía, todo se le antojaba tan lejano, tan ajeno… No se sentía identificada con su pasado. Sin embargo, en sus manos, delante de sus ojos, estaba la prueba de quienes habían sido sus antecesores. Tropezó con una fotografía que le parecía de lo más pintoresca, la del día de su Bautizo.

Por entonces, Aída había sido el único miembro de la familia Trujillo que se había cuestionado sobre la forma de gobernar de su abuelo. Era la única que había indagado. Ni el miedo ni el dolor se lo pudieron impedir a pesar del sufrimiento que ese hecho le había y le seguía proporcionando.

Ella, la futura "roja", califi ativo que despúes le achacaron los de la prensa, había sido la nieta elegida para ser ahijada de Francisco y Carmen Franco que sonreían en la fotografía al lado de ella y de su madre, que la sostenía en brazos.

—¡Qué casualidad! —se decía a sí misma Aída, que no creía en las casualidades, mientras seguía mirando las fotos— Mi mamá me contó que, aquel día, el de mi bautizo, estaba tan enfadada que parecía una premonición. Yo estaba destinada a ser diferente.

Aquel acontecimiento, el de su bautizo, se había celebrado en un caluroso mes de junio de 1954, en Madrid. Aída casi había alcanzado la edad de dos años cuando su abuelo decidió, por fin, desplazarse. Tenía que hacer un viaje protocolario a Europa en el que fi maría un acuerdo, el Concordato, con la Iglesia Católica, en Roma.

Trujillo viajó acompañado de su esposa, doña María, sus hijos y los cuatro nietos habidos, hasta entonces, de la unión de Ramfis y Tantana. Harían escala en España ya que, para sellar su amistad, él y Franco habían resuelto que el dictador español apadrinaría a una de sus nietas.

El clan se trasladó a España en el yate privado de Trujillo, el "Sea Cloud" al que luego cambió el nombre por el de "Yate Angelita". La famosa fragata era espectacular. Rafael necesitaba rodearse de todo aquel fausto. Sus humildes orígenes lo habían marcado enormemente y él ahora no escatimaba en nada, ni para él ni para su familia, ni para sus amigos, o los que él creía que lo eran.

Pero, aunque siempre fue criticado por ello, esto es una cosa que suelen hacer la mayoría de los que tienen un cierto nivel. No es nada nuevo ver como, a pesar de la miseria que existe en el planeta, el derroche económico se produce normalmente sin ningún pudor. ¡Incluso en los gobiernos socialistas o religiosos!

En Vigo, ciudad costera del noroeste de España, desembarcaron los Trujillo. Permanecieron unos días disfrutando de su naturaleza y de su gastronomía. En el lugar y sus alrededores existen construcciones antiguas de aspecto sobrecogedor. Una de sus ciudades hermanas, Santiago de Compostela, es la cumbre del más famoso camino de peregrinación del mundo.

La familia recorrió después varias localidades del país. Traían un cargamento de regalos para los hermanos de la "Madre Patria".

Por aquel entonces, la tecnología norteamericana estaba más al alcance de los dominicanos que de los españoles. De modo que Trujillo llenó las bodegas del antiguamente llamado "Sea Cloud" de aparatos de televisión que fue repartiendo en su periplo por la geografía española.

Doña María tuvo ocasión de visitar su lugar de nacimiento, situado en Andalucía. Allí, en Chiclana de la Frontera, su pequeña ciudad, le rindieron homenaje, dando su nombre a una de sus calles. Finalizada la estancia en la ciudad gaditana y otras ciudades cercanas, la comitiva se dirigió a Madrid, la capital. Rafael Leonidas Trujillo y sus familiares fueron hospedados en un lugar destinado a recibir con todos los honores a los huéspedes insignes, el Palacio de La Moncloa.

Unos días después se celebró la ceremonia de bautizo de Aída. El acontecimiento tuvo lugar en la capilla del hogar de Francisco Franco y Carmen Polo, el Palacio de El Pardo, residencia del caudillo español, y alguno de sus múltiples salones en donde se sirvió un banquete para celebrarlo.

Durante el Sacramento, como era y es costumbre, derramaron agua sobre la cabeza de Aída. Ella, que ya no era una bebé de cuna, lloró, gritó y pataleó. Su forma de comportarse resultó ser un presentimiento para Tantana. Era como si aquella niña tan dócil, se estuviese rebelando ya, inconscientemente, en contra de su excelso padrino, aquel que gobernaba España desde hacía quince años tras la guerra civil que había coronado su triunfo.

Rafael Leonidas Trujillo Molina se ganó la amistad de Franco por el apoyo financiero que le brindó. Y éste último quiso sellarla, entre otras cosas, apadrinando a su nieta.

Trujillo quedó complacido al comprobar que la gente parecía feliz bajo el mandato de Franco. Con lo que no quedó conforme fue en el modo en el que la Iglesia Católica metía las narices en todos los asuntos de estado con el consentimiento de su homónimo. Le sorprendía saber que en España no estaba permitido el divorcio. El asunto era algo que podía resultar doloroso para algunas parejas. ¡Pero nadie podía negar su carácter práctico! Además, aquello era algo muy personal, se dijo en silencio. Había que permitir que los ciudadanos, por lo menos, decidieran lo que hacían en su vida privada. Lo político era otra historia, la gente necesitaba ser guiada para evitar el caos de las masas.

Cuando se enteró, además de que Franco había anulado los divorcios que se habían producido durante la República, en España, obligando a las antiguas parejas a volver a unirse, por ley, se dijo que en España, por muy bella y culta que fuese, la gente parecía pertenecer a otro planeta.

La siguiente visita de aquel histórico viaje del presidente Trujillo fue a Roma, la hermosa e histórica capital de Italia. Siglos y siglos de historia la contemplaban. Era emocionante para Trujillo, gran amante de la cultura, poder descubrirla y verla con sus propios ojos. Unos días después de su llegada, que disfrutaron al máximo, la familia fue recibida por el Papa. Una misa solemne les dio la bienvenida. A continuación el Sumo Pontífic , Pío XII, impartió su bendición a todos sus miembros.

Trujillo fi mó el pacto acordado con la Iglesia. Aunque ya lo era, la religión oficial de su país seguiría siendo la misma. Pero él no tenía intención de dejarles imponerse en Dominicana como lo hacían en España. La Iglesia era política y socialmente muy poderosa, y había que guardar las apariencias. Él era creyente, desde luego, pero seguiría gobernando como hasta ahora.

Aquella visita removió en lo más íntimo al dictador caribeño. Todo lo que la circundaba parecía sagrado, celestial… Sin embargo, pensó, hacía pocos años el mismo Papa Pío XII había bendecido también los cañones y el armamento de Hitler. ¿Qué sentido tenía entonces toda aquella santidad?

Trujillo se preguntó, hasta agotarse a sí mismo, si aquel insigne ministro habría estado dispuesto a bendecir los machetes de sus militares cuando los habían usado para aniquilar a los haitianos. Aquel hombre, el Sumo Pontífic , decía ser un hombre de Dios y actuar en Su nombre. Pero a Rafael le parecía que todo aquel montaje era pura hipocresía. ¡Política, solo política!

Pero él era de la opinión de que Hitler se había sobrepasado y no le tenía ninguna simpatía. Al fin y al cabo, el que invadió otros países fue él en su intento de dominar el mundo. A él, Trujillo, no se le habría ocurrido nunca invadir Haití, como lo habían hecho los habitantes de ese país con Dominicana, ni ningún otro país. Bastante tenía con gobernar el suyo.

Cuando la comitiva llegó a París, la bella capital de Francia, pudieron olvidar toda la gravedad y ahogo del proceder de la Iglesia y sus ministros. Se dedicaron a visitar lugares prodigiosos y a degustar, en los maravillosos restaurantes, los platos típicos de su cocina. Recorrieron las tiendas de moda adquiriendo cuanto artículo de lujo se les antojase.

A su regreso a Ciudad Trujillo, el mandatario empezó a tomar conciencia de que se estaban produciendo cambios que le afectaban directamente. Había muchas personas que empezaban a sublevarse. La que había sido una ruinosa república, se había convertido en una nación rica y respetada. Pero parecía haber cada vez más gente que no estaba de acuerdo con su forma de gobernar.

Trujillo había deseado, y seguía deseando, que su pueblo no volviese a caer en las garras de los potentes norteamericanos. Estaba dispuesto a pactar, a negociar con ellos. Pero siempre desde la libertad. Lo había conseguido con grandes esfuerzos, disimulando y haciéndoles ver que consentía muchas de sus múltiples artimañas. Aquello desgarraba su alma, pero él era lo suficientemente listo para ser consciente de que no podía seguir enfrentándolos como lo había hecho en el pasado. Los Estados Unidos de América eran la potencia más grande del mundo.

Con ferviente tesón y sin desfallecer, a pesar de su desilusión, siguió trabajando con ahínco. Estaba convencido de que cuanto hacía, aunque a algunos les pareciese injusto, era por el bien y la prosperidad de todos.

Los medios de comunicación extranjeros le acusaban de haberse enriquecido a costa de su país; pero Rafael opinaba que cualquiera, para favorecer a otros, tenía que hacerlo desde la opulencia.

Transcurrieron cerca de cinco años en los que la dictadura de Trujillo se recrudeció. El hombre veía, y otros le hacían ver, enemigos por todas partes.

Ramfis viajaba con frecuencia a Europa, cuya antigua cultura admiraba por encima de todo. Quería que sus hijos accedieran a un tipo de educación diferente a la que recibían en Dominicana. Fue por entonces cuando tomó la decisión de enviar a Aída a estudiar a Madrid, como había hecho el año anterior con María Altagracia. Más tarde haría lo mismo con Ramfis Rafael. Sus hijos aprenderían idiomas y conocerían otros países y otras costumbres. Sabía que su padre estaba en contra de que los nietos se alejaran y se criasen fuera de la República Dominicana, pero él estaba seguro de que su propósito era el correcto. Los chicos tenían que abrirse nuevos horizontes en el Antiguo Continente.

Llegó el mes de agosto de 1959 y todo estaba preparado para que, en su séptimo cumpleaños, Aída recibiera su Primera Comunión.

La ceremonia se celebró en el Colegio Apostolado de Ciudad Trujillo. Aída se sintió importante por primera vez en su vida y estaba, además, rodeada por sus familiares que la acompañaron y agasajaron como ella no recordaba que lo hubiesen hecho antes. A partir de entonces, la vida le cambió drásticamente a la niña.

Cuando su viaje a España se hizo inminente, Aída empezó a sufrir. Ella quería seguir en Dominicana junto a los suyos. Pero debido a su corta edad no se atrevió a expresar sus deseos. Los decretos de su padre eran indiscutibles. En octubre se incorporaría a su nuevo colegio en Madrid.

La niña dedicó aquellos meses a despedirse de su querido patio, de los queridos bichillos que lo poblaban, de su casa de la capital y de la del campo. También pidió a su madre que la llevase unos días a Boca Chica. Quería bañarse en el mar y atrapar cangrejos y maquéis de debajo de las piedras de la playa. Parecía presentir que el regreso a su tierra se iba a demorar más de lo deseado.

El día de su partida, Rafael Leonidas Trujillo, su querido abuelito, la acompañó al aeropuerto. El eterno calor tropical era suave pues había terminado la estación de los ciclones. No era tarde pero el cielo había empezado a oscurecerse, como de costumbre, y el murmullo de los insectos nocturnos comenzaba a hacerse patente.

Aída se sentó cómoda y cercana a su abuelo en el asiento trasero de su coche. El silencio de ambos coincidía con el mismo deseo de dar un giro total al vehículo y regresar a casa. En la mente de ninguno de ellos parecía caber la idea de que aquella sería la última vez que se verían en esta vida. Pero Pesadumbre se había instalado frente a ellos y los miraba fijament . Mientras, Separación se había hecho un hueco entre los dos para que se fuesen acostumbrando al vacío que les iba a regalar. Aída las vio y preguntó a su abuelo que quiénes eran aquellas mujeres.

—¿Qué mujeres, mi amor? —contestó el hombre dándole un beso en la frente.

—Esas dos —insistió Aída—, la que no me deja sentarme más cerca de ti y esa que está enfrente. Son muy feas, abuelito, por favor, diles que se vayan. Me dan miedo.

Trujillo observó la carita de su nieta y se estremeció. A continuación la abrazó fuertemente para que ella se sintiese protegida, y le dijo: —No te preocupes, Aidita, ya papá grande —que era como a él más le gustaba que le llamasen sus nietos— las va a echar del carro.

Y, haciendo un guiño al chofer, le ordenó: —Mire, Zacarías, pare ahora mismo el auto y bóteme a estas dos doñas, que no han sido invitadas, y están asustándome a mi nieta.

El conductor obedeció las órdenes del Jefe y, demostrándose a sí mismo un estilo, que él desconocía, de auténtico comediante, imaginó que estaba viendo a aquellas dos mujeres —¿Clas había visto?—, se preguntó, cuando, en décimas de segundo, las "echó" del coche.

Por fin, los tres, sin las desterradas damas, llegaron al aeropuerto. Tantana, que viajaría con Aída y se encargaría de ella hasta el momento de su ingreso en el internado, les esperaba allí. Estaba también afligida pero intentaba disimularlo para evitarle más sufrimientos a su hija. La acompañaba Pedro, "Popotico", uno de sus hermanos más queridos, que también viajaría con ellas.

Antes de que Aída subiera por la escalerilla, su abuelo se le acercó y le susurró al oído: —¡Te prometo que vas a volver pronto! Así, volveremos

a

estar juntos, como siempre. Y eso te lo aseguro yo, aunque tenga que pelearme con tu papá. —Y le dio un beso y un enorme y entrañable abrazo.

Al poco tiempo, el avión despegó rumbo a Nueva York. Allí, Tantana, Popotico y la chiquilla, embarcarían en el trasatlántico "Cristoforo Colombo" que los llevaría a las costas del sur de España, concretamente a Gibraltar.

El tío Popotico se encargó, gracias a su carácter alegre e imaginativo, de amenizar el viaje sorprendiendo a su sobrina con historias y anécdotas plenas de un aire entre divertido y realista. Aquella fue la ocasión en que ambos se sintieron más unidos que nunca. Aída empezó a sentir un gran cariño, que fue correspondido ampliamente por su pariente.

El vuelo en avión de hélice resultó agradable para la niña, mientras sucedía todo lo contrario durante los ocho días de viaje en barco. Aída padeció violentamente del "mal de mar" y no tuvo más remedio que permanecer acostada durante la mayor parte del tiempo que duró la travesía. Cuando, por fin, la nave arribó a su destino, un coche Mercedes Benz esperaba a los tres pasajeros.

Tantana, Popotico y Aída emprendieron la marcha hacia Madrid aunque se detuvieron en Sevilla a pasar la noche en el lujoso Hotel Alfonso XIII. Por aquel entonces las carreteras de España no eran tan buenas como lo son ahora y continuar viajando sin descanso, después de más de ocho días de viaje, hubiera resultado demasiado fatigoso.

Al día siguiente llegaron a su destino. La Embajada de la República Dominicana, situada en las afueras de Madrid, cerca del pueblo y del aeropuerto de Barajas, les acogió con todo su esplendor. El inmueble era un palacete del siglo XVII, de exquisito valor artístico. Los embajadores eran Belén Martínez de Alba, hermana de abuelita María, y Rafael Comprés, su esposo.

El recibimiento fue coronado por una estupenda cena al estilo español cuyo plato principal, la merluza y los mariscos, desagradó a Aída, poco acostumbrada al sabor del pescado. Con aquella excepción, en un principio, a la chiquilla todo le resultó atractivo. Después de tanto tiempo viajando era agradable sentir la tierra debajo de los pies. El reencuentro con su hermana María Altagracia, en Madrid, le devolvió gran parte de su alegría perdida. Al día siguiente, el paseo junto a su hermana por el jardín de la embajada, que estaba repleto de plantas y flores desconocidas, resultó ser una experiencia maravillosa para la niña.

El otoño había llegado a España y era muy diferente al de Dominicana. Había refrescado y sus colores cálidos, característicos de la estación, llamaron de gran manera la atención de la niña. Los Pensamientos, con esas florecillas de colores y tacto aterciopelado, se convirtieron, por entonces, en sus preferidas. Recogía y guardaba sus flore , aplastándolas para que se secasen y conservasen, dentro de sus libros y en su misal.

Dos cosas más impresionaron mucho a Aída para siempre. Nunca se borraron de su mente aquellas sensaciones que sus sentidos, acostumbrados a los de su tierra, percibieron en Madrid por primera vez. La exquisita pureza del sabor del agua proveniente, entonces, del río Lozoya, que salía del grifo de cualquier casa; y el aroma del aire madrileño, tan especial, frío y reconfortante a la vez.

Así, entre visitas y descubrimientos, transcurrieron felices los primeros días de la estadía de Aída en Madrid y sus alrededores. A ella le parecía estar viviendo unas vacaciones diferentes. No quería tomar contacto con la realidad, olvidando, como había olvidado temporalmente que, de momento, no iba a regresar a Ciudad Trujillo. Más tarde, empero, ante la inminencia de la partida de Tantana, su querida madre, la magia se rompió y a Aída ya nada le parecía tan excitante como al principio de su periplo. Súbitamente enfermó de varicela. Fue la forma, inconsciente, en que su cuerpo manifestó su protesta y así intentó retener, y lo logró, a su madre durante algo más de tiempo de lo que tenía previsto.

Cuando la niña se recuperó del todo, las cosas retomaron su curso. Tantana tuvo que empezar los preparativos para dejarla, muy a pesar suyo, en el internado. Se le rompía su corazón de madre cuando recordaba que la niña acababa de cumplir los siete años y tenía que quedarse allí, sin su presencia, sin el apoyo materno.

A Aída se le quedó grabada la imagen de su madre cuando se despedía, y la evocaba siempre que se sentía sola. ¡Era tan bonita para sus ojos! Iba ataviada con un traje de chaqueta y falda "Príncipe de Gales" y con el pelo recogido en un moño italiano.

Una vez hubo llegado a su claustro, el Colegio del Sagrado Corazón de Madrid se convirtió en el nuevo hogar de Aída. Aquel era el centro escolar para niñas y jovencitas más apreciado por las familias de rancio abolengo de España. El edificio en donde estaba ubicado el colegio, era un convento de aspecto lúgubre que hoy en día sigue existiendo. Antaño había sido ocupado por las monjas de clausura de la misma orden. Desde poco tiempo atrás las religiosas habían cambiado el retiro por la enseñanza. Sus costumbres y preceptos eran muy estrictos.

Sus enseñanzas, de connotaciones medievales y grandes contradicciones, eran la ensalada perfecta para provocar un caos emocional en el frágil cerebro de cualquier niña de corta edad. Allí se enseñaban los valores más apreciados del momento en España y el "Santo temor de Dios" era el pilar principal de aquella forma de educar a sus alumnas.

En segundo lugar estaba la cultura general, seguida del aprendizaje de algún que otro idioma y de algún instrumento musical. Se le daba gran importancia a las labores manuales, propias del sexo femenino, según el criterio de la época, como era el bordado, al que se consideraba muy apropiado para aquietar el espíritu de las jóvenes. El deporte y la educación física, que entonces se llamaba simplemente gimnasia, estaban relegados a un enésimo lugar. Por no decir que eran casi inexistentes.

En las pocas ocasiones en las que se practicaban estas actividades, las alumnas iban vestidas con el mismo uniforme que llevaban a diario y no con ropas deportivas. Lo único que sí era obligatorio era ponerse, debajo del mismo, unos bombachos de color azul marino. La finalidad de esta prenda era impedir que fortuitamente, al hacer algún movimiento brusco, se les vieran las braguitas a las niñas.

Las religiosas pensaban, y así lo enseñaban, que el cuerpo era un lastre y un instrumento del mal, del propio Demonio. Había que esconderlo al máximo con la ayuda de un vestuario recatado. Era necesario humillarlo e impedir que, con el paso del tiempo, llegara a exigir aquello de lo que era mejor no hablar, tan propio y denigrante de la condición humana.

Cuando hablaban con sus alumnas, las monjas explicaban la importancia de no caer en las tentaciones que el vehículo físico nos podía proporcionar. El alma tenía que doblegarlo y no concederle más valor que el de intentar que no enfermase, a menos que eso fuese "La Voluntad de Dios". Cuerpo y alma eran dos cosas incompatibles, que no podían vivir fundidas la una con la otra.

Basándose en el concepto de sacrifici , las comidas del colegio eran muy desagradables, por no decir vomitivas, y normalmente no se permitía a las alumnas beber agua fuera de sus horarios.

Aída, cuando llegó al colegio, se convirtió en el número "184" que fue bordado por las religiosas en todas sus pertenencias. Una vez a la semana, las monjas le entregaban una muda que consistía en unas bragas y una camiseta de algodón blanco, unos calcetines de nylon marrones y una faltriquera azul marino de paño. Era el momento que precedía al baño, también semanal, en el que se le entregaba, además, un camisón de algodón fino y de rayas, cuyo fin consistía en cubrir "sus vergüenzas" cuando a la chiquilla le tocara asearse.

En el primer baño que Aída tuvo que darse disfrazada de esa guisa, no pudo evitar el echarse a llorar. La prenda que la cubría, aquel feo camisón de rayas grises, se hinchó, con el contacto del agua, y empezó a flota , tristemente, en aquel agua exenta de color y perfume que pudiesen alegrar el instante. Una bombilla eléctrica de pocos vatios iluminaba la estancia. El frío penetró en todo el ser de la niña que, en aquellos momentos y de manera muy intensa, echó de menos la calidez de su tierra natal.

La monja que supervisaba el aseo de las niñas entró alarmada en la sombría estancia y halló a Aída hecha un mar de lágrimas. Para consolarla le explicó las razones que hacían necesario el uso de aquella prenda durante el baño. No era bueno bañarse desnuda, le aseguró. Dios estaba en todas partes. Era importante que no nos viera como nos había echado al mundo.

Aída era una alumna avanzada que, tras un examen elemental y rutinario, sabía leer mejor, según el criterio de las religiosas, que la media de la clase. Venía, desde la República Dominicana, mejor preparada de lo que ellas imaginaban. Por ese motivo tan trivial, la niña se ganó, sin desearlo, la envidia de algunas de sus compañeras de clase. Como ella hubiese preferido ser querida y no envidiada, carente de amor como estaba, empezó a convertirse en "la servicial" del colegio con el fin de ganarse el cariño y la simpatía de sus compañeras y de las monjas.

El hecho de proceder de Dominicana, un país prácticamente desconocido en la España de la época, le dio más de un dolor de cabeza. Las alumnas se burlaban de ella y le preguntaban tonterías con el único fin de humillarla. Que si en su tierra había luz eléctrica, que por qué ella no era de raza negra, que si la casa de sus padres estaba construida en lo alto de un cocotero… La mareaban y ella, que nunca fue "chivata", lo soportaba con resignación cristiana, como estaba aprendiendo y seguiría aprendiendo, en silencio, durante muchos años.

Aída se sentía sola a menudo, a pesar del apoyo que le daba la presencia de su hermana mayor. Echaba de menos todo pero, más que a nadie en el mundo, a su madre y a su abuelo. Para ella, el momento más álgido del día era cuando las alumnas externas regresaban a sus casas. Solía, a esa hora, refugiarse durante unos minutos en alguno de los aseos del colegio para poder llorar sin ser vista. Con el tiempo se fue acostumbrando a aquella soledad que le recordaba a las "doñas" que había visto en el coche de su abuelo, cuando la llevaba al aeropuerto.

Las monjas le enseñaron que sufrir era algo bueno y positivo, que servía para alcanzar el Cielo, limpios de pecado, y que ella era muy respetuosa y obediente. Por eso y, en premio a su buen comportamiento, las monjas la nombraron miembro de la "Congregación del Cordero del Niño Jesús" y le entregaron un cordoncillo rojo y una medallita que la chiquilla se puso en el cuello jurándose a sí misma que nunca se la quitaría al igual que nunca lo haría con su "escapulario" en el que rezaba un frase que la reconfortaba: "Quien muera con mi escapulario no se condenará".

Permanecer siempre libre de pecado se convirtió en la obsesión de Aída. Para conseguirlo, se confesaba y comulgaba a diario. Visualizaba su alma, en su recogimiento, blanca como esas sábanas que nos muestran en la televisión en los típicos anuncios de detergentes.

El problema que se le presentaba a la niña en cuanto salía de la capilla del colegio era que, aún sin desearlo, cometía algún fallo. Entonces se daba cuenta de que su alma había vuelto a mancharse. Ella sabía que, si moría en ese momento, su espíritu no podría dirigirse de inmediato ante Dios, tendría que expiarse antes pasando por el purgatorio. Esa certeza le producía un pánico desmedido y terrorífico que no la dejaba do mir tranquila.

—¡Dios mío —rezaba Aída cada noche antes de rendirse al sueño—, te pido que mis padres se hayan equivocado y todavía no me hayan bautizado. Cuando se den cuenta de su error, te pido que me bauticen y que inmediatamente después yo muera, antes de que me dé tiempo a cometer ni un solo pecado venial. Así podré llegar ante tu presencia sin miedo al infierno ni al purgatorio. Así sea, y gracias si puedes concederme lo que te pido!

Cuando terminó el año escolar, Ramfi , el padre, decidió que para el próximo curso Aída y María Altagracia irían a estudiar a otro lugar. Su intención era que las niñas aprendieran costumbres diferentes y otro idioma.

Eligió Suiza en donde, en la época, había unos internados de muy buena reputación, especializados en educar a niñas de "familia bien".

Llegadas las primeras vacaciones de verano para Aída en Europa, junto a su madre, su hermana María Altagracia y su tío Popotico, que también se les unió, la niña fue, por fin, rescatada de la estricta y dura monotonía de aquel internado. Aquella experiencia, encerrada entre sus sombríos muros, marcaría a la niña para siempre.

Pero a Aída le entristeció el hecho de que aquel verano de 1960 no iba a volver a la República Dominicana. María Altagracia y ella se trasladarían a un campamento situado en una de las tantas y bellas montañas de Suiza, antes de que empezara el nuevo curso escolar en el Colegio "Mont-Olivet", situado en la ciudad de Lausanne, a orillas del lago Leman. Por suerte para las dos nuevas alumnas, en ese colegio las monjas tenían costumbres muy diferentes a las del Sagrado Corazón y eran mucho menos estrictas.

Gracias a las actividades artísticas y deportivas que allí se practicaban, Aída empezó a descubrir su feminidad. Rescató a la pequeña coqueta que vivía dentro de ella y que parecía haber perdido durante el pasado curso, esa parte de su personalidad que tanto había reprimido por miedo a la condena perenne.

En el "Mont-Olivet" era obligatorio, que no pecado, llevar falda corta para patinar, una vez por semana, sobre hielo, chándal para hacer gimnasia y tutú de color rosa para la clase de ballet clásico.

Aunque seguía echando de menos a su madre y a su abuelo, al ser el entorno mucho más atractivo y las religiosas más cariñosas, la chiquilla se adaptó bien a sus costumbres y aprendió bien el idioma de ellas.

Como se hablaba menos del pecado y del infie no, el terror continuo del que había sido víctima empezó a amainar poco a poco, aunque las pesadillas no cesaron del todo. Y por si aquel positivo cambio hubiese sido poco, su padre les aseguró, a ella y a su hermana, que para las próximas vacaciones de verano podrían regresar a Ciudad Trujillo. Parecía que la promesa de su abuelo por fin se cumpliría

Para las vacaciones de Navidades las dos viajaron a París. Ramfi , su padre, había comprado una casa cerca de un famoso e inmenso parque de la ciudad, el "Bois de Boulogne". Allí, pocos años después, perdería la vida, en un accidente de tránsito, el conocido "playboy" Porfirio Rubirosa.

Gran amigo de su Ramfi , aquel personaje que encandiló a no pocas mujeres a lo largo de su vida, y que había estado casado con la primera hija de Trujillo, Flor de Oro, se había instalado definit vamente en Francia. Una noche, al volver de una de las múltiples fiestas a las que asistía, su "Ferrari" se estampó contra un árbol y Muerte, que también se había enamorado de él y solía montarse sigilosamente en su flamante coche, se lo llevó con ella lo más rápido que pudo para que nadie pudiese arrebatárselo.

Durante aquellas semanas en "La Ciudad de La Luz", Aída y María disfrutaron de unos días de alegre expansión junto a su padre, algo que no era muy frecuente. También, más tarde, instaladas en el famoso Hotel George V, recibieron la visita de su madre que, para Aída, representaba un auténtico bálsamo. Pero, como niña inocente, no se preguntó ni una sola vez, por qué mamá y papá no convivían juntos y con ellas.

Una vez finalizadas las vacaciones navideñas, las chiquillas regresaron al colegio "con las pilas cargadas" y varios regalos que sus abuelos les habían enviado, a través de Tantana, desde la República Dominicana.

Los fines de semana salían acompañadas de una institutriz que Ramfis había contratado para ese fin. Se hospedaban en un hotel de lujo, a veces en el mismo Lausanne y otras en Ginebra; paseaban, se aburrían, comían bien y hacían los deberes. El domingo en la tarde volvían al colegio pero no se sentían apenadas. En realidad, el hecho de salir con aquella señora no les hacía ninguna ilusión y por ello no les entristecía el separarse de ella. De ese modo transcurrió casi todo aquel año escolar, más divertido en el claustro del "Mont-Olivet" que fuera de él.

CAPÍTULO IX

CAPÍTULO IX

...Haciendo el último gran esfuerzo de su vida, Trujillo consiguió apretar el gatillo de su pistola. Sabía muy bien que aquellos serían los últimos disparos que lanzaría en su vida. Y también se percataba de que únicamente valdrían para demostrar que él seguía vivo y que ellos, sus asesinos, tendrían que terminar lo que habían emprendido...

Era el penúltimo día del quinto mes del año, cuyas dos últimas cifras, sumadas entre sí, forman un número mágico y cabalístico. El 30 de mayo de 1961, por la tarde, un apesadumbrado Rafael Leonidas Trujillo Molina, se dirigía a su pueblo natal, San Cristóbal. Huía de sí mismo, de sus frustraciones, de su conciencia, de sus tremendas cargas. Pretendía alejarse por un tiempo de su esposa y de las obligaciones que él mismo se había impuesto. Pretendía escapar de su soledad interior y de la locura de su vida que, ahora, se le antojaba sin sentido...

Sabía que la gente murmuraba y aseguraba que, cuando él se dirigía a "La Caoba", algo que solía hacer una vez por semana, lo hacía para reunirse con alguna amante misteriosa. Pero él estaba viejo y cansado. Aquel día, lo único que intentaba era refugiarse un rato y olvidarse por unas horas de quién era.

Aunque era cierto que Rafael hubiese deseado, en aquellos momentos melancólicos, echarse en los brazos de su amante, Lina, a quien él mismo, por amor, había desterrado al país de sus más acérrimos enemigos, los norteamericanos. O quizás por mantener, aunque fuese de lejos, la ilusión del amor. Él sabía que el destierro era el único modo de poder seguir conservando una relación que significaba el bálsamo, la dulzura que no encontraba en su hogar. ¿O era adentro de sí mismo donde no los encontraba?

La lejanía, la distancia entre ellos, era algo difícil pero irremediable. Trujillo era padre de dos hijos de Lina y aquello había acabado con la paciencia de su esposa quien le había amenazado con el divorcio y el consecuente escándalo público. Él no le quitaba la razón a doña María. Ella también había sufrido lo suyo y no era justo que él, todavía, pudiese gozar del amor mientras que a ella se le secaba el alma. Pero ya no era el cariño, ni siquiera el respeto, lo que le hacía permanecer al lado de su mujer, sino la reputación y el buen ejemplo que ambos tenían que dar. Y, claro, también estaba la familia. Los hijos y los nietos pesaban mucho. Como, por desgracia, ocurre en muchas parejas, él ya no soportaba aquella convivencia y procuraba, siempre que podía, poner distancia entre los dos. Aunque su actitud le molestaba y le dolía, doña María se había acostumbrado a ello y lo único que le pedía a Rafael era respeto y consideración.

Después del recorrido habitual de cada atardecer, la visita a su madre y a sus nietos, el mandatario subió a su coche. Él y Zacarías, su chofer desde hacía ya mucho tiempo, se dirigieron a la carretera que les llevaría rumbo a su pueblo.

Trujillo era un hombre de fechas y horarios regulares y estrictos. Aún sabiendo que la rutina podría ser el mejor aliado de sus enemigos en el caso de que quisieran deshacerse de él, su vocación militar le impedía ser más flexible consi o mismo.

La carretera, por entonces, no era buena y carecía de iluminación. Durante el día resultaba hermoso recorrer aquel trayecto rodeado de una vegetación que ahogaba al asfalto y amenazaba con destruir lo que la mano del hombre había construido.

Apenas un instante después de haber iniciado el viaje, Trujillo oyó lo que parecían ser disparos. Se preguntó a sí mismo, sin hacer comentarios, si lo que percibían sus oídos sería el ruido de las explosiones de los fuegos artificiales de la fiesta popular que acababan de dejar atr .

Él llevaba ya mucho tiempo presintiendo, despierto o a través de pesadillas que eran difíciles de discernir de lo real, la situación que ahora parecía presentarse. Su agotado y anciano cerebro, ya no podía distinguir entre realidad y sueño.

De pronto, un dolor agudo en su brazo izquierdo se hizo insoportable y le hizo reaccionar. Miró aquella parte de su anatomía con indiferencia, como si fuese algo que no le perteneciese. El brazo estaba desprendido del tronco debido a los impactos que había recibido desde una ráfaga de balas de ametralladora.

Trujillo iba vestido de paisano y llevaba una chaqueta de lino color crudo que se había tornado púrpura en cuestión de segundos. Su sangre había manchado el asiento y parte de ella había caído, además, al suelo del automóvil. Pero él no sintió miedo alguno. Tan solo una peculiar curiosidad.

Entonces ordenó a su chofer detener la marcha desaforada que había emprendido, al verse interceptado por unos vehículos desde donde provenían los disparos, sin que él se lo hubiese mandado.

Los dos hombres circulaban solos, sin escolta, a bordo de un automóvil no blindado.

—Yo voy a seguir palante, señor… ¡Podemos esquivarlos! —exclamó de pronto, con la voz ahogada, el sorprendido y aterrorizado conductor, intentando mantener la calma pero también la velocidad.

Pisó el acelerador a fondo a la vez que lamentaba el no haber podido convencer al mandatario, pocas horas antes, de que era mejor viajar en su vehículo protegido, más apropiado para alguien de su condición.

—¡No, no, Zacarías, párate! —exclamó Trujillo fi memente— ¡Quiero ver frente a frente a mis enemigos!

—Pero, señor… podemos escapar… este carro es muy veloz —insistió el angustiado hombre que no entendía por qué su jefe se empeñaba en no escapar de una muerte segura.

—¡Zacarías, le he ordenado que pare! —le repitió, sin tutearle, un Trujillo algo irritado. La primera embestida de dolor le había abandonado, la curiosidad se había intensificado, haciendo presa de todo su ser, y el miedo, en aquel momento, era un sentimiento totalmente desconocido para él.

Unos hilillos de sangre, que le brotaban por la nariz y por la boca, le marcaban las comisuras de los labios y el rictus. Trujillo, en brevísimos segundos, había conseguido una palidez que hubiese sido la envidia de muchos de sus compatriotas.

Cuando convenció al asustado Zacarías, éste se detuvo dando un frenazo seco en medio de la carretera. Trujillo pudo, entonces, salir del coche y, en unos momentos que no pueden medirse con ningún reloj, los vio. Fue un instante eterno. Rafael Leonidas se sintió más solo que nunca…

Soledad, vestida de negro, porque dependiendo del color con que se vista nos anuncia distintas cosas, estaba de pie junto a él. Y lloraba desconsolada porque, hasta ella, en aquel instante, se sintió sola.

—¡No puede ser! —se dijo Rafael Leonidas a sí mismo para ayudarse a convencerse de que sus ojos no le engañaban. Pero sus ojos no le estaban engañando. Tampoco estaba siendo víctima de una de sus terribles pesadillas. Sus colaboradores, los que él consideraba sus amigos, sus más leales seguidores... estaban ahí. Sus caras reflejaban una mezcla de odio, miedo y compasión, y también estaban pálidos y extremadamente excitados.

Haciendo el último gran esfuerzo de su vida, Trujillo consiguió apretar el gatillo de su pistola. Sabía muy bien que aquellos serían los últimos disparos que lanzaría en su vida. Y también se percataba de que únicamente valdrían para demostrar que él seguía vivo y que ellos, sus asesinos, tendrían que terminar lo que habían emprendido.

Él era totalmente consciente de que su régimen político estaba a punto de caer y de que, para conseguirlo, lo tenían que sacar "con los pies por delante". Lo que estaba ocurriendo no representaba sorpresa alguna para él. Además, él ya estaba harto de todo... En lo más profundo de su ser hasta había deseado, en no pocas ocasiones, que llegara esa hora. Por ese motivo no iba casi nunca acompañado de escolta y pocas veces se desplazaba en su carro blindado...

Sin embargo, el ver aquellos rostros familiares fue demasiado fuerte para él. Aquella traición no la esperaba... o así quería creerlo. Sin embargo, también era consciente de todos los crímenes y de todos los abusos que había cometido. Pero, la visión de esos hombres fue mucho más dolorosa para él que los efectos de las balas de las ametralladoras que le cosían el cuerpo.

Junto a aquellos hombres, los que había considerado amigos y que ahora se disponían a abatirle para siempre, pudo ver claramente al Arcano sin Nombre, riéndose triunfalmente. Esta vez, Muerte venía disfrazada de hombre y, por la satisfacción que llevaba dibujada en el rostro, Rafael Leonidas supo instintivamente que a él ya le había llegado su hora.

Su cara le recordó a aquel hombre bajito que había ido, hacía ya mucho, muchísimo tiempo, a visitarle al cuartel. Aquel a quien, inconscientemente y en no pocas ocasiones, él había hecho caso. Pero, como el sufrimiento que le habían producido los impactos había desaparecido, creyó estar soñando nuevamente. Rafael Leonidas se sentía flotar y ya poco le importaba lo que le rodeaba. De pronto, envuelto en una nube blanca, se le acercó su padre, don Pepe, fallecido años ha, tendiéndole una mano.

—Papá, ¿qué haces aquí? —consiguió preguntarle casi en un grito...

Sin mediar palabra el anciano lo abrazó amorosamente y le mostró, como por arte de magia, toda su agitada existencia, en una pantalla parecida a la de un cine, pero sin proyector. Mientras veía aquellas imágenes, don Pepe le acariciaba la cabeza, como cuando era niño, y Rafael Leonidas se sintió súbitamente feliz, ligero e inocente.

Aquel a quien él veía en la asombrosa proyección le parecía ser alguien ajeno a sí mismo. No se reconocía en él. Pero sabía, sin embargo, que de algún modo sí lo era o lo había sido. Fue entonces cuando se percató de que se había despegado de su reciente experiencia dentro de un cuerpo físico, y sintió un inmenso alivio.

Ahora su espíritu, aquel que había guiado los pasos de ese que en el mundo de la materia había sido Rafael Leonidas Trujillo Molina, dictador durante treinta y un años de la República Dominicana, conocía que tendría que ir a rendir cuentas a Dios. Ahora El Padre decidiría adonde lo iba a destinar en su próxima vida. Y supo que su próxima reencarnación no iba a ser nada fácil. Su alma cargaba con un karma extremadamente pesado. Pero a él no le importaba; sabía que esa era La Ley Divina y él no había sabido cumplir con Ella.

El enorme peso que él llevaba en su corazón mortal, por los crímenes y por las injusticias que había cometido a lo largo de su pasada vida, parecía haberse desprendido de él. Su alma sabía que todo aquello le pertenecía pero era como si lo llevara en una especie de burbuja negra a su lado, como un morral, pero no adentro de su ser.

Su Ser Superior notó como, todas las que habían sido sus luchas, buenas o malas, ya no tenían ningún sentido. Sintió que ya ese caudillo llamado Trujillo lo había liberado y que nunca volvería a llevar encima la carga de su tormentosa vida. La esencia de su espíritu únicamente guardaría el amor que había experimentado y también el que había hecho experimentar a otros. Ese era el fin de todos y cada uno de los Seres de Luz.

Se vio a sí mismo caminando a través de un túnel vaporoso de colores brillantes. Y al final del mismo una luz blanca, muy luminosa. El alma del que había sido su padre le acompañaba sin mediar palabra. A su lado estaba también aquel ser luminoso que de niño le había salvado la vida y que era idéntico al otro hombre que también le había visitado en cierta ocasión en el cuartel.

Echó una última mirada atrás y vio al que había sido su cuerpo, ahora cadáver, tendido en el suelo, ensangrentado, la cara lívida, muy solo... y le pareció estar observando a un extraño, a alguien que no tenía nada que ver con él.

Con un gran sentimiento de paz, supo que ya no tendría que vestirse con uniformes militares, ni tampoco engalanarse con condecoraciones absurdas.Supo que tampoco sentiría la necesidad de seguir pugnando por lo que, en la vida que acababa de abandonar, había pensado que era el verdadero poder.

Aida vestida de novia   Aida con su hermano Ramfis Rafael

Aida en el Corral de la Moreria Madrid

CAPÍTULO X

CAPÍTULO X

...La indignación y el miedo anidaron en su corazón. ¡Balaguer lo estaba traicionando! Y él, Ramfis, había sido un tonto al confiar plenamente en su palabra...

Aquella noche, Rafael Leonidas Trujillo Molina fue abatido para siempre. Pero, antes de abandonar su cuerpo mortal, mandó un último pensamiento a sus nietos. Aquel pensamiento llegaría incluso hasta Suiza y se colaría por las paredes del cuarto en donde Aída y María Altagracia dormían plácidamente.

Las niñas seguían en el colegio "Mont-Olivet" y en aquel momento estaban descansando. Eran totalmente ajenas a lo que se estaba fraguando en Ciudad Trujillo. Aquel asesinato, que después algunos llamarían ajusticiamiento, cambiaría completamente el rumbo de sus vidas. También transformaría, para bien o para mal, la existencia de muchas otras personas.

Pero ahora, ambas habían recibido el último abrazo de su abuelo. Él no había querido despertarlas y les mandó su adiós filtrándose en sus sueño .

Cuando Aída y María Altagracia despertaron, a la mañana siguiente, coincidieron en su primer tema de conversación. Las dos habían soñado con su abuelo. Le echaban mucho de menos y sentían una pequeña e inexplicable tristeza. Aquel día, el último del mes de mayo, se percibía ya la calidez del sol aunque el frío se resistiese a marcharse del todo. Habían brotado flores que anunciaban que el tiempo de las vacaciones estivales estaba por llegar.

El día transcurrió con la regularidad habitual. Después de la hora de la cena, la monja encargada avisó a las hermanas Trujillo de que tenían una llamada telefónica urgente de su padre.

Ramfi , que desde hacía un tiempo pasaba más tiempo en París que en Ciudad Trujillo, las llamaba con frecuencia. Pero las niñas, a pesar de lo intempestivo de la hora, no podían imaginar que aquella llamada no iba a ser motivo de alegría.

La primera en ponerse al teléfono fue María Altagracia. Aída se sorprendió cuando, de repente, la vio deshacerse en lágrimas. Cuando por fin le tocó el turno a ella, Aída cogió, temblando, el auricular. Sentía miedo. Quizás este año tampoco iban a regresar a Ciudad Trujillo y por eso su hermana lloraba, pensó.

—¡Abuelito ha muerto! —balbuceó Ramfis desde el otro lado de la línea— Dile a tu hermana que te explique. Cuídate, Aidita… adiós…

La noticia no provocó ningún sentimiento en la niña. Se quedó fría completamente, como si aquello que le había dicho su padre, no fuese cosa suya. Solo cuando, más tarde, María Altagracia le contó que habían asesinado a su abuelo, la incredulidad se apoderó de ella. A su abuelito nadie podía haberle deseado ni provocado la muerte.

Aída sabía que su querido papá viejo era un hombre bueno que se dedicaba a ayudar a la gente y a gobernar sabiamente su nación. Era obvio que papá, papá joven, había mentido. Aunque se preguntó, en más de una ocasión, por qué habría hecho tal cosa.

Entonces, tomó una decisión: No sentiría nada. Esperaría hasta el momento de regresar a Ciudad Trujillo. Estaba segura de que, una vez allí, encontraría otra vez a su abuelo y él le explicaría todo.

La niña permaneció en un estado de letargo en el que, aunque presentía que algo no iba bien, ese algo parecía no tener nada que ver con ella.

Al finalizar el año escolar una Tantana invadida por la pena fue a recoger a sus hijas. No solo habían matado a su querido suegro. Poco tiempo antes de que esto ocurriera, Ramfis le había pedido el divorcio. Esta vez era la definit va, le había anunciado él. Tantana percibió claramente cómo la vida se le escapaba lentamente por los poros de su piel cuando Ramfis le anunció que iba a volver a ser padre. Pero el hijo que iba a tener ya no sería fruto de las entrañas de ella. Ahora otra mujer ocuparía su lugar como esposa, y le quitaría el título exclusivo de madre de sus hijos.

La grande y serena belleza de Tantana se acentuó. Una mueca de dolor marcó el gesto de su cara y sendas ojeras vinieron también a engalanar el contorno de sus ojos. Sin embargo, el resultado fue inesperado. En ella, los estragos de la pena consiguieron un efecto de perfección romántica. La gran pérdida de peso que sufrió no hizo más que realzar su figura. El cuerpo de madre de seis hijos, justificadamente rollizo, se fue para siempre. En su lugar dejó a otro más esbelto que guardaba, empero, la madurez de las experiencias vividas hasta el momento.

Tantana, siempre acompañada por su hermano Pedro, se llevó a sus hijas de Suiza. Regresaría con ellas a la República Dominicana a pasar el que ella presentía sería su último verano allí.

Algunos de los rostros de las primeras personas que Aída vio al llegar a la terminal, entre la muchedumbre, le resultaron familiares aunque al principio no los reconoció. De pronto recordó. Aquellos rostros que habían llamado su atención eran especialmente dos. No había lugar a dudas. Eran los de las mujeres que se habían colado en el automóvil de su abuelo la última vez que ella había estado con él. Fue aquella vez en que él, su abuelo, la acompañó al aeropuerto a tomar el avión que la llevaría a Nueva York.

Entonces Aída sintió frío. Esas dos caras la habían mirado de modo sonriente. A pesar de su corta edad, ella se dio cuenta de que sus sonrisas le estaban confi mando lo que ella aún no quería admitirse.

Una vez recogido el equipaje, la familia se dirigió a su casa de campo. Pero poco tiempo después, Tantana volvió a despedirse de sus hijos. El motivo era su inminente traslado a Los Estados Unidos de América en donde ingresaría por unos días en un hospital. Tantana no se encontraba en buen estado de salud. Para Aída, aquel retorno a Ciudad Trujillo, que tanto había anhelado, se había convertido en una experiencia desoladora. Al cabo de unos días, la niña conectó con su tristeza interior, la que ella no había querido mirar de frente y se había dedicado a esconder entre sus ilusiones. También encaró la dolorosa sensación del abandono a la que, en diversas ocasiones en Europa, ya se había enfrentado.

Su abuelo no estaba. Por más que Aída, con iluso empeño, le buscara por todas las habitaciones de la que había sido su casa, y de la suya propia, él no estaba. La muerte se lo había llevado tal y como había afi mado su padre. Pero abuelito, se dijo Aída en silenciosa decepción, no ha cumplido la promesa que me susurró al oído aquella última vez, en el aeropuerto.

Estando Aída en Ciudad Trujillo, le sorprendió su noveno cumpleaños. Pero esta vez no habría fiesta ni alegría. Ese noveno cumpleaños abriría un ciclo de otros que también transcurrirían sombríos y llenos de tristeza. Aída volvía a echar de menos a su madre. ¿Por qué habría tenido que marcharse tan urgentemente? Se preguntaba consolándose con besar las fotos que había de ella en su casa.

Ramfi , su padre, volvía a su papel de eterno ausente. El resto de la familia estaba triste, circunspecta y apesadumbrada. Y no era para menos, pero Aída no sabía más que a su abuelo lo habían matado. Ella pensaba que todo lo demás seguiría siendo igual.

Ni siquiera el transcurso de los años podría hacer olvidar a la niña el ambiente que entonces la rodeaba. Hasta el aire que respiraba desprendía un olor a violencia y venganzas que ella sólo podía percibir como algo metálico, pesado y agrio. Era época de lluvias y ciclones y el clima era caliente y cargado.

Pasaron días, quizás meses, y todo seguía igual. Las jóvenes Alegría y Armonía, cansadas de que nadie les hiciera caso, se habían ido de casa y no parecían tener intención de volver por el momento. Alegría y Armonía se despidieron de Aída una noche a través de sus sueños. Le manifestaron que habían tomado esa decisión porque estaban hartas de esperar a que alguien reaccionara solicitando sus servicios. Como en otros lugares, le dijeron, sí las estaban reclamando, aquí en las casas Trujillo se sentían incómodas y, sobre todo, inútiles. Nadie tenía, por ahora, intención de echar mano de ellas y había llegado la hora de girar sus bellos rostros hacia otra parte.

Aída, como niña que era, no quería dejarlas partir. Intuía que con su alejamiento todo iba a resultar aún más negro y más triste. Pero ellas, Alegría y Armonía, se marcharon, no sin antes asegurar algo importante a la niña. Cuando ella estuviese preparada, regresarían a su lado para hacerla disfrutar de la vida.

La chiquilla intentó resistirse a aquella decisión. Pero cuando Alegría y Armonía resuelven marcharse, es muy difícil hacerlas cambiar de opinión. Eso sí, después no son rencorosas. Cuando uno desea de corazón que vuelvan, lo hacen sin dudarlo ni por un instante. Aída tuvo que resignarse y juntarse con Tristeza, con Desolación, con Abandono y también con Desarraigo que se habían apuntado a convivir con su familia y con ella por tiempo indefinid .

Ramfis estaba cada día más tenso y sus hijos casi no le veían. Él no deseaba, bajo ningún concepto, que ellos pudiesen siquiera intuir lo que se traía entre manos. Aún eran pequeños y ya bastante graves eran los acontecimientos que les rodeaban. Ramfis estaba empeñado y se había obsesionado en acabar con los asesinos de su padre. Aquella era una obligación que él no podía ignorar. Aunque solo Dios sabía que, en el fondo de su alma, lo que más anhelaba era borrar todo de su memoria.

Él, Ramfis Trujillo, no tenía derecho a olvidar y menos aún a plantearse el perdón. No tenía ni siquiera el derecho a intentar dejar de lado todo, como hubiese sido su deseo. Su deber era indagar, descubrir y ajusticiar a los que habían cometido el magnicidio que había costado la vida a su progenitor.

Nadie, ni su familia, ni sus amigos, ni siquiera el pueblo, le hubiese perdonado que a él se le hubiese ocurrido pasar por alto el asesinato de su padre y lavarse las manos. Sabía que el mundo entero reaccionaría en su contra si él actuaba como lo que iba a considerarse una cobardía por su parte.

Ramfis pasaba las noches en blanco, debatiéndose entre su dolor, su necesidad de paz y su terrible y pesada obligación de hijo pero también de Jefe de las Fuerzas Armadas de la República Dominicana. Por si fuese poco, Ramfis era consciente de que tenía que trazar y reorganizar su vida y su situación política. Las cosas, por lógica, no se iban a quedar como estaban. No en vano habían asesinado a su padre. Había que reaccionar rápidamente, antes de que las circunstancias se complicasen más de la cuenta y se le escapasen de las manos.

Él sabía que no tenía más remedio que reunirse a pactar con aquel al que le correspondía, como vicepresidente que era, tomar las riendas del país, Joaquín Balaguer. No existía, de momento, nadie que tuviese la fuerza y el poder que tenían él mismo, el primogénito de Trujillo, y aquel hombre que llevaba treinta y un años enredado en los entresijos de la política dominicana.

No existía mejor alternativa, pensaba Ramfi . El propio Balaguer le había propuesto, en distintas ocasiones, que se sentaran a dialogar sobre un futuro que ya se había convertido en presente. Por ello, Ramfis estaba seguro de que el vicepresidente ya tenía esbozado algún plan estratégico.

Y también estaba seguro de que Balaguer no le había incluido a él en ese plan. Conocía su ambición desmesurada encubierta bajo su aspecto de hombre silencioso y dedicado exclusivamente a la cultura y a las letras. Había aguardado muchos años esperando este momento y no estaba dispuesto a dejarlo escapar.

En la ocasión que se le había presentado a Balaguer habitaba una gran ventaja para Ramfis puesto que él no deseaba seguir los pasos de su padre. Balaguer lo deseaba tan poco como él. De modo que los dos ya tenían un propósito en común.

Ramfis estaba seguro de que, si prometía abandonar la República Dominicana, el vicepresidente le obsequiaría con no pocos privilegios. Pero había que hacerle creer que aquellas no eran sus intenciones. Había que asustarle haciéndole pensar que él iba a tomar las riendas del mandato y que no tenía intenciones de marcharse.

El doctor Balaguer era el segundo de a bordo de Trujillo, desde siempre, y conocía de sobra las expectativas y las esperanzas que el dictador tenía puestas en su hijo. Ese conocimiento ahora podía serle útil a Ramfis que estaba casi seguro de que el vicepresidente se "tragaría la píldora". Era muy posible que el vicepresidente, creyendo que el hijo, atormentado por el terrible final de su progenitor, iba a asumir las obligaciones con que éste había pretendido cargarle los hombros desde jovencito.

Ramfis era de la opinión de que Balaguer se iba a poder convertir en el hombre perfecto para una transición pacífica. Sería la puerta ideal de salida y de entrada entre la dictadura de su padre y el gobierno siguiente. En el fondo de su corazón, Ramfis se sentía responsable por el camino que tomaría el destino de Dominicana. Al fin y al cabo se trataba de su patria. Aunque nunca había querido dedicarse a la política, pensaba que no podía abandonarla así, sin más. Pero era consciente que, en aquellos momentos, era lo más prudente. Y era, además, lo que más deseaba. De modo que estaba muy bien el hecho de que Joaquín Balaguer se encargara de todo, pensaba y entonces se sentía aliviado.

Seguramente, con el tiempo, el vicepresidente también terminaría marchándose del país, se decía Ramfi , en silencio. De todos era harto sabido que, desde el principio hasta el final de su mandato, él había apoyado a Trujillo. ¡Aquello era algo imposible de olvidar! Pero de momento era el candidato ideal para sucederle.

Por su parte, el muy ilustre señor literato, también estaba sumido en un mar de dudas. No las tenía todas consigo. Temía que Ramfis no quisiera "apearse del burro", por lo menos, no tan pronto como él deseaba.

Balaguer urdió un plan de colaboración con él. Falsa colaboración, desde luego, puesto que no tenía la más mínima intención de cumplir con lo que le iba a proponer. Balaguer sabía bien que a Ramfis no le interesaba continuar con la labor que hubiese querido imponerle su padre, y conocía las aspiraciones de su corazón. Éstas le llevaban al camino de la integración a la vida y a la cultura europea, lejos de la política de la República Dominicana.

Sin embargo, tenía miedo de las posibles reacciones emocionales del joven que, además, aún tenía las manos rebosantes de poder. Balaguer era consciente de que tenía que ser muy delicado y perspicaz en sus planteamientos. No podía proponer cualquier cosa a Ramfis que contaba, además, con el apoyo del ejército, casi en su totalidad. Y no sabemos bien cómo lo logró, pero lo cierto es que las negociaciones con el hijo del finado mandatario resultaron ser todo un éxito.

El astuto político supo llegar al corazón y a la razón de Ramfi . El poder siempre lo tendría, le aseguraba en sus pláticas. Muchas veces se gobierna mejor desde afuera, fue otro de sus argumentos en los que no le faltaba la razón del todo.

Una baza importante que Joaquín Balaguer supo jugar fue la de la evidente deslealtad e ingratitud que había demostrado el pueblo hacia el que había sido su benefactor durante tantos años. Para qué iba a querer él, preguntó al apenado hijo, seguir residiendo y gobernando, en un país que estaba lleno de traidores. Un país que no había sabido apreciar la gran labor que había realizado su padre puesto que no le había defendido como él se merecía.

Haciendo una amalgama de todas esas ideas, el taimado hombrecillo, al que casi ni se le veía a pesar de que siempre estaba, logró persuadir a Ramfi . Le ofreció una buena suma de dinero, apoyo moral y político y le aseguró que su gobierno no lo perseguiría; todo lo contrario, si abandonaba sin dilación el país. Ramfis Trujillo aceptó la propuesta de Joaquín Balaguer la cual le pareció lógica y justa. Él, por su parte, lo único que deseaba, en aquellos momentos, era regresar a Europa y olvidar el pasado.

Acababa de divorciarse de Tantana, pensaba, y ahora iba a empezar una nueva vida junto a Lita y a su séptimo hijo que acababa de nacer en su bien amada ciudad de París.

Ocurrió entonces que, en cuestión de días, todos supieron que los Trujillo abandonarían el país. Y todos, menos los propios interesados, sabían que aquella partida sería el inicio de un triste exilio sin vuelta atrás para la mayoría de ellos.

114

La fragata "Sea Cloud", entonces todavía "Yate Angelita", cumplió nuevamente su cometido, atravesando, victoriosa y sin contratiempos, el océano que trasladaría nuevamente a la familia Trujillo, esta vez sin su caudillo, al litoral del continente europeo.

Sin embargo, esta vez la fragata transportaría también a otros entes: Tristeza, Desolación, Pesar, Miedo y Desarraigo solo se apreciarían con los ojos del alma, pasando por los de los sentimientos. Pero su presencia era indiscutible. Aída podía verlos perfectamente, los demás solo parecían poder sentirlos.

Tristeza tenía el aspecto de una mujer pálida y cuerpo alargado y transparente, cuyas extremidades parecían no tener fin. Sus largos cabellos rubios estaban entremezclados con tonos que suelen verse en los cementerios, en las empresas de pompas fúnebres y en las exequias. El negro, el gris, el violeta, eran los colores que no dejaban resaltar el dorado de sus también interminables cabellos.

Desolación no tenía ningún aspecto definid . Se hubiera pensado que era el de una mujer, por sus confines y contornos femeninos, siempre envueltos en una pesada y abultada túnica de color negro. La capucha, siempre calada hasta la barbilla, solo dejaba percibir que su boca esgrimía constantemente una mueca amarga.

Pesar era un joven bien formado, de torso y piernas fuertes, que sabía que podía elegir entre dos caminos: podía aprender de la antigua lección recibida o lamentarse de ella para siempre. Pero siempre elegía el lamento y, por ello, sufría constantemente y hacía sufrir a quien él acompañaba.

Miedo era gris y rojo a la vez. A veces era de estatura pequeña, casi imperceptible. Pero, cuando él era así, no se sentía a gusto porque sabía que había perdido todo su poder. Sin embargo, cuando se convertía en un gigante, algo que ocurría a menudo, las cosas cambiaban. Su aspecto era el de un hombre arrogante, fornido, seguro de sí mismo y con una melena roja que chispeaba. Podía hacer temblar, incluso llorar, a quien fuese que se le acercase. También podía conseguir que cualquiera, hombre, mujer o animal, se volviese agresivo o quedase paralizado.

Desarraigo parecía joven y apenado. Siempre llevaba la espalda encorvada, nunca encontraba un sitio en donde sentarse y, además, carecía de piernas. Aída se preguntaba que cómo se las arreglaba para desplazarse de un sitio al otro de la nave.

Alegría y Armonía seguían sin dar señales de vida. Aída las echaba de menos.

Fue durante la travesía cuando la niña, por primera vez en su vida, pudo ver a la entonces famosa "Llorona", un personaje de la historia supersticiosa de Dominicana. Ocurrió una noche en la que la chiquilla no lograba conciliar el sueño y se encontraba sola en su camarote. "Llorona" era una mujercilla enjuta, seca, con el pelo muy estirado, recogido mediante un moñito bien apretado. Haciendo honor a su nombre, "Llorona" no paraba de sollozar. Unos enormes y negros lagrimones surcaban su cara, que era la pura expresión del dolor. Su silenciosa presencia no produjo ningún miedo en Aída sino una pena aún más honda de la que ya albergaba su corazoncito de niña nuevamente exiliada.

Cuando, al cabo de varios días de navegación, la nave arribó a las costas de Francia, Aída se había acostumbrado a las visitas nocturnas de "Llorona". Pero la niña estaba deseando que aquellas visitas cesaran porque ya no podía soportar el dolor, cada vez más intenso, que le producían.

Y su deseo se cumplió. "Llorona" no quiso desembarcar en aquella tierra desconocida. Permaneció a bordo del "Yate Angelita" con la esperanza de que alguien la regresase a Dominicana.

Cuando Aída, junto a su familia, llegó a París, se sintió reconfortada. Aquella ciudad le era familiar ya que, cuando estaba en el "Mont-Olivet", las vacaciones de Navidad y las de Pascua las había pasado allí. Ella y sus hermanos iban a permanecer en París, junto a su padre y a su abuela, hasta que llegase Tantana, su madre.

Aída respiró aliviada cuando, durante las noches siguientes, no volvió a recibir la visita de "Llorona". La niña se acordaba de su abuelo y se sentía triste. Pero empezó a aceptar el hecho de que él estaba muy lejos y no volvería jamás.

Lo que seguía sin entender era el motivo por el que lo habían matado. Mas, como no se atrevía a preguntar nada, enterró aquel enigma en lo más recóndito de su ser. Ahora, lo primordial para ella era el regreso de su madre.

Unos días después Tantana llegó a París. Pero la alegría que, en un principio, Aída sintió, se esfumó en poco tiempo. Aunque no lo hacían en su presencia, la niña se dio cuenta de que sus padres discutían continuamente.

Después de intensas discusiones, el recién separado matrimonio se puso de acuerdo. Aída, María Altagracia, Claudia del Carmen y Rafael Leonidas se irían, junto a su madre, a vivir a Roma. Mercedes de los Ángeles y Ramfis Rafael permanecerían con su padre y con su abuela doña María.

Mientras, el primogénito del Jefe recibió noticias del recién estrenado gobierno de la República Dominicana. Joaquín Balaguer, en su afán de borrar para siempre su imagen trujillista, pedía la extradición de Ramfis a las autoridades de Francia y a la de otros países. La indignación y el miedo anidaron en su corazón. ¡Balaguer lo estaba traicionando! Y él, Ramfi, había sido un tonto al confiar plenamente en su palabra. Entonces, el joven decidió fijar su residencia en España, en donde Franco seguía gobernando. Él le daría asilo político.

Durante su breve estadía en París, Aída tuvo la ocasión de conocer a la rival de su madre. La encontró muy distinta a su progenitora, tanto en lo físico como en lo emocional. Lita era una mujer despampanante, que no bella, había sido actriz de cine y hablaba sin parar con un acento que Aída no lograba descifrar. Tantana, dolida y resentida por el abandono de su marido, no cesaba de criticarla.

—¡Una starlette! —exclamaba con desprecio— ¡Mira que cambiar a una mujer decente como yo por una artística de mala muerte!

A Aída, la presencia de Lita, le disgustaba. No se sentía bien cuando ella estaba pues su actitud le parecía descarada; estaba acostumbrada al estilo sereno y clásico de su madre, y a la vida de los internados de monjas que había llevado. Sin embargo, había algo en ella que la cautivaba. ¡Es una "estrella" de cine!, pensaba, intentando desechar aquella brizna de admiración que le hacía sentirse culpable con respecto a su madre.

Ante aquella dicotomía, que representaba un nuevo problema, la niña Aída decidió no sentir nada por la segunda esposa de su padre. Y lo logró durante toda su vida. Nunca se le movió una pestaña por ella, ni para lo bueno ni para lo malo.

Cuando llegó el momento, Tantana y cuatro de sus hijos, partieron rumbo a su nuevo y desconocido destino. Sin embargo, Roma, una ciudad sorprendente y bella, no causó, en un principio, ni un atisbo de admiración en la joven. Su cabeza impedía que sus ojos captaran las maravillas que la rodeaban. Tantana contaba con treinta y cuatro años de edad y era una mujer preciosa pero estaba ahogada de tristezas que le impedían disfrutar de su presente.

Lo que más le dolía era que ya no estaba casada con "su marido", como le llamó, a pesar de todo, por el resto de sus días. Aquella era la realidad que más acaparaba su atención, la que con más fuerza le punzaba y le desgarraba las entrañas. Trujillo, su suegro, ya no podría interceder por ella, como lo había hecho siempre. Y Tantana sentía, además, que había perdido nuevamente a quien, para ella, fue un auténtico padre. Se sentía vacía y sola, sin fuerzas ni deseos para empezar la nueva vida que se desplegaba ante ella.

En la hermosa e histórica capital del "Bel Paese", alquiló un apartamento, al que tenía intención de mudarse en cuanto pudiese. Era un apartamento de construcción moderna, emplazado en "Parioli", uno de los mejores barrios en la Roma de la época. Aquel piso era amplio y soleado pero ella no lo veía así. Al igual que todo lo demás, el lugar se le antojaba banal y carente del más mínimo interés.

Aunque no era, ni mucho menos, por placer, Tantana se veía obligada a salir a menudo de casa. Tenía que organizar las vidas de ella y de sus hijos. Los niños solían permanecer en casa al cuidado de Amparo, la niñera dominicana que había viajado con ellos. La empleada tenía órdenes estrictas de no dejarlos salir y, también, de no dejar que nadie entrara en casa.

Al poco tiempo de su llegada a aquella ciudad, Tantana se dirigió al consulado de la República Dominicana para realizar algunas gestiones y también para enterarse de cómo estaban las cosas en su país. Por entonces, lo que ocurriese allí parecía no tener demasiado interés para los medios informativos.

Al llegar al consulado, el ya triste talante de Tantana se tornó aún más sombrío. En el lugar que le hubiese correspondido estar a la de su querido suegro, resplandecía una fotografía, enorme, de Joaquín Balaguer. El nuevo presidente lucía elegante y adornado por una banda, con los colores de la bandera dominicana, que le cruzaba el pecho, además de varias medallas que ella no supo a qué mérito se debían. En aquel retrato, el recién estrenado mandatario sonreía y, aquella sonrisa a Tantana se le antojó ser una mueca de triunfal sarcasmo. Pero, a pesar de esto, y lo más rápido que le permitieron sus sentimientos, la mujer desechó ese primer pensamiento que no le pareció justo. Hasta adonde ella sabía, el doctor Balaguer era un hombre noble y bueno.

Sin embargo, cuando fue atendida, la mujer se llevó una espantosa y desagradable sorpresa. Tantana sintió que se le doblaban las piernas y todo su ser fue súbitamente poseído por Miedo, que vino acompañado por Impotencia y por Indignación. Estos nuevos sentimientos se habían unido, en

118

el continente europeo, a los que habían viajado con los Trujillo en el "Yate Angelita" que había retomado su antiguo nombre.

—Doña —le dijo gravemente el funcionario que la atendió—, siento decirle que estos pasaportes diplomáticos ya no silven… Pero el problema no es ese… El problema es que no estoy autorizado a emitirle otros que los sustituyan. Ustedes ya no son dominicanos. El nuevo gobierno ha decretado retirarles la nacionalidad.

—¿Cómo va a ser eso? —protestó Tantana con la cara desencajada— ¡El doctor Balaguer es buen amigo nuestro!

—Eso sería "antes"… —respondió, sintiéndose violento y bastante nervioso, el funcionario— yo no hago más que cumplir óldenes… ¿usté me entiende, no? Pero, de todos modos, espérese un momentico, doña Tantana.

Acto seguido, el hombre desapareció, con los pasaportes en la mano, engullido por uno de los despachos situados por detrás del mostrador que servía para atender al público.

Tantana, que no podía dar crédito a lo que estaba sucediendo, se quedó esperando flotando, más que de pie, apoyada en aquel mostrador, para no caerse a causa del tremendo e inesperado impacto que acababa de recibir. Deseaba convencerse, con todas sus fuerzas, de que aquella información era un malentendido del funcionario que no parecía ser un hombre muy culto.

Mientras esperaba impaciente, y con engañosa esperanza, el regreso de aquel hombre, una mujer que parecía haberla reconocido se le acercó.

—Bueno día mija… —le susurró suavemente al oído extendiéndole la mano a modo de saludo— yo sé quien eres tú… Yo me llamo Apátrida.

—¡Querrá decir Patria, señora! —le contestó Tantana alterada, desconcertada y sin querer; no sabía por qué motivo pues aquel no era su estilo.

—No, mija, me llamo Apátrida… y te voy a acompañar durante unos años… al igual que a tus hijos —contestó la mujer que tenía una apariencia física realmente fea y desagradable.

—¡No se le ocurra acercarse a mis hijos! —gritó Tantana, amenazadora, blandiendo su dedo índice ante las narices de la doña que no se inmutó en absoluto.

—¡No hace falta que me acerque a ellos… —contestó Apátrida tranquilamente— porque… yo ya estoy con ellos!

—¿Qué quiere decir con eso? —vociferó Tantana dirigiéndose al personal del consulado con los ojos que parecía que se le iban a salir de las órbitas— ¡Por favor, que alguien me ayude! —suplicó— ¡Esta mujer me está diciendo que ha secuestrado a mis hijos!

Los funcionarios allí presentes se limitaron a mirar a la joven con cara de pena y a negar con un gesto de sus cabezas. Tantana estaba hablando sola. Ellos no podían ver a Apátrida que ya se había escurrido y había salido, sin prisas, por la puerta.

—¡Cálmese, doña Tantana! —le dijeron, comprensivos— Entendemos que usté está muy nerviosa. Pero aquí no hay nadie. ¡Tranquilísese!

—¿Quiere que le traiga un vasito de agua? —le ofreció cariñosamente, al estilo dominicano, una de las secretarias que estaba presenciando la escena.

Tantana negó con la cabeza, se lanzó, literalmente, a coger al primer teléfono que encontró y, sin pedir permiso, marcó el número de su casa.

Cuando María Altagracia cogió el auricular, Tantana respiró aliviada.

—¿Cómo están tú y tus hermanos, mija? —preguntó todavía muy asustada a su hija mayor— ¿Amparo, está ahí con ustedes?

—Sí —respondió la niña—, mami, está en la cocina dándole el desayuno a Rafael Leonidas. ¿Quieres que te la ponga?

—No, no hace falta, mija… Dile que yo llegaré enseguida, después de que hable con una persona, y que cierre bien las puertas y las ventanas de la casa. ¡Ah!, dale el número del consulado que está pegado con un imán en la puerta de la nevera. Cualquier cosa, que me llame, ¿okay?

Cuando Tantana colgó el teléfono, había recobrado algo de serenidad y se sintió aliviada. Aceptó el vaso de agua que le trajo la secretaria y pidió hablar con Luigi Guardigli, un amigo italiano de su hermano Enrique, que trabajaba en el consulado dominicano ante la "Santa Sede".

Luigi no desempeñaba sus funciones de cara al público y su despacho estaba situado al final de un largo pasillo. Una de las secretarias condujo a Tantana hasta él. El hombre, que rozaba la cuarentena, era de estatura baja y sonrisa agradable y simpática. Recibió cariñosamente a Tantana dándole un abrazo entrañable y fraternal ya que, para él, Enrique Ricart era como un hermano.

Guardigli ya estaba enterado del asunto de la usurpación de nacionalidad, así lo consideraba él, y sentía lástima por aquella mujer y por sus hijos. Sabía, además, a través de Enrique, que Tantana había sufrido mucho durante su relación con Ramfis. Pero, también por mediación suya, estaba enterado de lo mucho que ella le quería y de que, ahora sin su presencia, sufría aún más y se sentía sola y desamparada en un país desconocido.

El hombre desempeñaba en la cancillería dominicana un trabajo administrativo que, por estar ligado a la Iglesia, a la cultura y al dominio del idioma italiano, le otorgaba allí cierto poder. Enrique Ricart le había encomendado el cuidado y la atención de su hermana y de sus sobrinos mientras vivieran en Roma. Luigi, que le quería sinceramente, había aceptado gustosamente aquel encargo.

—¡Luigi… perdone que le moleste pero… tengo mucho miedo por mis hijos! —le dijo Tantana, a modo de saludo, cuando entró en su despacho.

—¡No te preocupes, Octavia, no me molestas en absoluto! —respondió él mientras le acercaba una silla— Y no me hables de usted… Ya sabes que Enrique y yo somos como hermanos.

La mujer, que aún no se había recuperado completamente del susto, le contó el encuentro con la extraña mujer y después le informó de que, ella y sus hijos, habían sido privados de su nacionalidad.

—Además… —añadió— no me llames Octavia, sino Tantana. —Aquel bello nombre que le habían puesto sus padres, a ella no le agradaba en absoluto.

—Bueno, bueno… Tantana, Ottavia e un bel nome romano, pero… si no te gusta… —contestó Luigi sonriendo para intentar, dentro de lo posible, aliviar un poco la gravedad que tenía el asunto.

—Esq lo de la nacionalidad, ya lo sabía… —continuó— En cuanto a lo de quella donna… debo advertirte de una cosa a la que, claro, tú no estás acostumbrada. Durante cierto tiempo, sobre todo en las inmediaciones de cualquier entidad dominicana, vas a ser objeto de bromas de ese tipo muy a menudo… hasta que las cosas se calmen. Pero, no te preocupes —prosiguió, intentando tranquilizarla—. Ya he hablado con unos amigos míos que son policías para que vigilen tu casa durante un tiempo. Aunque tú no los veas, ellos estarán allí, montando guardia. ¡Tranquila! Ai bambini no les va a succedere niente.

—Y volviendo al tema de la nacionalidad, te diré que muy poco puedo hacer yo, un simple funcionario, para ayudarte. Sin embargo, se me ocurre una posibilidad…

—¡Ay, Luigi!, ¿a qué te refieres? Estoy muy nerviosa… puedes imaginártelo. Con tantos problemas que tengo… y, por si fuera poco, nos retiran injustamente hasta el derecho de haber nacido en nuestra patria. ¿Qué va a ser de nosotros? —le interrumpió Tantana, impaciente.

—Cálmate, Tantana, no vayas tan deprisa. Lo que voy a sugerirte es tan solo una idea que, quizás, no sea factible pero que, si tu quieres y te dejan, puedes intentar poner en marcha.

Ella permaneció muda, esperando a que Guardigli le contase lo que se le había ocurrido.

—¡No olvides quien era tu padre! —retomó el hombre, no del todo convencido pero con ganas de iniciar la labor que su querido amigo le había encargado— don Pedro Adolfo Ricart, nada menos, uno de los enemigos de Trujillo; que, además, según me contó Enriquito, no quería que tú te casaras con su hijo, ¿no es así?

Tantana empezaba a entender por dónde iba encaminada la idea de aquel agradable hombre al que, por su afabilidad, ya le estaba comenzando a coger un poco de cariño.

—¡Ah! Y, lo que voy a decirte, a mi modo de ver, también puede ser un argumento de peso e importante. No olvides que tienes un cuñado que estuvo bien metido en la política antitrujillista. ¿No es Guido D´Alessandro, "Yuyo", el marido de tu hermana Josefina?

La mujer seguía callada, con los ojos abiertos de par en par y la mirada fija en ese hombre que parecía haber encontrado una posible solución para aquel nuevo y terrible problema que se le había presentado.

—Como tú bien sabes —prosiguió Luigi—, él fue perseguido y hasta estuvo exiliado durante el régimen de tu suegro. Y sé, por lo que me ha contado tu hermano, que quizás si no hubiera sido por tu intervención y la del propio Ramfis que fue   ran amigo suyo...

—¡Sí, sí... ya lo sé, Luigi! Pero, por favor no hablemos de eso ahora. Sabes que, a pesar de todo, yo quería a mi suegro como a un padre y...

—Pero ahora tienes que ser práctica, Tantana. Y quizás, por "ese lado", el de tu verdadera familia, puede que... Al fin y al cabo, ni tu ni tus hijos, la mayor tiene tan solo doce años de edad, ¿no?, son culpables de nada de lo ocurrido.

Cuando Luigi terminó de pronunciar aquellas palabras, a Tantana se le iluminó la cara. Sí, pensó, ella, ante todo, era Octavia Ricart, la hija y la cuñada de personas contrarias a Trujillo. Reivindicaría sus derechos de ciudadana dominicana a la que, de lo único que se la podía inculpar era de haberse enamorado de Ramfis

Luigi y Tantana se levantaron de sus respectivos asientos a la vez, como si lo hubiesen ensayado previamente. A continuación salieron del despacho y se dirigieron, sin hablar, hacia otro, situado cerca del de Luigi. El hombre llamó a la puerta, hizo pasar a Tantana y le presentó al cónsul, un dominicano blanco, de aspecto sombrío. Él la saludó educadamente y la invitó a sentarse.

Pero la conversación que allí se mantuvo, por más argumentos que Tantana y el propio Luigi esgrimieron, resultó estéril. El cónsul les dejó hablar pero, una vez que ambos expusieron sus argumentos, se limitó a contestarles, de forma bastante fría e impersonal, aunque cortés, que "así estaban las cosas" y que "lo sentía mucho". Ni él ni el mismísimo embajador, les aseguró, tenían de momento, añadiendo un "por desgracia" poco sincero, la potestad de revocar las órdenes que habían recibido del gobierno.

Les sugirió, no obstante, sin verdadero interés sino más bien con ganas de quitarse de encima aquella incómoda situación, que intentaran, con la ayuda de Luigi que, como hemos mencionado, era italiano y trabajaba también para la "Santa Sede", conseguir asilo político y algún que otro apoyo por parte del gobierno de Italia.

Y, aunque al cónsul poco le importaba el sufrimiento de Tantana, a Luigi aquella sugerencia, realizada por él sin ninguna compasión hacia la hermana de su amigo, le sirvió de mucho.

Después de dar muchas vueltas, realizar infinitas gestiones y pesquisas, con el gran apoyo que obtuvo por parte de Guardigli, Tantana consiguió que les concedieran, a ella y a sus hijos, un permiso de residencia y un permiso especial que les permitiría, si lo necesitaban, viajar tranquilamente a cualquier parte del planeta. Aquellos documentos, especiales para apátridas, no significaban que habían obtenido la nacionalidad italiana, ni mucho menos, pero resultaron ser de gran alivio para la desesperada y finalmente agradecida mujer.

El glorioso día en que, por fin, citaron a Octaia Ricart para que recogiese su flamante "Carta di Viaggio d´Italia", la joven estaba rebosante de buen humor. Aquella mañana hasta parecía haber olvidado la tristeza que la invadía permanentemente tras su recién estrenado divorcio. Se maquilló un poco, se puso un bonito traje sastre y se recogió el pelo en uno de esos que llaman "moño italiano", que, al despejarle la cara, descubría en su totalidad la belleza de sus rasgos.

Tantana salió de su casa, con una alegría que creía haber olvidado para siempre y, después de dar un paseo corto, respirando el aire fresco, tomó un taxi que la condujo hasta el edificio en donde estaba la entidad que se ocupaba de los asuntos de exiliados políticos. Al llegar al lugar, la mujer pidió al taxista que la esperara unos minutos porque tenía intención de dar un paseo cuando terminara con sus diligencias. Por primera vez desde su llegada a Roma tenía ganas de recorrer sus maravillosas tiendas de moda y de tomarse un "capuccino" sentada en alguna terraza de la Vía Veneto. Sentía que tenía que aprovechar su buen estado de ánimo y no correr a encerrarse en su casa como solía hacer cuando, extenuada, regresaba de las tantas actividades que tuvo que realizar para conseguir aquella documentación tan importante.

Aquellas eran sus intenciones cuando se montó en uno de los ascensores que estaban situados en la planta baja del inmueble y pulsó el botón del tercer piso.

Pero cuando salió del elevador, antes de entrar al despacho correspondiente, se tropezó con una mujeruca de aspecto desagradable. Tantana la reconoció al instante. Era Apátrida.

Antes de que ella pudiese reaccionar, la mujer le sonrió abiertamente y exclamó: —¿Tú ves, Tantana? Ustedes me van a tener viviendo con ustedes durante una buena temporada. —Y acto seguido, la extraña doña desapareció engullida por otro de los ascensores que, misteriosa y casualmente, acababa de abrir sus puertas, como si hubiese estado esperándola.

Pero esta vez Tantana no sintió miedo. Únicamente un pensamiento fugaz y preocupante se le cruzó por la mente.

—¡Me estoy volviendo loca, Dios mío!

Acto seguido, haciendo "de tripas corazón" e intentando olvidar el incidente, entró en el despacho número 22, recogió aquellos anhelados documentos y bajó corriendo, muy contenta, por las escaleras. Cuando salió a la calle el taxista la esperaba. Con todo, a pesar de su alegría, Tantana tuvo que hacer un pequeño esfuerzo para seguir con sus planes de compras. Lo ocurrido, o imaginado, con "Apatrida" le había afectado bastante. Pero como, aunque ni ella misma se lo reconocía, era una mujer fuerte, decidió no dar más vueltas al asunto.

Las rutilantes tiendas situadas en la emblemática "Vía Veneto", el bullicio de los turistas, un buen corte de pelo y el degustar una rica "polenta" en una típica "trattoria", consiguieron distraer a Tantana durante varias horas, aunque, para sentirse tranquila, llamó varias veces a sus hijos. Era bueno contactar con otros seres humanos, pensó la joven cuando se dirigía de regreso a casa. Se prometió a sí misma que repetiría la experiencia y que, aunque fuese sola, se pasearía más a menudo por aquella ciudad cuya belleza empezaba a descubrir.

Lamentablemente para ella, después, por la noche, en la soledad de su habitación y de su cama fría, no pudo impedirse el llorar contemplando y besando las múltiples fotos de Ramfis que guardaba en un cajón de su armario. En muchas de ellas, "su marido" le rodeaba, sonriente, la cintura. Y ella, sin darse cuenta, iba anclándose peligrosamente a un pasado que nunca habría de volver. Pasó un tiempo en el que Tantana no tuvo más remedio que seguir ocupándose de trámites ineludibles y apremiantes y que la mantuvieron en pie. Tuvo que sacar fuerzas de donde no las tenía.

Pero una vez que hubo conseguido inscribir a Rafael Leonidas en un colegio y a las tres niñas en un internado, la mujer se desmoronó y fue presa de una gran depresión que no la abandonaría durante muchos años. Llegó a sentirse tan desgarrada moralmente que, cada vez con más intensidad, tenía que hacer un gran esfuerzo para traer a las niñas a casa los fines de semana. El resto del tiempo, a excepción de un par de horas que dedicaba a Rafael Leonidas cuando volvía del colegio, pues había delegado en Amparo el cuidado del niño, Tantana lo pasaba encerrada en su cuarto junto a sus fotos y sus recuerdos.

No fue fácil para ella aceptar tantas desgracias a la vez: su divorcio, la muerte de su suegro, el exilio, el haber pasado de ser la "Segunda Dama" de su país a ser una apátrida, el vivir en un país ajeno, y muchas consecuencias que siguieron a estas circunstancias y que le machacaron el alma.

Un día Tantana se percató de que habían pasado ya tres semanas sin visitar, ni traer a casa, a sus hijas. La noche anterior había soñado con su Ángel de la Guarda que se lo reprochaba con la mirada. Se armó de energía y valor, se arregló lo mejor que pudo y decidió ir a buscarlas y llevarlas a pasear. Además, pensó, invitaría a Luigi y a su esposa, Antonietta, una simpática y gran mujer, a comer a su casa el domingo. Aquel almuerzo, quizás, alegraría un poco el ambiente de su triste casa y eso repercutiría en sus pobres e inocentes hijos.

Con la presencia de los cuatro en casa, Tantana se animó un poco. ¡Les quería tanto! Sin embargo, ese amor era incapaz de sustituir al de Ramfi . Siempre sentía el inmenso vacío de la pérdida del esposo. Y, por supuesto, no tenía intención alguna de sustituirlo por otro. Él era, para ella, demasiado perfecto como para ser reemplazado. Y, además, de una forma inconsciente y absurda, albergaba en su corazón la esperanza de que, algún día, él volvería a sus brazos.

Aquel domingo, se levantó temprano, tomó un café y se encerró en la cocina, como hacía antaño. Echaba de menos a Dulce, su querida cocinera y amiga, a la enorme cocina y a los representativos calderos dominicanos. Ya nada sería igual, pensó amargamente. Con gran esfuerzo intentó desterrar a Amargura, que se había convertido en una compañera inseparable, y se esmeró en preparar, para sus recién estrenados amigos, una rica comida típica de su tierra natal.

A la hora del almuerzo, tanto Luigi como Antonietta, disfrutaron del delicioso pollo al estilo samanense, al que Tantana, por falta del fruto en fresco, añadió leche de coco enlatada. Disfrutaron del arroz con guandules, de aquellos que Tantana había logrado traer secos, como los garbanzos, desde su tierra, y de unos crujientes tostones de plátanos verdes.

Después, a la hora del café, los niños se retiraron, sin protestar, a sus habitaciones, y el salón se tornó sombrío. La costumbre de entonces era que ellos, los chiquillos, no debían estar presentes en las conversaciones de los mayores.

Aída hablaba con esa mujer que salía de cualquier parte, incluso de los armarios de su casa y del colegio. Aquella mujer, que decía llamarse Apátrida, era muy fea pero a ella, aunque no le resultaba simpática, no le producía miedo. Cuando Aída le preguntaba que por qué venía a visitarla, ella respondía que estaría viviendo con ella, su madre y sus hermanos durante una temporada. Aída se encogía de hombros y nunca comentó aquellas visitas con nadie. Aquella tarde de domingo, cuando los adultos la echaron del salón, la niña entró en el cuarto de baño y volvió a encontrarse con Apátrida.

—Aída —le dijo la mujer suavemente—, si quieres enterarte del motivo de mis visitas, hoy tienes una buena ocasión para hacerlo.

Acto seguido la agarró del brazo y la condujo cerca de la sala en donde Tantana y sus amigos estaban conversando. Fue entonces cuando la niña se enteró de que, tanto ella como el resto de su familia, había sido privada de su ciudadanía dominicana. Se quedó un buen rato escuchando esa conversación que la dejó turbada y enormemente desolada. Según decía su madre, apoyada por Luigi, era preferible que, a excepción de las religiosas que regentaban el colegio, las demás monjas y las alumnas creyesen que el primer apellido de las niñas era Ricart.

Parecía ser que el apellidarse Trujillo se había convertido en algo muy peligroso y Tantana tenía miedo de que a alguien se le ocurriese la idea de secuestrar a alguno de sus hijos. Aunque ese hecho era absolutamente falso, el mundo entero parecía creer que Ramfi, su padre, se había convertido en uno de los hombres más ricos del planeta.

Cuando lo creyó conveniente, Aída se dirigió nueva y sigilosamente hacia su dormitorio. María Altagracia estaba leyendo. Aída cogió un tebeo para disimular su consternación pero, aunque lo intentó, era incapaz de concentrarse en su lectura. En su infantil cabeza retumbaban las palabras de su madre. Quería creer que las había imaginado, al igual que, en la mayoría de las ocasiones, quería convencerse de que, las visitas de Apátrida, eran producto de su imaginación.

Aquella tarde, su madre, Luigi y Antonietta, después de la sobremesa, obligaron a Tantana, junto a sus hijos, a salir a dar una vuelta, y les invitaron a merendar. Durante el paseo todos parecían estar alegres, de modo que Aída volvió a creer que lo que había oído por detrás de la puerta era mentira. Por eso, siempre lo decía mamá, no se podía escuchar ninguna conversación a escondidas. No solamente aquello era una falta de educación y una violación de la privacidad de los demás sino que, también, era una fea costumbre que tenía el poder de deformar y transformar las palabras que uno creía haber escuchado.

Sin embargo, transcurridos unos días, Aída supo que ni su imaginación ni la fea costumbre le habían jugado una mala pasada. Tantana fue al colegio a visitarlas y a llevarles unos dulces. Había hablado con las monjas y quería comentar con sus hijas la decisión que había tomado. Aída, María Altagracia y Claudia del Carmen llevarían el apellido Ricart a efectos del personal y las alumnas del colegio. Además, tendrían que permanecer en el internado, sin derecho a salir bajo ningún concepto. Ni excursiones, ni visitas a museos podrían quebrantar aquella orden. Solo la propia Tantana, personalmente, podría sacarlas de allí.

El no poder salir con sus compañeras de colegio y el sufrimiento de su madre Tantana, convirtieron a Aída también en una personita triste. Por eso volvió a refugiarse en la religión. La Virgen María, el Niño Jesús y su Ángel de la Guarda, se convirtieron en sus mejores compañeros. Lástima que no pudiese sentir su presencia física. Aída deseaba tanto ser abrazada y mimada.

Así transcurrió, entre religión y estudios, el año escolar para Aída. Sus escasos momentos de alegría se limitaban a las clases cuyo contenido le interesaban, a los recreos y a los juegos, siempre dentro del claustro del colegio.

Aquel verano, para gran alivio suyo, las vacaciones parecían presentarse algo más alegres que las de la pasada época estival. El plan que Tantana había trazado resultaba ser bastante atractivo. Ella y sus hijos iban a instalarse, durante casi un mes, en uno de los pueblos situados en una de las siete colinas que rodean la ciudad de Roma.

Grottaferrata resultó ser un lugar encantador y, en el hotel que su madre había elegido para hospedarse, además de una gran piscina, también se alojaban muchos niños y niñas. Aquella era, pues, la ocasión propicia para entablar nuevas amistades y gozar de algo de libertad.

Sin embargo, dos días después de la llegada a aquel hermoso lugar, Tantana enfermó. A Aída le tocó ocuparse de ella mientras María Altagracia, la mayor, era la encargada de sacar a los más pequeños a pasear y a bañarse en la piscina.

Una vez más, Tristeza ocupaba todo su espacio vital. Con su cuerpo transparente y alargado, y sus cabellos de colores funestos, la abrazaba estrechamente adentrándose hasta en sueños.

A la niña no le fue posible invocar la presencia de Alegría y Armonía, ni siquiera el día de su décimo cumpleaños, encerrada, como estaba, entre las cuatro paredes de una habitación oscura y con su doliente madre que yacía febril en la cama del maravilloso hotel que se había convertido en una cárcel.

Antes de que terminase la época estival, y ya de regreso en Roma, Tantana recibió noticias de Ramfi . Por fin, se había establecido en Madrid y estaba más tranquilo. Había decidido que ella y los niños se trasladasen también allí. Su decisión fue secundada por Tantana que se sentía cada vez más deprimida. A Aída no le agradó aquella nueva disposición de sus padres, estaba empezando a cogerle el gusto a Roma, a los italianos y también a las monjas y a su internado. El solo pensar en regresar a aquel que ella consideraba un presidio, el Colegio del Sagrado Corazón de Madrid, le producía náuseas. Pero, como le decía una religiosa que se había convertido en protectora y amiga suya, la hermana Mercedes de Bernardis, había que tener "resignación cristiana".

Para María Altagracia, en cambio, aquella decisión de sus progenitores fue motivo de alegría. Nunca se había adaptado del todo a Italia ni al colegio. Prefería, además, estar cerca de su padre. Presentía que, una vez en Madrid, su vida iba a mejorar considerablemente.

A pesar de su corta edad, Aída, por su forma de ser, parecía más una pequeña adulta que una niña. Apoyó totalmente a su madre, tanto en su tristeza, que iba aumentando peligrosamente, como en su decisión, y también en los preparativos de la mudanza y del posterior el traslado.

Un mes antes de que empezara el nuevo curso, Tantana y sus hijos embarcaron en un avión que los llevaría rumbo a la capital de España. Durante el vuelo, Aída intentaba consolarse pensando en que iba a estar cerca de su padre, de su abuela y de sus otros hermanos. Pero ya echaba tanto de menos a sus amigas, a aquella monja que tanto la consolaba, y a su querido colegio. Antes del aterrizaje, insistió en rellenar ella misma su fi ha para entregar a las autoridades aduaneras. En el espacio correspondiente, convencida y sin recordar lo que aquel famoso domingo había escuchado, Aída anotó su nacionalidad. A Tantana no se le ocurrió revisar la tarjeta y, a la llegada a Madrid, la presentó en la aduana, con las otras fi has, junto a la bendita "Carta di Viaggio" italiana.

El agente de aduanas, cuando vio la fi ha que había rellenado Aída, se sobresaltó. Su cara se ensombreció e, inmediatamente después, se volvió de un color escarlata brillante, casi cómico.

Presa de una rabia y una indignación fuera de lugar, tachó la palabra "dominicana" que había escrito la niña y, con la ayuda de un sello y un tampón impregnado de tinta roja, estampó encima la palabra "apátrida". Todo ello con la violencia que entonces caracterizaba al cuerpo de policial al que pertenecía. Tenía el rostro desencajado, como si de algo personal se tratase, y su mirada revelaba un desprecio incomprensible para la sorprendida niña.

Ese garabato y esa fea palabra, impresa sobre la que ella consideraba su ciudadanía, hirieron profundamente a Aída. Aunque estaba asustada, se atrevió a preguntar al agente el significado de aquel vocablo. Cuando el policía le contestó, ásperamente, que aquella palabra quería decir "sin patria",

Aída sintió que la sangre le hervía en las venas y que la cabeza le iba a estallar de ira de un momento a otro.

Ante el estupor de su madre, que no conocía a la rebelde que su hija albergaba en su interior, Aída, se puso a discutir con el funcionario.

—¡Claro que tengo patria! —le gritó a la vez que lágrimas de dolor y furia surcaban sus mejillas— ¡Mi país es la República Dominicana! ¡Yo soy dominicana! ¿Me oye?

Tantana la asió del brazo, algo atemorizada, e intentó calmarla. Pero Aída insistía en defenderse ante la mirada de desdén del aduanero.

Cuando, por fin, la mujer consiguió que María Altagracia la apartase de allí, se percató de la presencia de alguien que le resultó sumamente familiar. Era Apátrida que pasaba tranquilamente por otro mostrador de la aduana española, enarbolando un pasaporte dominicano y sonriéndole con sorna.

Tantana, haciendo caso omiso de su visión, pidió disculpas al agente que, con su sombrero tricornio acharolado calzado hasta las cejas, parecía haberse divertido mucho haciendo sufrir a una niña. Mostraba él su sonrisa sarcástica, adornada por finos bigotes y coronada por aquel extraño tocado de charol… Su mirada ajena, su frialdad. Mostraba un absurdo y cruel regocijo por sentirse mejor por el simple hecho de ser súbdito español. Cuando afi maba que Aída no tenía patria, no sólo no le importaba que ella fuera una niña sino que, además, se complacía con herirla y humillarla.

Aquellos fueron los primeros sentimientos conscientes de odio y de rabia contenida que Aída recordaría a lo largo de su vida. Eran tan poderosos que a ella le hubiese gustado pegarle a aquel desconocido con todas sus fuerzas.

Era verdad que la ley de su querida Dominicana la había privado de su natural derecho a su ciudadanía. Era verdad que querían que ella pagase una culpa que ni ella misma conocía. Pero a ella, aquel modo de ser tratada, la marcó profundamente.

—¡Mija, no te pongas así! —decía Tantana a la niña intentado, inútilmente, explicar la situación que ella parecía vivir peor que sus hermanos— Hasta la misma Biblia dice que "los hijos deben pagar por los pecados de sus padres"… Por eso, cuando nacemos necesitamos ser bautizados… Porque hemos heredado de nuestros primeros antecesores el "pecado original".

—¡¿Qué cosa, de tanta gravedad como para que ya no tengamos patria, habéis hecho vosotros, mamá?! —preguntaba la chiquilla, a menudo, a su madre. Pero nunca recibió respuesta a su pregunta.

Pero lo que le decía su madre no hacía más que confundir, aún más, a Aída que opinaba que aquello que estaba escrito en un libro, al que se consideraba santo, era muy injusto.

Aída sentía, con gran dolor, nostalgia de Roma, de sus amigas y del Colegio "Ancelle del Sacro Cuore". Estaba acostumbrándose a vivir sin raíces pero, cada vez que su padre la cambiaba de ciudad, se sentía desgarrada y Desarraigo vivía fuerte y constantemente presente en su vida.

Ella y sus hermanas, Claudia del Carmen y María Altagracia, tuvieron que volver al Colegio del Sagrado Corazón de Madrid, muy a pesar suyo. Mercedes de los Ángeles, que seguía viviendo con su abuela doña María, tenía más suerte. Iba a un colegio menos estricto y no estaba interna. Aída la envidiaba. Siempre, desde pequeña, la había considerado un ídolo, un modelo de buena vida que ella no sabía procurarse. Mientras Ramfis Rafael estudiaba en un colegio en Inglaterra y, cuando venía a pasar las vacaciones, parecía estar contento allí. Rafael Leonidas asistía a un colegio situado cerca de casa de su madre y de momento tampoco estaba interno.

Antes de finalizar el año escolar se produjo un nuevo y, para ella, triste acontecimiento en la vida de Tantana. María Altagracia, que acababa de cumplir catorce años, decidió irse también a vivir con su abuela María. Por más que Tantana le imploró que se quedase en su casa, ella se mantuvo firme y fría en su decisión. No soportaba las depresiones y la constante tristeza de su madre. Como contaba con el apoyo de su padre, hiciera lo que hiciera Tantana, ella se marcharía. A María Altagracia no le apetecía, por entonces, compartir casa con Lita que había sido madre de nuevo. Ya eran dos los hijos del segundo matrimonio de Ramfis. Dos varones, Ramsés y Ricardo.

Tras el alejamiento de su hermana, Aída pasó a ser la mayor en casa y pronto empezó a hacer suyas las tristezas y las escasas alegrías de su progenitora. La niña, pues, solitaria y triste, no disfrutaba de su infancia. La casa en la que vivían a la sazón, estaba emplazada en un barrio caro de Madrid, "El Viso", y tenía tres plantas además de un sótano. A pesar de ser de lujo, la vivienda era sombría y parecía albergar algún antiguo y oscuro secreto.

Pronto Aída, que, al igual que su madre, poseía una sensibilidad especial, percibió en aquella casa la presencia de seres incorpóreos. Evitaba entonces, dentro de lo posible, bajar al sótano o subir a la buhardilla, que era el lugar en donde Tantana había ubicado el cuarto de juegos de los niños. Ambos lugares parecían ser los preferidos de aquellos seres etéreos que al principio le producían mucho miedo a Aída aunque nunca se atrevió a contar nada. Nadie le creería, pensaba ella.

Después, con el tiempo, la niña se fue acostumbrando a esa presencia que también provocaba en ella una congoja infinita porque, ellos mismos, se encargaban de transmitirle la forma en que sus espíritus se sentían.

Ya Aída no podía seguir soportando a Tristeza, Desolación, Abandono y Desarraigo que ahora vivían conjuntamente, en su vida, acompañados por aquellos tristes y quejumbrosos entes. Un día la niña decidió invocar, con todas sus fuerzas, el recuerdo de Alegría y Armonía. Había oído decir que, si uno las recordaba y las deseaba sinceramente, ellas volvían. Con la ayuda de sus juegos, abandonados en pos del rescate de la vida de su madre, de la que ella se sentía responsable, empezó a atraer a Fantasía, íntima amiga de Alegría y Armonía.

Cuando Fantasía se instaló al lado de los juguetes de Aída, también lo hizo en sus lápices de colores y en su diario. La niña empezó a escribir algunos versos y a descubrir que el dibujo no se le daba mal. Poco a poco, Alegría y Armonía empezaron a acercársele. Y un día le hicieron una confide - cia. Ellas no podrían aproximarse a su madre mientras no fuese ella misma, Tantana, la que las reclamara. Y le dieron un consejo. Uno no debía sentirse triste porque otra persona, aunque fuese su propia madre, hubiese escogido el sentirse así. Eso era una elección que debía hacer cada ser humano. Y para quererle no era necesario acompañarle en su dolor continuamente.

Aunque Aída entendió los mensajes recibidos por Alegría y Armonía, no pudo aplicarse el cuento tan fácilmente como ella hubiese deseado. Había días en que no podía retener a sus amigas ni tampoco a Fantasía.

Aunque Ramfis y Tantana no habían abandonado sus desavenencias, también existía entre ellos una complicidad fuera de lo normal tras su roto, ya tanto tiempo atrás, vínculo matrimonial. Ambas circunstancias fueron la causa primordial de que Ramfis decidiera que, lo mejor para todos, era que Tantana regresara a Roma. Por supuesto, con los tres hijos que aún vivían con ella. A pesar de alegrarse de la decisión tomada por su padre, un sentimiento de no pertenecer a ninguna parte invadió a Aída. Presentía que nunca iba a poder parar quieta en ningún lugar.

Como se había especializado en escuchar detrás de las puertas, en cierta ocasión la chiquilla oyó cómo alguien pronunciaba la palabra "extradición". También se enteró, por la conversación que mantenía su madre con algunos amigos de la familia, de su terrible significad , además de que, desde hacía bastante tiempo, aquello estaba afectando directamente a su propio padre. Había oído también que, si él volvía a la República Dominicana para ser juzgado, la corte no iba a ser ni justa ni imparcial.

Aída seguía sin entender qué era lo que habría podido suceder para que se tratase tan mal a su familia. El averiguarlo se había convertido en una necesidad imperativa para ella.

Como su madre no contestaba a sus preguntas, cada vez más frecuentes, un día Aída se atrevió e intentó sonsacar a su abuela. Doña María la había invitado a merendar un pudín de chocolate estilo dominicano, y a tomar jugo de chinola natural en su casa. Aquellos sabores familiares y largamente perdidos dieron a la niña el valor necesario para intentar sonsacarla.

Pero, la pobre ilusa, como respuesta obtuvo, en un principio, un silencio que duró varios minutos que se le hicieron eternos. Había metido bien la pata, pensó. Abuelita María no era fácil y ella parecía haberle faltado al respeto con sus interrogatorios. Cuando, por fin, la abuela se repuso de la primera impresión, con la amargura reflejada en la cara y en el tono de su voz, contestó a su nieta. La República Dominicana, en su gran mayoría, era un pueblo repleto de gente descastada, le aseguró. Su abuelo Rafael había dado todo por ellos y ellos le habían pagado asesinándolo. El desagradecimiento era un rasgo muy marcado en la mayoría de los dominicanos. No cabía la menor duda, sus compatriotas, por desgracia, eran así.

Después, doña María cortó de cuajo la conversación. Preguntó a su nieta si quería llevarse un trozo de tarta y llamó a su chofer para pedirle que acompañase a la niña a casa de su madre. Era ya un poco tarde y aquella inesperada conversación la había entristecido y puesto de muy mal humor.

Con la copla de su abuela se quedó Aída que, aquel día, decidió que ella jamás regresaría a Dominicana. Tal y como ella pensaba, su abuelo era bueno. Abuelita María no mentía, estaba segura. Los "malos" eran los dominicanos, estaba claro. En España no había oído nunca hablar mal de su abuelito y en Italia parecían no conocerle. Como, además, su padrino, Francisco Franco, se había portado bien con su padre, Aída se convenció de que éste también era un hombre bueno.

A partir de entonces, la niña no volvió a cuestionarse sobre nada que tuviese que ver con el apellido Trujillo.

Los cuatro hujos de Aida. Carlos ,Jaime , Hayde y Nicolas el mas pequeño.

Tantana y su hermana Teresita

CAPÍTULO XI

...Aunque su amor por Italia se había hecho más patente que nunca, el volver a sentirse dominicana, con todas las de la ley, le infundía un sentimiento de paz y de seguridad que hacía tiempo había perdido...

Cuando Tantana regresó a Roma, junto a sus hijos, parecía estar algo más animada. Al principio, afi maba que en Italia, a la que ya se había adaptado, era más feliz que en España.

La familia se instaló en un moderno apartamento en un buen barrio de la ciudad y los niños regresaron a sus antiguos colegios. Hubo un tiempo en el que Aída pensó que Alegría y Armonía, junto a Fantasía, por fin se iban a emplazar definit vamente en su vida. Sin embargo y poco tiempo después, Tantana, su madre regresó a los brazos infinitamente largos de Tristeza. Ya no tenía ganas de realizar ninguna de las actividades que tan bien se le daban, como eran la pintura y el piano.

Cuando los chicos estaban en casa, la todavía joven mujer, se veía obligada a cocinar. Pero, como no se sentía con ánimo para hacerlo, prefería, casi todos los fines de semana, salir con ellos a comer a alguno de los magníficos restaurantes de Roma. Además, Tantana, que seguía siendo buena aficionada, también llevaba a sus hijos habitualmente al cine. Las películas conseguían que ella olvidase temporalmente sus problemas.

Fue por entonces, cuando residía por segunda vez en Roma, cuando Aída empezó poco a poco a tomar conciencia de ciertas cosas. En los periódicos y en los informativos de la televisión, conoció el significado de la palabra "huelga", nueva para ella.

Pero, tanto en casa como en el colegio, tergiversaron su descubrimiento asegurándole que, los que se manifestaban y provocaban una huelga eran unos holgazanes que echaban mano de cualquier excusa para no "arrimar el hombro" y que, además, los huelguistas solían ser gente violenta. Como Aída no había visto nunca imágenes de ese tipo en la televisión, al principio sintió un miedo que se vio reforzado por el que sentía su madre. Tantana predecía grandes catástrofes en aquel país, Italia, en donde no había "mano dura". Le decía que, tal vez y en cualquier momento, hasta hubiese podido estallar una guerra.

En España, bajo otra dictadura similar a la de su abuelo, los medios de comunicación dejaban mucho que desear. Parecía ser que los países debían ser regidos por un solo hombre cuyo poder tenía que ser casi absoluto. ¿No ocurría eso incluso con la regencia de su propia religión?

La niña también estaba convencida de que, el ser gobernado por alguien que "metía en cintura" al pueblo, era sinónimo de seguridad y protección ciudadana. Era lo que, desde antes de tener uso de razón, había escuchado y había vivido. La gente con la que ella se relacionaba en España, desde que llegó la primera vez para quedarse, sus relatos y los fantasmas de sus miedos, habían fortalecido aquella creencia.

Aída, que por entonces apenas tenía siete años, cuando salía del internado, se instalaba en la Embajada Dominicana, con sus tíos abuelos. De ella se hacía cargo Juanita, la niñera española que llevaba más de veinte años prestando sus servicios a la familia Trujillo. Ella, Juanita, como muchos compatriotas durante la posguerra, había tenido que emigrar para poder ganarse la vida.

—Si no hubiese sido por Franco, tu padrino, a quien Dios dé larga vida, "los rojos" hubieran acabado con nosotros —afirmaba.

Juanita era una mujer de edad madura, bien entrada en carnes, cuyos generosos pechos habían servido, en más de una ocasión, como reconfortantes almohadones en donde Aída se apoyaba para llorar cuando sentía la ausencia de su madre. Las historias que contaba la niñera, estaban, en su gran mayoría, relacionadas con las vivencias de la guerra civil de España, y conseguían despertar el interés y el lado morboso de la niña.

Tantana compartía la opinión de Juanita. Creía, "a pie juntillas", en la justicia y el buen hacer de Franco, su "compadre". Estaba, al igual que la nana, convencida de que Aidita era "la más buena de sus hijos". Y, cuando lo decía a cuantos le preguntaban, lo hacía refiriéndose a su comprensión y a su espíritu de sacrificio y abnegación. Por eso, de forma natural, afianzaba ambas creencias en la mente de su hija.

Era cierto que la niña se desvivía por ella y sus hermanos de un modo exagerado, no compatible con la edad que tenía. Pero Tantana no era consciente de la carga que, sin darse cuenta, le estaba imponiendo a su hija. Era difícil, y muy injusto, para una niña de su edad, mantener aquel título que requería nada más y nada menos que olvidarse de sí misma.

Ahora que vivía su segundo año en Italia, Tantana seguía sintiendo el miedo de no estar "protegida" por la sabiduría y la destreza de un autócrata. Era lo único que echaba de menos de España. La gente necesitaba una guía para que su vida no se convirtiese en un caos. En Italia, un país democrático, Tantana no tenía motivos para sentirse desprotegida. Todos esos miedos aleteaban atolondradamente en su cabeza por la falta de costumbre de que un pueblo eligiese por quién quería ser gobernado y se manifestase cuando quería cambiar ciertas cosas.

Fue por entonces cuando se produjo un acontecimiento que conmocionó al mundo entero: el asesinato del presidente de Los Estados Unidos de América. John F. Kennedy no era un mandatario cualquiera, era un auténtico líder con un gran carisma a nivel internacional.

Las monjas compartían sus sentimientos y creían que, si en Italia se instalaba un régimen izquierdista, la Iglesia se vería seriamente amenazada. Se empeñaban en transmitir esa idea a sus alumnas que se imaginaban "colgadas de la picota" a manos de aquellos monstruos que enarbolaban la bandera roja. Sin embargo, el año escolar transcurrió sin grandes incidentes a excepción de los que vivían en las mentes de los mayores de Aída.

Al terminar el curso, Ramfi , no se sabe por qué, tomó la decisión de que Tantana y los niños regresaran a España. Quizás un sexto sentido le hacía pensar en que la depresión que sufría Tantana no era lo mejor para sus hijos. O quizás simplemente les echaba de menos.

Una tarde de un día cualquiera, Apátrida se le volvió a aparecer a Aída, con su mismo aspecto desagradable. Cuando la niña, que se encontraba leyendo, tirada en la cama de su habitación en casa, la vio, no pudo disimular su disgusto.

—Tranquilísate, mija… esta vez vengo a despedilme de ti… —pronunció la mujeruca cuando vio el efecto que su presencia causaba— ¡Dentro de poco vas a recuperar tu nacionalidad! Ya no volverás a verme nunca más… Creo que eso le ha costado mucho dinero a tu papá, pero habrá valido la pena, ¿no es veldad?

Su fea figura se fue esfumando poco a poco ante los ojos de la niña que ya no se impresionaba cuando veía cosas que, al parecer, los demás no podían ver.

Transcurridos unos días, a Aída le confirmaron lo que ella ya sabía. Les habían devuelto sus benditos pasaportes dominicanos. La niña, que conocía muy bien el porqué de ese feliz acontecimiento, no se atrevió a comentarlo ni con su madre ni con su padre. Había tomado la determinación de no hablar de nada que ellos no le explicasen por decisión propia.

Volvieron a desmantelar la casa de Roma, volvieron a despedirse de los amigos que nuevamente dejaban atrás y volvieron a volar hacia una nueva vida. Esta vez Aída se sentía satisfecha. Ya no necesitaban la "Carta di Viaggio" italiana. Aunque su amor por Italia se había hecho más patente que nunca, el volver a sentirse dominicana, con todas las de la ley, le infundía un sentimiento de paz y de seguridad que hacía tiempo había perdido.

Cuando Tantana y sus hijos llegaron a Madrid, se enteraron de cual sería su próximo destino. Ramfi había inscrito, para el próximo curso, a Aída y a Claudia del Carmen en una filial del "Colegio del Sagrado Corazón", emplazado en Barcelona. Rafael Leonidas marcharía rumbo a Inglaterra, junto a Ramfi Rafael, para que aprendiese inglés y empezara a "hacerse un hombrecito".

Aída, sorprendida, quiso rebelarse ante la decisión de su padre. A ella, que contaba ya con doce años de edad, se le hacía muy cuesta arriba aquel nuevo cambio. Además no entendía el porqué tenían que trasladarse a una ciudad desconocida si su padre, como había expresado, quería que viviesen cerca de él. Para eso, mejor hubiese sido que les dejase en Roma, pensó.

Pero volvió a callarse y, como era costumbre en la época, a los hijos no se les daban explicaciones. Ni mucho menos se les concedía el derecho a opinar. Aída tuvo que conformarse con un breve pataleo frente a su madre que no le hizo el menor caso.

Tampoco Claudia del Carmen recibió con agrado la noticia pero ni siquiera se atrevió a abrir la boca para protestar. A la única a la que transmitió su contrariedad fue a Aída.

Tantana no se sentía muy feliz con la decisión de Ramfis pero sabía de sobra que, cuando él resolvía algo, era inútil intentar llevarle la contraria. De modo que decidió consolarse pensando en que iba a tener la ocasión de vivir en la ciudad natal de su difunto padre de la que, por herencia, ella también era un poco súbdita. Pero, una vez allí, su estado anímico empeoró. Tantana no parecía poder vencer su depresión y, en vez de luchar, empezó a recrearse en ella y a hacerla más grande.

Aunque en casa era raro que hubiese buen ambiente, la vida escolar y el trato con gente nueva hicieron que Aída empezara a tomar cariño a la capital a la que, en un principio, había rechazado de plano. Lo mismo sucedió con Claudia del Carmen.

En Barcelona residieron cerca de dos años. A pesar del encanto de la ciudad, Tantana estaba peor que nunca y ya no organizaba salidas a restaurantes ni paseos con sus hijas. Se quedaba todo el día en casa, postrada en la cama y con las persianas cerradas. Su físico desmejoró considerablemente. Empezó a sufrir de insomnio y perdió totalmente las ganas de vivir. Cada vez más a menudo, cuando no quería quedarse sola en casa, Tantana impedía que Aída asistiera al colegio. Aquellos eran los días más negros para la chiquilla y el resultado de sus estudios se vio gravemente dañado.

Aída asumió totalmente el cuidado de su madre y el de la casa. Aunque Ramfis les enviaba una buena cantidad de dinero mensualmente, Tantana, había prescindido de cualquier ayuda doméstica. Decía que no le alcanzaba el sueldo para pagar a nadie. Pero la verdad era que no quería recibir a gente extraña en su casa. Fue por entonces cuando Aída aprendió a ver y a creer en algo que solo residía en los pensamientos de su madre. Hasta llegó a convencerse de que el dinero que su padre mandaba era muy poco.

Ya no solo Alegría y Armonía, junto con Fantasía, faltaban en su casa. Tristeza, Desolación, Abandono y Desarraigo recuperaron, con más fuerza que nunca su poder. Y trajeron consigo a Escasez que no entendía demasiado el papel que jugaba allí. Tuvieron que explicarle que su cometido consistía en meterse en el pensamiento de Aída para que la acompañase incluso en los momentos prósperos de su futuro. Si conseguía convencerla de su presencia, algún día, tendría un buen rol en su vida. Escasez aceptó aquel reto y se dispuso a realizar su labor.

Tantana, cada vez más quebrantada, no dejaba salir a sus hijas, ni tan siquiera a pasar un rato en casa de sus amigas. Vivía angustiada y obsesionada por un miedo absurdo a que les pudiese ocurrir algo malo. Ella misma era consciente de que sus temores no eran ya debidos a posibles problemas políticos. En España, bajo la dictadura de Franco, ella sabía de sobra que, a ese nivel, sus hijas estaban más que bien protegidas.

Ahora eran otros los motivos de sus infundados temores. Aída ya había empezado a entrar en la peligrosa edad adolescente y Claudia del Carmen era aún muy pequeña. La infundada desconfianza que Tantana sentía hacia su hija por el simple hecho de haber crecido, hacía sufrir enormemente a la chiquilla que aún no se atrevía a enfrentarse a su madre aunque de vez en cuando protestaba levemente. Aída se limitaba a decirle, con el acento dominicano que aún conservaba: —¡Mami, si con todo lo que hemos pasado yo no me he dañao… yo ya no me daño!

—Tú no te me dañarás mientras yo te vigile, mija —la amonestaba cuando ella pretendía ir a algún lugar que no fuese el colegio o la iglesia—. Recuerda que el diablo siempre está asechando.

Y Aída volvía a sentir el enorme peso de las enseñanzas de la Iglesia, mortificándole la vida. Su propia madre repetía las palabras de las monjas y de los curas. Parecía que todo lo que implicase diversión y risa fuese sinónimo de pecado por lo que seguía desvelándose con las mismas pesadillas que había empezado a sufrir en el internado de su antiguo colegio de Madrid.

La única felicidad que uno podía permitirse, le habían dicho, sin arriesgarse a caer en el fuego eterno, es la de la propia entrega al servicio de los demás. Cualquier otro fin, placer o risa se transformaba enseguida en un pecado que había que expiar aquí en la tierra o, si no, pagar sempiternamente en la otra vida.

—Mija, los hijos son el perdón que Dios le da a uno por acostarse con su propio marido. —Aquella frase fue una de las pocas, de "educación sexual" que recibió Aída de su madre. Tantana no sabía cómo, pero tenía que darle a su hija alguna explicación a los cambios que se habían producido en su cuerpo.

—Pero… entonces, mami, los matrimonios que no tienen hijos, ¿están condenados? —preguntaba Aída alarmada.

Tantana no sabía qué contestar y se limitaba a no hacerlo. Cuando no sabía qué responder, simplemente no lo hacía. Su hija preguntaba demasiado. —¡Cómo han cambiado las cosas! —le decía— Ahora son las palomas las que les tiran a las escopetas.

Cuando pasó el año escolar y Ramfis fue informado de las múltiples ausencias a clase de su hija Aída, hizo que las niñas regresasen a Madrid. Teniéndolas cerca, pensó, él las controlaría mejor.

Desarraigo parecía empeñado en ser su fiel acompañante, pensó Aída con gran pena, y fue presa de una desagradable sensación de ingravidez. Nunca podría encariñarse con nada pues todo había que dejarlo atrás. Pero, para ella no eran únicamente aquellos cambios de vida, aquel obligado desapego, casi religioso, lo que la desolaba. Sus padres habían tomado la costumbre de utilizarla para comunicarse entre ellos cuando discutían. Un fardo pesado y doloroso que a Aída le costaba enormemente llevar sin perder la calma interior. Porque, aunque aparentemente ella se mantenía tranquila cuando recibía aquellos dardos envenenados que se lanzaban el uno al otro, lo cierto es que sufría enormemente. Entonces, para evitar males mayores, Aída se acostumbró a decir lo que llamamos "mentiras piadosas", intentando suavizar lo que su padre le decía de su madre y viceversa. Con el tiempo se habituó a interceder siempre por los demás, pagando, por lo que ocultaba para que nadie sufriera, un tributo que le pesaba enormemente en el alma.

Aquel año, tras las vacaciones estivales, Ramfis decidió mandar a Mercedes de los Ángeles y a Claudia del Carmen a estudiar también a Inglaterra. El hombre hubiese deseado hacer lo mismo con Aída pero empezaba a conocer su carácter tozudo y no quiso insistir. En otras ocasiones había intentado convencerla para que se uniese a sus hermanos y terminase allí sus estudios. Pero ella se había negado rotundamente. De haberlo hecho se hubiera sentido demasiado culpable con respecto a su madre. No quería dejarla sola.

La ausencia de Claudia del Carmen supuso otro duro golpe para la jovencita en la que Aída se estaba convirtiendo y cuya condición de hija mayor pasó a ser la de hija única de su madre.

Llegó el verano y como era su costumbre, Ramfi , planeó y costeó, sus vacaciones y las de su madre que en aquella ocasión pasarían en Málaga. El hotel de lujo y de construcción de finales del XIX que eligió era confortable y acogedor. Estaba situado junto a la playa y además tenía piscina, todo un sueño para Aída que pronto cumpliría los catorce años y estaba anímicamente destrozada. Necesitaba como nunca aquellas vacaciones, aunque tenía miedo de las reacciones imprevistas de su madre.

No las tenía todas consigo. No sabía si Tantana actuaría como otras veces, encerrándose en su habitación y obligándola a permanecer junto a ella la mayor parte del tiempo. Pero, para gran regocijo suyo, esta vez ella parecía estar de buen humor y dispuesta a disfrutar junto a ella de aquel verano de 1966 que se desplegaba, próspera y alegremente, delante de sus tristes ojos.

Como salía poco, desde hacía unos años, incluso durante la época estival, Aída había perdido aquel color moreno y lustroso de su piel que había engalanado su recién abandonada infancia. Ahora lo había cambiado por un tono cetrino descolorido, casi verdoso. Quizás fuese el aspecto de su hija, que tantas veces se le pasó por alto, centrada como estaba en su desgracia interior, lo que hizo que Tantana hiciera un esfuerzo. O acaso fuese que era época de feria en Málaga. El ambiente alegre que envolvía a la ciudad embadurnó, tal vez, con su júbilo, su amargado talante cotidiano. El caso es que Aída consiguió, esta vez con la ayuda de su madre, atraer a Alegría, Armonía y Fantasía.

En el entonces más representativo paseo de la ciudad de Málaga, se habían colocado decenas de casetas adornadas por miles de guirnaldas y de farolillos multicolores. En ellas, durante casi todo el día, la gente se reunía a tomar el aperitivo, comer, cenar o tomar copas. Por la tarde, los que aún no se había animado a hacerlo, bailaban o veían los mil y un espectáculos de flamenco que allí se ofrecían. A Aída le encantaba ese arte pero nunca había tenido la oportunidad de ver un espectáculo en directo. Aunque doña María era oriunda de Cádiz, sus gustos musicales distaban mucho de parecerse a los de sus paisanos.

En la primera ocasión en que Tantana y Aída salieron, después de cenar en el hotel, fueron a parar a una caseta cualquiera, de las tantas en las que estaba prevista una actuación.

La jovencita, al ver a las "bailaoras" en el escenario, ataviadas con sus trajes de faralaes multicolores y las expresiones de sus rostros, entre graves y divertidas, adornadas de flores y de aretes de falsos brillantes, quedó hechizada. Del mismo modo, quedó seducida por los atuendos de los hombres, que eran de una gran sencillez.

Cuando el primer grupo que ella vio en directo en su vida comenzó a expresar, con sus voces, sus cuerpos y sus guitarras, los ritmos arrebatadores, sus melodías, ora alegres ora dolorosas, como si en ello les fuera la vida, Aída supo que había quedado presa para siempre del embrujo de aquella música.

La magia de aquel folklore, que no había sido el de su infancia, pero que le pertenecía por atavismo, ahora se hincaba violentamente en sus entrañas. Por las noches se desvelaba sintiéndolo, oyéndolo, martillándole en la cabeza y en los sentidos. Lo llevaba, dormido, en la sangre y, al primer roce, se le despertó como un volcán loco por entrar en erupción.

Tantana percibió, por primera vez, la pasión en su hija. Pero, como le pareció un juego inocente, accedió a llevarla a las casetas todas las noches hasta que acabó la feria. Para entonces, el alma de Aída estaba envenenada por la música flamenca. Sabía que, algún día, ella se dedicaría a ese arte que era suyo por derecho pero, como de costumbre, no comentó nada a su madre ni a nadie.

El día de su catorceavo cumpleaños, Ramfis regaló a su hija Aída un dinerillo para que ella misma se comprase lo que más le gustase y ella no lo dudó. Siempre junto a su madre, se dirigió al centro de Málaga y allí, en una tiendecilla de color blanco, se compró unas castañuelas. Después, en un local dedicado a la venta de discos, adquirió uno de los pequeños, de aquellos de 45 revoluciones. Como carecía de cultura flamenca, eligió uno cuyo intérprete era un cantaor de los que había visto en la caseta que, por petición suya, frecuentaban casi todas las noches.

El resto lo gastó en regalitos para su madre. Ella era así, siempre desprendida del dinero. Tantana no quería aceptar sus regalos pero Aída insistió tanto en ello que, la mujer, tuvo que claudicar ante los deseos de su hija. Para la chiquilla era un verdadero placer obsequiar a su madre un par de sandalias o algún vestido, cualquier cosilla con tal de verla sonreír.

Con sus flamantes castañuelas y su disco de cuatro canciones, dos alegres y dos desgarradoramente tristes, Aída tenía más que suficient . En la habitación del hotel ella solita se montaba unos espectáculos absolutamente carentes de técnica pero sí repletos de pasión y de ritmo.

Tan inmersa estaba la jovencita en su recientemente descubierta exaltación que Desarraigo tuvo que irse de su cama. No había sitio para él. Tristeza, Desolación y Abandono se sintieron desairados y se fueron "por pies" a refugiarse en el armario en donde Tantana guardaba su ropa. El de Aída se les había quedado pequeño, lleno como estaba de la pasión por su descubrimiento. También, aquellas castañuelas, que a ellos se les antojaban inmensas, junto a aquel disco que no paraba de hacer ruido, fueron motivo suficiente para que no quisieran alojarse allí

Alegría, Armonía y Fantasía lucían sus mejores galas y no se separaban del lado de Aída. Sabían que "los demás" no se iban a dar por vencidos así como así. Tenían, además, el apoyo de Tantana que se aferraba a ellos. Pero, ya estaba bien. La niña Aída, que se había convertido ya en una adolescente, merecía que ellas se quedasen todo el tiempo posible con ella. Había luchado mucho para conseguirlo. Aunque su madre seguía enclavada en su depresión, Aída no se dejaba arrastrar y se refugiaba en su música y en sus proyectos de futuro artístico.

Aquel fue un verano inolvidable para ella. Por las mañanas, aunque siempre tarde, casi a la hora de comer, bajaba a la playa o a la piscina. Pero primero tenía que atender a su madre que no terminaba de aceptar que las cosas habían cambiado y que la vida quería sonreírle.

Por las tardes, ambas daban paseos que Aída se empeñaba en adornar de ilusiones, aunque algunos resultaban alegres y otros no tanto. Pero ella seguía luchando por recuperar la sonrisa de su madre, y muchas veces lo conseguía. Después de cenar, su improvisado show al que asistía Tantana como única y a veces entusiasmada espectadora, era el cierre del día. Aída se acostaba y, más que soñar con los angelitos, soñaba consigo misma bailando y cantando en un escenario, envuelta en una bata de cola de vaporosos volantes.

Así transcurrieron aquellas vacaciones que, a pesar de no haber cambiado del todo las cosas, habían aportado a la vida de la jovencita una nueva ilusión en donde poder refugiarse. Al regreso a Madrid, las cosas cambiaron radicalmente. Ramfis había decretado un nuevo cambio. Decidió que Tantana y Aída tendrían que mudarse y residir en Los Estados Unidos de América. Se libraría durante un tiempo de la primera, se convenció, y esa sería una buena oportunidad para que su hija aprendiese otro idioma.

Al principio a Aída no le gustó aquella nueva decisión de su padre. Pero, transcurrido un breve lapso, empezó a entusiasmarse con la idea de vivir en Nueva York, la ciudad más moderna y vanguardista, que resultaba, en la distancia, muy atractiva, sobre todo para los más jóvenes. Empezó a imaginar sus grandes avenidas, tiendas y escaparates rutilantes, y los conciertos de música más espectaculares. Seguro que allí tendría la oportunidad de ver a sus ídolos, los Beatles.

A Aída, además, le habían dicho que, en Nueva York, se podían encontrar buenas academias de flamenco porque muchos artistas, que no consiguieron

143

triunfar en su momento en España, se habían instalado allí. Lo más probable era que, cuando estuviesen viviendo en esa ciudad, pudiera convencer a su madre para que la inscribiera en una de esas academias.

La joven se despidió con pena de su familia y de los pocos amigos que tenía en Madrid. Desarraigo volvió a instalarse en su cama, pero Alegría, Armonía y Fantasía no quisieron abandonarla. Poco tiempo después, coincidiendo con el Día de Acción de Gracias, Tantana y ella, volaron rumbo a su nuevo destino.

Los primeros días en Nueva York resultaron muy divertidos y sobre todo muy diferentes. Aída estaba encantada. Tantana y ella vivían en un moderno hotel, situado en el centro de la ciudad, en Lexington Avenue. Comían en restaurantes, paseaban mucho, iban al cine y visitaban tiendas alucinantes. Estaban de vacaciones nuevamente.

La llegada de las Navidades, y de la nieve que caía, poderosa, en todo su esplendor, también supuso una alegría para Aída. Nueva York las celebraba, y las celebra, por todo lo alto, y sus calles parecen disfrazarse completamente del espíritu de la Navidad y de Santa Klaus. Con sus grandes aceras y sus escaparates engalanados de adornos rojos, verdes y dorados, y la música resonando por todas partes, hasta la propia Tantana pareció olvidar sus desgracias.

Pero, transcurrido el impacto de los primeros días y desde el primer contacto con la rutina, Nueva York resultó ser un fastidio. Tantana presentía que aquello iba a ocurrir. Durante los tres meses que duró la estadía en la gran urbe, no inscribió a su hija en ningún colegio para no atarse al lugar, a pesar de que Ramfis se lo reclamó varias veces. Ella deseaba mudarse a una ciudad más tranquila y, aprovechando el tedio en el que se habían sumido, propuso un nuevo destino a Aída. En Jacksonville la vida resultaría más agradable, le dijo. Ella conocía bien esa ciudad pues allí habían nacido sus tres hijos menores. Estaba segura, le dijo, de que allí iban a sentirse mejor. La jovencita aceptó a la primera porque pensó que nada podría superar la triste monotonía que el vivir en New York City le procuraba.

Tantana consultó con Ramfis y él accedió a aquel nuevo cambio con la condición de que Aída retomara los estudios lo antes posible.

En cuanto llegaron a Jacksonville se pusieron a buscar vivienda y enseguida encontraron un pequeño apartamento soleado que estaba situado en el centro de la ciudad. El clima y la gente del lugar, mucho más cálidos que los de Nueva York, contribuyeron a mejorar el estado de ánimo de ambas. Tantana inscribió a Aída en una escuela en donde obtuvo el título de Secretaria de Dirección y en pocos meses, la jovencita se adaptó perfectamente al sistema de vida de Los Estados Unidos. Aprendió bien su idioma y conoció a gente de su edad.

Pero el estado anímico de Tantana volvió a decaer. No lograba superar sus pérdidas, sobre todo la de su marido. No había noche que pasara sin que ella lo llorase. Aída trataba de distraerse al máximo con sus estudios porque su madre se empecinaba en no dejarla salir con sus amigas y ella seguía siendo obediente y dócil.

Al cabo de casi dos años de residir en Jacksonville, Tantana decidió que ya era hora de regresar a España. Aída se negó rotundamente. Ella ya había formado su pequeña vida en Florida y no quería empezar de nuevo en Madrid en donde, ahora, no tenía amigos. Pero nuevamente su rebelión no le sirvió de nada y transcurridos dos meses se encontró junto a su madre en un vuelo con destino a la capital de la "Madre Patria".

Allí, en aquel avión que volvía a separarla de sus recién adquiridas amistades, estaba nuevamente Desarraigo sonriéndole. Y no era para menos. Estaba claro que él la acompañaría por y para siempre.

CAPÍTULO XII

...Yo, el hijo de Trujillo, no tengo otra alternativa. No tengo más remedio que cumplir con mi deber, Aída... Tengo que volver... Ya ves... me reclaman. Pero, no temas... A mí no van a matarme.

La llegada a Madrid de aquella jovencita, dócil y extrañamente rebelde a la vez, resultó ser, para ella, de un gran éxito en lo que a lo profesional se refería. Aída no quería seguir estudiando sino desarrollar en un puesto de trabajo todo lo que había aprendido. Pero Ramfi , su padre, no estaba de acuerdo y la inscribió en una escuela en donde ampliaría sus conocimientos y adquiriría otros.

La escuela, sin haberlo planeado, la llevó a tomar contacto con su vena artística. Los profesores de pintura estaban encantados con Aída que demostró ser una auténtica autodidacta. Al finalizar los cursos, la jovencita encontró el empleo que buscaba y, apoyada por su madre, decidió empezar a trabajar sin contar nada a su padre. A pesar de sus dieciséis años, gracias a los cuatro idiomas que dominaba y a aquel flamant título obtenido en Jacksonville, se convirtió en la secretaria del director general de una empresa dedicada a la importación de maquinaria para la construcción.

Allí Aída conoció a Francisco Muñoz, un joven que trabajaba de ayudante en los archivos. Francisco, Paquito como le llamaban entonces, no era atractivo ni tenía una gran cultura. Pero se fijó en Aída y ella, que sentía la necesidad de establecerse y crear un hogar, también se fijó en él

Aída no se sentía ni guapa, ni interesante. Tampoco daba importancia a su condición social. De modo que, en poco tiempo, Francisco y ella empezaron a salir juntos, y a escondidas, durante la hora del almuerzo que concedía la empresa a sus empleados.

La joven mujercita en la que Aída se había convertido, se sentía feliz con su relación secreta y con su trabajo. Seguía cuidando y sufriendo por su madre pero ahora tenía otras cosas en qué pensar y otras metas e ilusiones.

Visitaba poco a su padre porque el horario de trabajo se lo impedía y se veía obligada a inventar excusas cuando él reclamaba su presencia. Ramfis empezó a sospechar algo pero no comentó nada a su hija. Pero, un buen día, decidió enviar a su chofer a que la siguiese. Al hombre no le resultó difícil dar con el paradero laboral de Aída.

Una mañana en la que la joven secretaria estaba inmersa en su trabajo, la llamaron por el teléfono interno de la compañía.

—¿Es usted Aída? —preguntó, en tono aburrido y con una colilla de "Bisonte" apagada en la boca, el conserje que se encontraba, tres plantas más abajo, en la recepción del edifici .

Ella contestó afi mativamente. Llevaba un buen rato sin despegarse de la máquina de escribir y hasta agradeció que la interrumpiesen.

—Es que han venido tres señores a verla… —prosiguió el conserje, con cierto matiz malicioso que molestó a Ramfi .

—¡Tres señores no... Su padre! —exclamó indignado.

Ramfis venía acompañado de Víctor Sued, su íntimo amigo y secretario personal, y Ernesto Sánchez Rubirosa, sobrino del malogrado "play-boy". Cuando Ramfis la vio llegar, pálida y con la cara desencajada, no se inmutó en absoluto. Simple y llanamente se limitó a decirle: —Hija, pasaba por aquí y me dije… ¿por qué no ir a hacerle una visita a Aída a su lugar de trabajo?

Ante la parsimonia de su progenitor, la jovencita se quedó de piedra.

—Cuando termines, esta tarde, por favor ven a verme a mi despacho —pidió tranquilamente Ramfis—, tengo que hablar contigo.

A continuación le dio un beso en la frente y desapareció por la puerta de entrada, seguido por sus dos amigos que no habían abierto la boca.

A pesar de su desconcierto, cuando el chofer fue a recogerla a las cinco de la tarde, Aída había labrado en su mente una serie de argumentos que le parecían ser de mucho peso. Una vez que entró en el despacho de su padre, la joven, bastante asustada, intentó mantener la cabeza y la moral lo más altas posible. Y, adelantándose a lo que él pudiese reprocharle, le soltó que ella era una excelente secretaria y que además estaba encantada con su trabajo al que no pensaba renunciar ya que, con él, percibía un sueldo estupendo.

Cuando ella terminó de esgrimir sus motivaciones y sus razones, ni un segundo antes, fue cuando su padre tomó la palabra.

—¿No te das cuenta de lo que esto significa, hija? A mí no me parece mal que trabajes, al contrario, admiro tus deseos de superación pero… yo, por mi pasado y mi presente políticos, no puedo permitirme el lujo de que las malas lenguas digan que no te mantengo.

La pequeña rebelde que Aída guardaba dentro de su ser se manifestó, una vez más, con gran fuerza.

—Papá, vosotros me habéis dicho siempre que no se puede ser artista.! Cuando te conté que quería ser bailaora de flamenco pusiste el grito en el cielo, ¿no? Pues ahora te lo digo claramente: yo quiero ser secretaria. Tengo un título estupendo que gané, con gran esfuerzo, en Los Estados Unidos. Soy secretaria del director general de mi empresa y… además… gano el doble de lo que ganan las demás.

Ramfis captó inmediatamente el gran cambio que se estaba produciendo en su hija. Un cambio que podría ser muy beneficioso para ella. Tenía que intentar ser lo más comprensivo posible pero no podía permitirse el ceder ante aquella adolescente que todavía no comprendía nada.

—Bueno, Aída, veo que te estás haciendo mayor y que quieres labrarte un futuro… ¡Eso me enorgullece, hija! Sin embargo, mi última palabra es que no puedes seguir trabajando en la compañía en la que estás.

A Aída se le cayó el mundo a los pies. Sabía perfectamente que, cuando su padre se oponía rotundamente a algo, era imposible disuadirle.

—Sin embargo… podría existir una solución alternativa… Digo, si a ti te parece bien.

—¿Qué solución, papá? —contestó Aída con las lágrimas asomándole por los ojos.

Ramfi , entonces, propuso a su hija que trabajara en su despacho y le ofreció el mismo sueldo que estaba ganando. Aída, que prefería ser independiente, se vio obligada a aceptar. Era eso o nada. Y, antes de que su padre tuviese tiempo a mencionarla, para proteger a su madre, inventó que ella le había dicho que él le había dado permiso. Nuevamente una de aquellas sempiternas "mentiras piadosas".

Al día siguiente, a Aída se le presentaron dos problemas. El primero era que tenía que despedirse del trabajo "de sopetón". No le quedaba más remedio que hacerlo, pero no le agradaba actuar así. Sin embargo no tenía otra opción. El segundo problema, de índole afectiva, era que no sabía cómo iba a arreglárselas para seguir viendo a Francisco, su querido Paquito. Tendría que contárselo a su madre y estaba segura de que ella no lo iba a aceptar.

Para después poder sincerarse con su madre, tuvo que hacer gran acopio de fuerza de voluntad. Muchas veces sentía miedo de Tantana porque nunca se sabía cómo iba a reaccionar. Pero esta vez lo que sentía era pánico porque tenía la certeza de que su confesión iba a provocar el desencadenamiento de un auténtico drama.

El rechazo que Tantana sintió por aquel muchacho que, a su modo de ver, venía a robarle a su hija, fue mayor de lo que Aída hubiese podido imaginar.

—Tú no tienes edad todavía, Aída. Tendrás que pasar por encima de mi cadáver para seguir viendo a ese muchacho.

—Pero, mami… si yo ya tengo dieciséis años. Y tú, a mi edad…

—¡Aquellos eran otros tiempos! Te prohíbo terminantemente que vuelvas a ver a ese jovencito. ¿Me oyes? ¡Te lo pro-hí-bo!

Era ese el argumento, el mandato que se repetiría, por parte de su familia, en toda la vida de Aída, alias "la buena". La joven se fue corriendo a su habitación y se refugió, llorando, en su cama. Estaba desesperada y no veía ninguna posibilidad de poder seguir viendo a su novio.

Sin embargo, Aída y Paquito siguieron viéndose a escondidas y, transcurridos unos meses, Tantana, asumió en parte su derrota. Decidió aflojar un poco la presión a la que sometía a su hija. Pero eso fue después de que la rebelde se salvaguardara, por primera vez en su vida, en casa de su abuela, doña María. Si su madre no la dejaba verlo, le dijo, ella iba a quedarse a vivir allí, como antaño había hecho María Altagracia.

Tantana no tuvo más remedio que ceder. Pero al cabo de un tiempo volvió a las andadas. Estaba tan impuesta en separar a su hija de aquel que ella consideraba un "don Nadie", que no se percató del peligro que, como cualquier jovencita en su lugar, terminaría corriendo.

Aída no era consciente de lo que realmente le sucedía. Ávida por echar a Desarraigo, formando una verdadera y estable familia, y loca por deshacerse para siempre de Tristeza, Desolación y Abandono se había encaprichado del primer hombre que se había cruzado en su vida. Confundió el amor con la desesperación por obtenerlo. Sus recién cumplidos diecisiete años y su total falta de experiencia fueron malos consejeros.

Pocos días después de su cumpleaños, armándose de valor, Aída fue a hablar con su padre. Quería su consentimiento para casarse con Francisco. Él accedió sin pedirle explicaciones. Aunque no la entendió, aquella actitud del padre fue un gran alivio para la joven que venía dispuesta a confesarle que estaba encinta. Los jóvenes habían provocado aquel embarazo que obligaría a sus respectivas familias a dejarles contraer matrimonio.

Pero ahora que tenía la aprobación de su padre, Aída sabía que su madre iba a poner el grito en el cielo, de modo que decidió mudarse a casa de Ramfi. Le parecía, además, la mejor manera de que ella no se diera cuenta de su estado gestante. La convivencia con su progenitor fue para Aída una experiencia maravillosa y enriquecedora. Aunque breve, ya que duró solo dos meses, ambos tuvieron la oportunidad de conocerse y afianzar sus lazos afectivos, tan deteriorados.

Ramfis estaba encantado de haber descubierto a una hija cariñosa, respetuosa y trabajadora. Ella seguía colaborando con él en su oficina y cumplía perfectamente con su trabajo y sus horarios. Además, en diversas ocasiones, Ramfi se complació con tener, en Aída, a una interlocutora que le hacía gracia por su franqueza y frescura.

Una noche en la que ella llegó algo más tarde de lo que solía, encontró a su padre de muy buen talante. Ramfis estaba escuchando música y la invitó a tomar una copita de Oporto dulce. Ella, que no bebía, aceptó gustosa pues no quería romper aquel momento mágico. En muy pocas ocasiones, por no decir ninguna, se le había presentado la oportunidad de pasar un rato con su padre sin terceras personas que acaparasen su atención.

El papá y la hija empezaron a charlar animadamente y, de pronto, Ramfis se dirigió hacia al equipo de música y puso un disco. Los primeros acordes de una melodía típica de dominicana, un merengue, empezaron a sonar y la letra que la acompañaba sorprendió a Aída.

"Que vuelva Ramfi, desde Europa…"

"Que vuelva Ramfis para que arregle las cosas…"

La joven se sintió confundida. Ella sabía que esas canciones eran las que describían lo que urdía y cómo se sentía el pueblo dominicano. ¿Por qué querrían, después de todo lo que había sucedido en el pasado, que su padre volviera al país? A pesar de su ceguera voluntaria, ella intuía que el mandato de su abuelo no había sido del todo positivo.

—Sí, hija, dentro de tres meses regreso a Santo Domingo… —dijo Ramfis rellenándole uevamente la copa.

—No papá, no lo hagas.

— ¿No quieres otra copita? El vino de Opoto te abrirá el apetito, hija…

—A lo mejor a ti también te matan —exclamó Aída poniéndose súbitamente de pie.

En décimas de segundo habían resurgido recuerdos dolorosos, profundamente enterrados en su alma. El asesinato de su abuelo, el exilio, la pérdida de su nacionalidad, de su infancia que no pudo vivir como tal, y todo aquello que la había rodeado. Aída fue a abrazar a su padre que parecía no entender el arrebato emocional que había invadido a su hija.

Ramfi , que había empezado a reírse, agarró a Aída por los hombros y mirándola fijamente a los ojos retomó su gesto de gravedad anterior.

—¿A mí? Tranquilízate, hija. No, no te preocupes… —le dijo. Y, acariciándole suavemente la cabeza, prosiguió— Intenta comprenderme. Yo, el hijo de Trujillo, no tengo otra alternativa. No tengo más remedio que cumplir con mi deber, Aída… Tengo que volver… Ya ves… —rió irónicamente, entre divertido y dolido— me reclaman. Y, al fin y al cabo, se trata de mi país, la tierra en donde yo vi la luz por primera vez. No sé si todavía puedes ser capaz de verlo como yo lo veo… Ya, ya te llegará el momento. Pero, no temas… A mí no van a matarme.

Ramfi , con la mirada perdida, evocando a su vez vivencias que parecían tan lejanas pero que aún podía palpar, casi con sus manos, daba la impresión de estar completamente seguro de lo que decía. Aquel era su papel para esta vida. Él tenía que dar esa confianza a su desmembrada familia. Pero a Aída, por pura intuición, aquella conversación le dejó un regusto muy amargo.

CAPÍTULO XIII

...Esa fue la primera vez en que la joven vio a una persona muerta. Al tocar a su padre, supo enseguida que él ya no estaba allí. Su mano, su brazo, todo él estaba helado por un frío especial que ella desconocía. La vida lo había abandonado...

Poco tiempo antes de que se celebrara su boda, Aída quiso reconciliarse con su madre. Le explicó por qué no había tenido más remedio que comportarse así. Tantana la escuchó. Estaba empezando a darse cuenta de que la opresión que había utilizado con su hija no había sido el mejor método para retenerla a su lado. Ahora era demasiado tarde para echarse atrás. Aída se iba a casar dentro de pocos días.

—Tengo otra cosa que contarte, mamá… —pronunció suavemente la joven— algo que deseo, de todo corazón, sea motivo de alegría para ti. Pero, sobre todo, lo que te pido en estos momentos es tu discreción. Espero poder contar contigo.

Cuando supo que Aída estaba embarazada, aunque todavía un médico no lo hubiese confi mado, Tantana no pudo evitar alegrarse. Le hubiese gustado que su hija hubiese esperado un poco más, le dijo, era tan joven. Pero, ¿quién sino ella misma la había hecho crecer antes de tiempo?

—Quiero verte muy bella, como tú eres mami, el día de mi boda. —Fue la frase de despedida de Aída. Pero antes de marcharse de la que había sido su casa, abrazó largamente a su progenitora y le dio muchos besos.

Antes de que el ascensor llegase al piso en donde ahora vivía sola Tantana, su hija añadió.

—Mamá, aunque yo me case, nunca te abandonaré. Sabes que nunca lo he hecho pero… tengo que hacer mi vida. Cuenta conmigo para siempre.

¡Yo te quiero con toda mi alma! —Y se marchó sin poder retener algunas lágrimas de culpabilidad y, todavía, de responsabilidad hacia su madre.

Sin embargo, aquella noche, sin que Tantana se diese cuenta, Alegría y Armonía se metieron en su cama y le hicieron soñar con el que sería su primer nieto. Había transcurrido ya mucho tiempo desde que ella las había echado de su casa y, la espontánea visita de las dos, reconfortó el alma de la mujer.

A pesar de que ella hubiese deseado que su hija se casara mucho más tarde, Tantana se dio cuenta de que aquel era el menor problema que una adolescente podía plantear. Y evocó también la época en la que ella misma, se había enfrentado a su padre, por el amor de Ramfi .

Pero, a diferencia de otras ocasiones, aquel recuerdo no la hizo sufrir. Por primera vez en su vida se dio cuenta de que los momentos de felicidad son regalos que nadie nos puede arrebatar jamás, aunque pertenezcan al pasado.

En la primera quincena del mes de octubre de 1969, el día 11, como estaba previsto, Aída Trujillo contrajo matrimonio con Francisco Muñoz en la iglesia de Alcobendas, un pueblo al que pertenece "La Moraleja", una urbanización de lujo en donde residía Ramfi . No había tantas casas como ahora y la de él estaba rodeada por varias hectáreas de campo repleto de encinas, pinos, abetos, y otras especies autóctonas; hasta había cuadras de caballos. Además de seguir practicando su deporte preferido, el polo, Ramfis amaba a aquellos nobles animales y también a los perros cuya presencia nunca faltó en su hogar.

Al día siguiente de la boda de Aída y Paco, día del Pilar, los esposos viajaron en avión rumbo a París. Pero la jovencita se llevó su primera decepción matrimonial pues, al contrario de lo que ella hubiese pensado y deseado, allí se aburrió soberanamente durante quince días que se le hicieron eternos. Aquella ciudad, a la que ella amaba y seguiría amando siempre, no le supo igual junto a su recién estrenado marido, que no parecía demostrar ningún interés por el arte y la cultura que inundan, no solo los museos, sino también las calles y el ambiente de la bella capital de Francia.

Después de almorzar y cenar en todos los restaurantes que Ramfis les había recomendado y haberse comprado ropa en las boutiques juveniles de moda, tan solo quedaba visitar las partes más turísticas, como es la famosa "Tour Eiffel", y lograr, tras aguantar largas colas de espera, subir hasta su último piso.

Pero, ¿cuáles recién casados pueden aburrirse estando juntos, solos y sin problemas de dinero? Eso ni siquiera se lo planteó Aída hasta unos años más tarde. Después de la primera semana junto a Paco, en "La Ciudad de La Luz", la joven soñaba con regresar a Madrid y reunirse con su familia y con algunos amigos. Estando todavía allí, Aída contactó con un obstetra. Lo buscó al azar, en la guía telefónica, pues le daba vergenza preguntar en el hotel en el que estaba hospedada, el Paris Hilton de la avenida de Suffren. El especialista confi mó su embarazo y, por primera vez en su vida, ella sintió una emoción indescriptible, al escuchar latir el corazón del hijo que crecía en sus entrañas, gracias a un aparato que el médico colocó en su vientre.

Sin embargo, Aída, aunque ya se había casado, no quiso compartir su alegría con ningún otro miembro de su familia, aparte de su madre, y con la única excepción de María Altagracia. Era muy pronto, le había asegurado el galeno, había que esperar. Y en aquella, hasta entonces, desconocida felicidad, ese milagro recóndito, que se forjaba misteriosamente en su vientre todavía plano, se refugió la jovencita que aún no sabía amar a un hombre.

Cuando, por fin, los recién casados regresaron a Madrid, lo único que le hacía ilusión a Aída, era saber que dentro de unos meses sería madre. La convivencia con Paco no resultaba tan excitante como ella hubiese esperado. En ese tedio vivió Aída el comienzo de su matrimonio, echando de menos su trabajo, a algunas de sus amigas, todas solteras, claro, y hasta a su madre con todas sus prohibiciones y vigilancias. Pero agradecía que Desarraigo ya no viniese a visitarla. Ya tampoco podía quejarse de que Tristeza, Desolación y Abandono la acompañasen a diario como hacían antaño.

Un día, la joven tuvo la oportunidad de reunirse con todos aquellos entes, ante la presencia de Alegría, Armonía y Fantasía que estaban pegadas a ella y a su vientre que empezaba a abultarse poco a poco.

Durante aquella tertulia, que obviamente no había podido comentar con nadie, todos ellos le advirtieron que, durante su recorrido por la vida, ninguno la abandonaría del todo. Algunas veces la presencia de alguno de ellos iba a ser más relevante que la del otro. Pero esa era "La Ley". Siempre habría un poco de lo uno y de lo otro. Ella ya no era una niña, tenía que saberlo y aceptarlo.

Lo que sí le aseguraron fue que, a menos que ella decidiese dar un rumbo nuevo a su vida y se enamorase de un político que cayese en desgracia, o fuese asesinado, por ser odiado como su abuelo, la señora Apátrida ya no volvería a visitarla. Desarraigo era otra cosa. Era algo que ella, y solo ella, llevaba y llevaría, si así ella lo quería, dentro de su corazón, independientemente de las circunstancias que la rodeasen.

—De una misma fiesta pueden salir personas que se han divertido y otras que se han aburrido o incluso que se han enfadado. Todo depende del color del cristal desde donde se miren las cosas. —Le aseguraron.

Aunque todavía no entendió demasiado bien el signifi ado de aquellas palabras, a Aída le agradó mucho aquella extraña y esotérica reunión. Su padre le había regalado un piso situado en la calle Alberto Alcocer de Madrid pero, mientras se realizaban algunas obras de restauración del mismo, también le regaló la estancia en un famoso hotel que estaba, y sigue estando, situado justo enfrente, el "Eurobuilding".

Aída agradecía todo aquel lujo y se sentía algo culpable por el aburrimiento que, junto a su marido, seguía embargándola. No estaba preparada para consultar a su Yo Superior y preguntarle cuál era el motivo de aquel vacío que solo conseguía llenar la inminente llegada de su primer hijo.

Llegó el mes de diciembre y Madrid se engalanaba con su tradicional y alegre ambiente navideño. Ramfis, que se encontraba en París de viaje de negocios y, a juzgar por el tono de su voz, parecía estar bastante contento, llamó a su hija una tarde de las que transcurrían lánguidas y grises para ella.

—¿Cómo estás? —le preguntó, mezclando una felicidad y una ligera preocupación que parecían embargarle en aquellos momentos— Pero, Aída —continuó sin esperar su respuesta—, ¿cómo no me lo habías dicho? He tenido que enterarme a través de tu tía Angelita... ¡Imagínate! Tú que no te llevas mucho con ella.

—¿Mi tía Angelita? ¿De qué me estás hablando, papá? Hace tiempo, desde el día de mi boda, que no la veo —dijo la joven, que no se imaginaba de qué podría haberle hablado su tía a su padre, y de la que no se fiaba ni un pelo.

—No disimules, mija... y dime... confírmamelo ya, por favor. ¿Es cierto que estás embarazada? A tu tía se lo ha contado María Altagracia. Pero, dime, ¿es verdad eso? ¿Voy a ser abuelo? —insistió Ramfis con una emoción que, transformada en vapores azules y rosa, se salía por el auricular del teléfono, para sorpresa y diversión de Aída.

—¡Ah! ¿Se trata de eso? —exclamó, algo indignada por la indiscreción de su hermana— Yo quería ser la primera en contártelo… pero ya veo que esas chismosas se me han adelantado. ¡Sí, papá… vas a ser abuelo! —contestó muy orgullosa Aída.

En unos segundos, y como por arte de magia, los vapores azul y rosa habían inundado la habitación y a Aída le habían salido plumas de pavo real en el vestido que llevaba puesto. El color gris, que tan solo hacía unos momentos la rodeaba, se había transmutado en un brillante dorado y Alegría y Armonía estaban sentadas a su lado, guiñándole un ojo. Súbitamente, Aída se sintió más importante que nunca.

—¡Pero bueno, hijita! —continuó el futuro y encantado abuelo— Te has empeñado en "hacerme viejo", ¿eh? ¡Je, je, je! A mis cuarenta años… ya abuelo. ¡Qué bien, mija! No puedes imaginar la alegría que me estás dando. ¡Hacía mucho tiempo que no me sentía tan feliz!

—Cuando vuelva a Madrid tenemos que hablar —continuó—. Debes cuidarte mucho, ir al médico, a un buen especialista claro, recuerda que eres propensa a la anemia… Hay que buscar un buen hospital para cuando nazca el bebé, comprar cosas…

—Sí, sí, papá… no te preocupes. Haremos todo eso que dices. Por cierto, ¿cuándo regresas? —contestó Aída feliz, sabiendo que, en aquel momento y por primera vez en su vida, ella era el centro de atención de su padre.

Aquella tarde, la jovencita se la pasó flotando entre los vapores azul y rosa, engalanada con su traje de plumas de pavo real y reconfortada con esa luz dorada que tanto bien le anunciaba. Y el color gris fue desterrado, parecía que para siempre.

Cuando Ramfis regresó a Madrid, lo primero que hizo fue llamar a su hija para citarla en su despacho que también estaba muy cerca del "Euro-building". A continuación se puso en contacto con su buen amigo Luis Morcuende, un gran médico que gozaba de su entera confianza. Quería que él se encargase de hacerle unos análisis de sangre a su hija. No se fiaba de cualquier laboratorio y Luis trabajaba en el de Ricardo Cotarelo, a quien tenía también mucha confianza. Ramfis estaba empeñado en asegurarse de que todo iría bien.

El nerviosísimo padre quería, además, delante de Morcuende que entendía más de esas cosas que él, hacer una serie de preguntas a Aída. Saber qué ginecólogo la estaba atendiendo, si era un buen especialista, en qué clínica tenía pensado dar a luz, si tenía que guardar reposo o, por el contrario, si debía realizar algunos ejercicios especiales para embarazadas… En fin, deseaba enterarse de todo, absolutamente de todo lo que pudiese afectar, para bien o para mal, a aquel ser incipiente, su primer nieto, que germinaba en el vientrecillo de su pequeña.

—¿Tu mamá lo sabe ya, Aída? Tú sabes que es importante, en estos casos, tener cerca a la madre de uno y… —le dijo Ramfis que, de puros nervios pues él apenas si fumaba, encendió un cigarrillo que enseguida apagó para que el humo no afectase a su hija.

—Claro, papá… mamá ya lo sabe. Yo quería esperar a que regresaras de tu viaje para contártelo personalmente pero… ¡caray!, entre María Altagracia y mi tía, me han estropeado la sorpresa.

—Mejor, mejor así, Aidita. Estas cosas, cuanto más pronto se sepan, mucho mejor.

Aunque no resultó fácil, entre Luis Morcuende y Aída lograron tranquilizar a Ramfi . Todo iba bien. Pero, aquel ser humano estaba ávido de buenas noticias, de nacimientos amorosos, de vivir una vida nueva. Y no quería perder de vista a Aída que iba a traerle, con aquel retoño suyo, todos aquellos ocultos anhelos.

Vivía en Ramfi , un sentimiento latente y permanente que le hacía presentir, aliviado, que no volvería nunca a la República Dominicana, a pesar de los planes que había contado a su hija, aquella noche antes de su boda. Algo que no lograba descifrar le decía que él nunca seguiría la senda, ni ocuparía el lugar que su padre, unos años atrás, había dejado vacío. Aquel extraño sentimiento le alegraba la existencia en la que él deseaba verse feliz y en paz, olvidando un pasado que todavía le dolía, en el alma. Ahora, más que nunca, se imaginaba una vida así y, además, al lado de su nieto, o nieta, ¿qué más daba? Esas tonterías ya no le importaban en absoluto.

Se veía jugando e instruyendo a aquel niño, con el que soñaba, a montar a caballo, a cantar melodías anticuadas. Se veía iniciándolo en el amor por los perros, le compraría uno en cuanto naciese, pensó, y también le enseñaría su especialidad, las bromas pesadas. Porque, aunque él no las vivía así, tenía la manía de gastarlas muy, pero muy fastidiosas. También, se decía animado, le enseñaría a amar la música, la lectura, la poesía y le alentaría a que aprendiese a escribir versos. Él no había tenido la oportunidad de aprender ese arte, en su casa no se lo hubiesen permitido. Aunque a él le gustaba componerlos y lo hacía en secreto, nunca se atrevió a publicarlos por miedo a hacer el ridículo.

Ramfis también pensaba en Tantana. Él le había hecho mucho daño… con todo y lo mucho que ella le había querido. Como hacía, y había hecho, con muchos de los seres a los que amaba, Ramfis sólo había sabido reparar ese daño, y pagar todo su amor atrasado, con el cumplimiento frío de su deber de pasarle una jugosa pensión.

Ahora, Tantana y él, iban a volver a participar en algo que era ineludible compartir, un milagro que no cambiaría nada de lo que había ocurrido entre ellos, pero que estaba seguro de que actuaría como un alegre bálsamo para dejar atrás el triste pasado.

Como hacía cada vez más a menudo, un día cualquiera Ramfis llamó por teléfono a Aída para pedirle que fuese a visitarle por la tarde a su oficna. Allí él no tenía que atender a nadie a quien él mismo no hubiese invitado pues, en el piso que había enfrente, era en donde trabajaban sus administrativos.

El lugar era acogedor y estaba presidido por un amplio salón, su despacho personal y una habitación preparada, como dormitorio provisional, con su correspondiente cuarto de baño. Había en aquella gran vivienda, que Ramfis convirtió en su lugar de trabajo, además, una cocina bastante grande. El resto de las habitaciones que permanecían libres, estaban dispuestas para ser utilizadas, si era necesario, como despachos auxiliares.

Curiosamente, aquella tarde un gran apagón afectó a todo el barrio. El incidente, que duró algunas horas, era algo insólito en aquel emplazamiento privilegiado de la ciudad. Cuando Aída llegó a su despacho, su padre estaba escribiendo, sentado frente al escritorio y rodeado de velas que le permitían seguir trabajando. Aquella visión produjo en la joven un súbito y desagradable vuelco al corazón y la estremeció de los pies a la cabeza. Fue como si algo le hubiese golpeado fuertemente el pecho. Sin embargo, enseguida Aída desechó las tristes premoniciones que se le habían metido en el cuerpo y en el alma. Seguramente su estado estaba transformándola, en exceso, en alguien mucho más sensible de lo que ella era por naturaleza, pensó, intentando consolarse.

—Hola, Aidita… siéntate un momento, hija. Enseguida acabo… —Incluso con sus gafas especiales para la vista cansada y las canas que adornaban sus sienes, Ramfis seguía siendo un hombre imponente y muy atractivo

Al rato de llegar ella, Ramfis se levantó y se dirigió a una pequeña nevera que había en el salón, camuflada adentro de un mueble de madera, y sacó una botella de vodka, una latita de caviar, un limón, mantequilla y unas tostaditas.

—¿Qué quieres beber, hija? —preguntó cariñosamente.

—Coca-Cola. Gracias, papá… —contestó Aída.

—¿Cómo vas a tomar esa porquería con el caviar? —preguntó algo indignado el hombre— Además… —prosiguió— en tu estado, no deberías ni probarla porque contiene cafeína y eso no es bueno para el bebé.

—Tú no debes beber alcohol… pero un poquito de esto no te hará daño, ni a ti ni al bebé… —continuó a la vez que se servía y le servía un dedito del aguardiente a su hija.

—No sé si eso me va a gustar, papá… —comentó ella poniendo cara de asco.

—Vamos, vamos… cómete esta tostada con caviar, es iraní, como debe ser, y después te tomas el vodka de un trago. Es tonificante y te hará bien… Por cierto, el caviar tiene muchas proteínas… eso sí, deberías comerlo a menudo, Aída. Voy a mandar que te lleven un par de latas a tu casa…

—Ay no, papá… yo prefiero que me invites tú, ¿vale? —contestó ella dando un mordisco a la tostada. No quería desairar a su padre pero, por entonces, no le gustaba el caviar. Aún no tenía la sabiduría gustativa que, con el paso del tiempo, lograría desarrollar.

—Bueno, bueno… pues ven más a menudo… Desde que te has casado casi no vienes por aquí, ¿eh? Así es que, ya lo sabes, quiero verte más o… me veré obligado a mandarte una caja entera de latas de caviar. ¡Je, je, je…! —contestó Ramfis divertido.

—¡Pero, papá! —exclamó ella—, si vengo casi todos los días. Lo que pasa es que a veces pienso que, como estás muy ocupado, quizás pueda molestarte.

—¡No me vengas con excusa, sinvergüenza!—contestó Ramfis divertido al comprobar que había logrado que su hija se enfadase— Tú lo que no quieres es venir a comer caviar. ¡Je, je, je…! ¡Ah! Y tampoco quieres que te mire a los ojos por si descubro que tienes algo de anemia que, por cierto… —como solía hacer, Ramfis separó ligera y delicadamente el párpado inferior de uno de los ojos de su hija— ¡Lo que me temía! Creo que tienes algo de anemia. Tendré que avisar a Luis para que te haga otros análisis y, de paso, tendré que llamarle la atención a tu médico.

—¡Pero, papá! —contestó nuevamente Aída—, si acaban de hacerme un estudio de todo y estoy muy bien. Lo que pasa es que, según me ha dicho mi ginecólogo, es normal que, durante el embarazo se produzca algo de anemia. Por eso me ha mandado que tome unas pastillas de hierro y, si es necesario, hasta me va a obligar a que me pongan unas inyecciones y…

—¡Eso es! Unas inyecciones es lo que Luis, desde mañana mismo, va a venir a ponerte. Así es que, a las cinco en punto de la tarde, quiero verte aquí. —Ordenó el preocupado padre

Desde unos meses antes de su boda, y ahora más que nunca, Aída estaba disfrutando de su padre por primera vez en su vida. Además, su amorosa actitud, incluso el detestado caviar, hacía que ella se sintiese muy querida.

Padre e hija se despidieron al rato con un beso y con la promesa, que Ramfis arrancó de los labios de la jovencita, de que ella regresaría al día siguiente y a la hora prevista.

Pero, por desgracia para ella, Aída no pudo cumplir su promesa. El 17 de diciembre de 1969, el día señalado por su padre para empezar con su tratamiento de inyecciones de hierro, la joven recibió una llamada de Víctor Sued. El secretario personal de Ramfis le comunicó la triste noticia de que él había sufrido un accidente de tránsito por la mañana. Según Sued le dijo, su padre estaba ingresado en la clínica Covesa, el centro médico en donde prestaba sus servicios Luis Morcuende.

Nerviosa y preocupada, Aída se vistió, tomó el coche y se dirigió a la clínica. Cuando vio a su padre sintió una gran pena. Ramfi tenía la mandíbula cosida con grapas, porque se le había fracturado, y se veía obligado a beber con la ayuda de una pajita. Además había sufrido otras roturas en la cadera y en la pierna derecha. Sin embargo como conservaba su buen humor y tenía buen aspecto, Aída se tranquilizó.

Durante poco más de una semana el estado del paciente continuó estable y el hombre parecía irse recuperando poco a poco. Aída estaba contenta ya que su padre no paraba de bromear y parecía haber salido de cualquier peligro.

Un día, cuando iba a entrar en la habitación que ocupaba su padre en la clínica, algo que hacía a diario, Victor Sued se le acercó.

—Mija, no te preocupes demasiado pero… tu papá ha tenido una crisis cardiaca… y han tenido que ponerle un tubo para que respire bien… —le dijo— Yo creo que es mejor que hoy no entres a su cuarto. En tu estado, el verlo así podría perjudicarte... y a él también. Ya sabes lo pendiente que está de ti...

—¿Qué le ha pasado a papá?! —preguntó Aída, sobresaltándose por la inesperada y dolorosa noticia.

—Nada malo, mija... es simplemente que, a causa del impacto del volante del carro, se le han encharcado un poco los pulmones y hay que limpiárselos. —respondió Sued, fingiendo tranquilidad.

—¡Ay, Víctor! ¿Y eso es grave? ¡Tengo miedo! —exclamó la joven que no pudo contener las lágrimas.

—No, Aidita, no te preocupes... hoy va a estar conectado a ese aparato pero verás que mañana ya estará mejor. Vete a tu casa... cualquier cosa yo te aviso... —le fue diciendo el hombre para tranquilizarla mientras encendía un cigarrillo y la arrastraba hacia el ascensor.

—¿Tú crees que mañana podré venir a ver a mi papá? —preguntó ella antes de entrar en el elevador.

—Mija, yo pienso que es mejor que lo dejes para pasado mañana... yo mañana por la mañana te llamo y te digo cómo sigue y, cuando esté mejor y le hayan quitado la vaina esa, vienes a visitarlo. Si él te ve se va a poner nervioso... ya lo conoces.

—Bueno... si tú lo dices... te haré caso... Pero prométeme que me vas a llamar a cada rato, Víctor. —Los presentimientos a los que no quiso dar importancia la famosa tarde en la que encontró a su padre rodeado de velas habían vuelto a aflorar

—Te lo prometo... vete y descansa... estás encinta y no te conviene, en absoluto, alterarte —contestó Sued, intentando tranquilizarla.

Cuando Aída entró en su habitación del hotel, no pudo encender la luz. Por más que le daba al interruptor, la oscuridad se había apoderado del ambiente. La joven se puso a invocar a todas las fuerzas positivas que se le ocurrieron. Y poco a poco, la luz venció la negrura que la rodeaba aunque, en su lugar, se instaló, nuevamente, aquel color gris y triste de antes, pero que tenía una intensidad mucho mayor y que la embargó totalmente. Ahora ella estaba segura. ¡Algo horrible iba a ocurrir!

Al día siguiente, muy temprano, Víctor Sued la llamó por teléfono.

—Tu papá ha sufrido otra crisis —dijo con una voz muy pequeñita— debido a que, como te comenté ayer, tiene encharcados los pulmones. Pero no te preocupes, mija, su corazón es muy fuerte. El médico ha dicho que parece el de un joven de veinte años... —y antes de que la atribulada joven pudiese responder ni preguntar nada, continuó— No, no vengas... yo te llamo mañana.

Pero Aída distaba mucho de esa tranquilidad que tanto le recomendaba Víctor Sued. Algo le decía que las cosas no iban bien pero no quería ni pensar en que su padre pudiese morir. Intentó, a lo largo del día, mantenerse ocupada para no caer en la tentación de salir corriendo hacia la clínica. Deseaba, ante todo, evitar que, por nada del mundo, su padre se alterase por culpa suya.

Aquella noche durmió fatal y tuvo muchas pesadillas. Muerte se presentó en ellas riendo a carcajadas. Sudando, acongojada, Aída se desvelaba y se levantaba a cada rato pero Paco ni se percató de ello. Ella, desde pequeña, estaba acostumbrada a no hacer el menor ruido para no despertar a su madre, cuando lograba conciliar el sueño. A pesar de los temores que se habían apoderado de ella, decidió no llamar a la clínica. Las noticias, buenas o malas, vendrían a buscarla por sí solas, se dijo en silencio. Pero, la verdad era que Aída sentía mucho miedo a que no fueran nada buenas. Así pasó, para ella, aquella angustiosa noche y, a eso de las ocho de la mañana, Sued volvió a llamarla por teléfono.

—Mija, ven para acá lo más pronto posible... tu papá está muy mal. —fueron sus únicas y ahogadas palabras.

Aída, corriendo como si tuviese que ganar un maratón, se enfundó en un chándal, un abrigo y una bufanda y tomó un taxi, sin despertar a su marido. En Madrid, a mediados de diciembre, hacía mucho frío y el sol no brillaba como lo hacía otros años en la misma época. La joven llegó al hospital con el corazón que se le salía por la boca.

Una vez en el recibidor de la clínica, Aída se dirigió, literalmente al galope, hacia el ascensor. Al llegar a la planta en donde estaba ubicada la habitación de su padre vio que, en el pasillo, se había congregado un grupo de gente a la que no reconoció, tal era su estado de ánimo. Corrió, jadeante, hasta la puerta y la abrió sigilosamente para no alterar a su progenitor. Ramfis yacía inconsciente y a su lado habían colocado un aparato que permitía escuchar resonar fuertemente los latidos de su corazón.

Cuando la jovencita vio a su padre tan indefenso, una ternura y una tristeza infinitas se apoderaron de todo su ser. Él, su querido padre, para ella, tan fuerte, tan impresionantemente indomable y lleno de vida, estaba lleno de tubos, aparatos y sueros. Sus ojos estaban ligeramente entreabiertos y la expresión de su rostro dormido, muy lejana.

Aída no pudo contenerse y le cogió la mano mientras las lágrimas le resbalaban por las mejillas. Nadie le había dicho que él había fallecido ya. Su corazón no latía sino que era aquella máquina la que le obligaba a hacerlo. Esa fue la primera vez en que la joven vio a una persona muerta. Al tocar a su padre, supo enseguida que él ya no estaba allí. Su mano, su brazo, todo él estaba helado por un frío especial que ella desconocía. La vida lo había abandonado...

A pesar de la inmensa tristeza que la embargaba, Aída tuvo la certeza de que su padre, aunque ya no ocupaba su cuerpo, seguía estando en aquella habitación. Besó su frente, marchita para siempre, le cerró un poco los párpados y acarició su cabeza. El color negro azulado de su pelo, salpicado por algunas canas, se escurrió entre sus dedos que intentaban retener su recuerdo a través del tacto.

—Papá se ha ido... —se dijo a sí misma en voz alta— y esta vez para siempre.

Aquel era el día de los Santos Inocentes, el 28 de diciembre de 1969 y Aída, a pesar del dolor que sentía, no pudo evitar que se le escapara una sonrisa al recordar lo mucho que le gustaban a su progenitor las bromitas pesadas. El accidente que le costó la vida se había producido once días antes. Pero, ¡qué otra fecha podría haber elegido él para morirse!

Antes de abandonar la habitación, Aída volvió a mirar a su padre y le pareció ver que él le sonreía. Estaba relajado, sumido en el más profundo de los sueños, y el aroma de su colonia flotaba en el aire, desafiando el olor de los medicamentos.

Como ocurre habitualmente cuando perdemos a un ser querido, los primeros tiempos después de su muerte, Aída se sintió un tanto anestesiada, como si la cosa no fuese con ella. Cada vez que sonaba el teléfono se apresuraba a descolgarlo con la esperanza de que todo aquel drama fuese una triste pesadilla. Cuando por fin puedo conectar con sus dolorosas emociones, sintió un gran impulso que la indujo a sentarse a escribirle a su padre. No sabía por qué pero tenía la certeza de que él, desde otro plano, iba a recibir sus palabras que, una vez escritas, metió en un sobre, en el que rezaba "Para mi padre" como destinatario, y depositó en un buzón con su correspondiente sello.

Eras desconocido para mí...
Por eso te temía muchas veces...
Te descubrí amoroso y fuerte...
Ahora más amado que nunca... pero ausente.
Ausentes tu mirada, tus consejos,
tus reproches, tus defectos...
Ausente la timidez
que nadie supo entender...
Ausente tu imperfección,
tu buena o mala intención...
Ausente tu tormento,
tu curioso y gran talento...
Ausente tu ternura,
ausente tu edad madura... (que no llegó)
Yo para juzgarte no soy nada,
un grano de trigo en un molino,
una hoja llevada por el viento,
una memoria perdida en el tiempo...
Mas, a veces, le pregunto a mi destino...
Si pudiese sentir tu presencia en mi camino,
¿cómo sería mi vida
con las manos llenas de tu calor,
y no rebosantes de tu ausencia?
Padre... que te guarda la tierra fría y el olvido...
Pero no el del alma mía.

CAPÍTULO XIV

...No podía predecir la lucha que iba a afrontar en el futuro. Tampoco podía imaginar que, sin su dinero, el que por derecho le pertenecía, su propia familia llegaría a despreciarla...

Llegó mayo y con él los campos engalanados de flores y de verdor. Habían transcurrido siete meses desde su boda y, tras quince horas, los dolores de parto consumían a Aída. Paco la llevó a la clínica en donde daría a luz, y avisó a Tantana.

Alrededor de las diez y media de la mañana del doce de mayo de 1970 nació Carlos, primogénito de Aída y primer nieto de Ramfis Trujillo y Tantana Ricart. Estando todavía adentro del abierto vientre de su madre, el niño rompió a llorar, gritando con tal fuerza que el médico anestesista fue objeto de felicitaciones y aplausos por sus compañeros de quirófano. Aquel suceso resultó ser una premonición del carácter que tendría el niño y que tanto marcaría su vida.

Aída, que tan orgullosa se había sentido por ser la primera hija que iba a dar un nieto a su padre, sufrió por su ausencia y volvió a sentirse abandonada. No obstante, la alegría que le produjo tener a Carlos entre sus brazos hizo que en tan solo unos segundos olvidara esos tristes pensamientos. Además, la presencia de su madre, hizo que la joven se sintiese reconfortada. Tantana podía tener muchos defectos pero era una mujer amorosa. Sintió un placer muy especial, al coger a su primer nieto en sus brazos. Carlos representaba el amor absoluto y la savia de la vida que continuaba. Tantana también echó de menos la presencia del hombre que tanto había, y seguía amando.

Sin embargo, aquel día, tan solo unos meses después de la muerte de Ramfi , Tantana sintió que se había liberado de un suplicio que ya no tenía sentido. Muerte se había llevado a "su marido", era verdad, pero ya no lo haría ninguna otra mujer. Fue a partir de aquel momento, en el que cargaba la esperanza bajo forma de recién nacido, hijo de su hija, carne de su carne, cuando su mente atormentada aceptó la realidad. La aceptación sana y cura las heridas. Tantana aceptó que Ramfis ya nunca volvería. Y su espíritu, poco a poco, empezó a cicatrizar las heridas del pasado que tanto daño le habían hecho.

La vida de Aída, tan tediosa al lado de su marido, con el nacimiento de Carlos se convirtió en una aventura maravillosa. Criar a un hijo lo es. Alegrías y preocupaciones se alternan alterando completamente cualquier esquema preconcebido. La felicidad que le produjo el ser madre la ayudó a soportar todas las penas a las que tuvo que enfrentarse después de la muerte de su padre. Unos meses antes de dar a luz, cuando se leyeron las últimas voluntades de Ramfi , Aída fue informada de que, además del piso en donde ella vivía, su padre le había dejado algo de dinero. Poco, comparado con lo que les había tocado a sus hermanos. Volvió a sentirse herida por aquel favoritismo que se extendía más allá del fallecimiento de su progenitor. Pensó que realmente él la había abandonado y que era la menos querida. Estaba segura de que, si él había obrado así, era porque ella siempre había estado de parte de su madre. Incluso después de muerto, ella tenía que estar en medio de los problemas de ellos.

No era el dinero lo que le importaba, todo lo contrario, sino lo que ella consideraba una falta de afecto y de justicia por parte de su fallecido padre. Ni siquiera los últimos meses de su vida, en los que ambos habían vivido una relación tan placentera, habían cambiado el criterio de él con respecto a ella. Ni tampoco lo que a él parecía haberle ilusionado tanto, el futuro nacimiento de su primer nieto, habían desviado sus deseos de desheredarla aunque fuese parcialmente.

¡Qué doloroso resulta sentirse delegado nuevamente al papel del "último mono"! Aída volvió al negativo pensamiento que le hacía preguntarse qué había de malo en ella para ser rechazada constantemente de aquel modo.

Hasta tiempo después, a lo largo de su vida, cuando algo de madurez empezó a meterse adentro de su ser, Aída no descubrió el misterio. Fue entonces cuando tomó conciencia de la influencia, en aquel testamento, que había tenido la presencia de Lita en las decisiones de Ramfi . Pero, entonces, todavía no conocía la naturaleza de los hombres.

En aquella ocasión, cuando se leyó el testamento de Ramfi , Aída se dio cuenta del valor que la gente, su familia, le daba al dinero. De pronto, todos estaban desunidos, todos se habían convertido en enemigos. Por la herencia que el finado había dejado, se produjeron duros e innecesarios pleitos y desavenencias familiares, en donde, cada uno, tomaba el partido que más le interesaba.

Algunos abogados que ella conocía, aconsejaron a Aída que impugnase el testamento que tanta pena le había causado. Y, a veces, ella estuvo tentada de hacerlo aunque bien sabía Dios que la parte que legalmente le correspondía era lo que menos le importaba. Era la injusticia, la desigualdad, la falta de amor lo que le dolía. Sin embargo, Aída prefirió llegar a un acuerdo, aunque no le favoreciera, con el resto de la familia. ¡Y "tener la fiesta en paz"! Craso error del que no tuvo conciencia hasta transcurridos muchos años. Pero, por entonces, todos parecían haberse convertido en lobos hambrientos. ¡Aída no reconocía a los que, realmente, no conocía!

Inocentemente, además, opinaba que no tenía sentido recibir más dinero si su padre no se lo había querido dejar. ¿Por qué iba a pelearse con su gente? A ellos parecía importarles más los caudales. ¡Pues que se los quedaran!

Enterró en el subconsciente esa triste experiencia y lo consiguió actuando como una idiota que no se entera de nada. Le compensaba el hecho de que algunos miembros de la familia no se enfadasen con ella. Firmaba cualquier documento que le pusieran delante. Si le hubiesen hecho fi mar su sentencia de muerte, en aquellos tristes y decepcionantes momentos, lo habría hecho sin mirarla. Ese dolor no volvió a resurgir hasta pasados muchos años cuando se dio cuenta de lo cándida que había sido.

En su estúpida forma de resignarse había influid , primero su deseo de amar y ser amada, y el hecho de que aún desconocía lo duro que era ganarse la vida. No podía predecir la lucha que iba a afrontar en el futuro. Tampoco podía imaginar que, sin su dinero, el que por derecho le pertenecía, su propia familia llegaría a despreciarla.

Al casarse con Francisco Muñoz, Aída había soñado con un matrimo-nio que duraría toda la vida. Pero, con el transcurso del tiempo, descubrió que el hombre al que había elegido como marido era alguien que jamás llegaría a satisfacerla ni a colmarla en ningún aspecto. ¡Los dos eran tan diferentes, tan jóvenes, tan "nada que ver" el uno con el otro!

Francisco carecía de inquietudes que se pareciesen en lo más mínimo a las de Aída y parecía no tener ningún interés en crecer ni en avanzar en la vida. Cuando se casó con ella se "apoltronó" y su única distracción era ocuparse del automóvil que ahora se había convertido en propiedad de ambos. Sacaba de paseo a su mujer y al pequeño Carlos y se dedicaba a comprar, cada vez más, accesorios, bastante inútiles para el vehículo. A eso se limitaban, en la época, sus entretenimientos y sus proyectos.

Entre la pareja no existían conversaciones de interés ni fines en común. De vez en cuando iban a pasar el fin de semana al campo a casa de los padres de él. La inquieta que residía en el interior de Aída, sacó partido de ello. Una cultura de pueblo español profundo que, sin Paco, quizás no hubiese llegado a conocer. Cualquier experiencia que nos regala la vida, por más insignificante que pueda parecer, esconde, tras de sí, grandes conocimientos, pensaba. Transcurrieron dos años y, ante el terrible aburrimiento del que la pareja padecía, los dos decidieron que era ya tiempo de encargar el segundo niño.

Por entonces, María Altagracia había contraído matrimonio con Jaime Oriol, un joven perteneciente a una ilustre familia española. Ramfis Rafael también se había casado pero su matrimonio duró poco, hasta un tiempo después de haber sido padre de un niño.

Los hermanos más pequeños seguían siendo solteros, viajaban y continuaban sus estudios en colegios de Europa, fuera de España. Iban a menudo a casa de Aída buscando, quizás, un refugio en su hermana "la asentada", como en una ocasión la había llamado Ramfi, su padre que no llegó a conocer realmente la naturaleza rebelde de su hija. Cuando ella se oponía a abandonar a Tantana, él creía que, aquella forma de ser, era el resultado del amor que la niña le tenía a su madre y quizás a la poderosa influencia que su progenitora ejercía sobre ella.

En la época en la que su segundo hijo, Jaime, al que se le puso ese nombre en honor a su padrino, Jaime Oriol, vio la luz por primera vez, Aída ya presentía que no terminaría sus días al lado de Paco. Estaba, no obstante, tan contenta de volver a ser madre que olvidó momentáneamente aquellos sentimientos y se volcó única y exclusivamente al cuidado de su bebé y de Carlos, que estaba a punto de cumplir los tres años de edad.

Tres meses después de su nacimiento, Jaime tuvo que ser intervenido urgentemente debido a una dolencia estomacal. Durante esos dolorosos momentos olvidó por completo la realidad que vivía con su pareja. Sufrió lo indecible durante un largo mes. El niño, sin embargo, se recobró satisfactoriamente tras la operación.

Cuando el bebé sanó totalmente, Aída ya no tenía excusas para no hacerlo y tuvo que enfrentarse a sus emociones con respecto a su marido. Aquella relación de pareja era vacía, carecía de amor, de pasión o de cualquier cosa que se le pareciese, y había empezado a deteriorarse a pasos agigantados.

Ella se esforzó enormemente por recuperar el cariño que le había tenido a su esposo antaño, pero todo fue en vano. No existían terceras personas, en cuanto a aventuras o romances se refier , que hubiesen podido gravitar sobre aquellos sentimientos que ella llevaba tiempo abrigando. Aída ni siquiera se sentía segura de lo que verdaderamente deseaba, y toda aquella confusión le provocaba un gran miedo a lo desconocido. Sin embargo, tras una temporada de fuertes discusiones y absurdos intentos de Paco para que ella recapacitara, tentativas que no lo llevaron a ninguna parte. La joven, que contaba tan sólo con veintiún años de edad, tomó la decisión fi me de separarse de su marido por la vía legal.

Aquella determinación de Aída, de gran intrepidez en la España franquista, le trajo no pocos disgustos. Paco, naturalmente dolido, se negó categóricamente a separarse de ella de mutuo acuerdo. En un principio demostró estar únicamente afectado por aquella ruptura. Se convirtió, de la noche a la mañana, en una falsa víctima que lloraba, desolada por el desamor de su mujer. Sin embargo, aunque Aída le pidió reiteradamente que se marchase y no agravase la situación, él no tenía intención de moverse de la casa que compartían entonces. La pareja, antes del nacimiento de su segundo hijo, se había mudado a "Puerta de Hierro", a un piso más pequeño y más moderno que el que Ramfis había re alado a su hija.

Cuando Paco se convenció de que Aída iba en serio y que seguía empeñada en sus planes de separación, dejó aflorar una actitud agresiva que la joven desconocía por completo. Tras lo que se llamaban "Medidas Provisionales de Separación", y ante la negativa de Paco a abandonar el domicilio conyugal, las fuerzas del orden tuvieron que intervenir y obligarlo a cumplir los mandatos de la Ley. Fue, por entonces cuando, Francisco Muñoz, utilizando múltiples y sucias artimañas, consiguió sacarle a su mujer algo de dinero, aunque menos del que él hubiese deseado. Le hizo la vida imposible y durante el tiempo que duraron los trámites, se dedicó a denunciarla por hechos que, aunque eran falsos, en la época, por el simple hecho de ella ser mujer, se tomaban en cuenta en el Juzgado que tramitaba la separación de la pareja.

Durante el mandato de Franco, y algunos años después, si una mujer se dirigía a alguna comisaría para denunciar la paliza que su pareja acababa de propinarle, llena de moratones, chichones e incluso heridas, la policía, con alguna que otra excepción, se limitaba a decirle a la pobre víctima que "algo habría hecho ella para que su marido le hubiese pegado".

El lapso que siguió a su separación matrimonial resultó ser harto difícil para la joven ya que los valores socio-morales seguían siendo los mismos que le habían enseñado en el Colegio del Sagrado Corazón.

Aída no tuvo más remedio que recurrir a la anulación eclesiástica del vínculo puesto que en España el divorcio no existía. La separación legal únicamente permitía que los esposos pudiesen vivir en casas distintas sin tener problemas legales. Sin embargo, no era compatible con rehacer su vida con otra pareja, so pena de, en cualquier momento, poder ser denunciado por el otro.

Aída sufrió, en sus propias carnes, la hipocresía que la rodeaba y de la que no se salvaban, ni mucho menos, las jerarquías de su dogma religioso. Por el contrario, debido a la experiencia por la que tuvo que pasar, se percató de que, aquel "sagrado" vínculo que ellos tanto defendían, podía romperse, para siempre, si se tenían los medios económicos suficientes para poder sobrellevar el enorme desembolso que exigía la mayoría de esos procesos.

Alegría, Armonía y Fantasía, aunque no se habían alejado del todo de Aída, se mantenían ocultas en los armarios de su casa, esperando a ser llamadas de nuevo. Sin embargo, Desarraigo, ante su reciente separación, hacía que la joven volviese a sentir que nunca en su vida nada sería estable.

Ella, atemorizada pero valiente, contrató a un buen abogado que era, además, sacerdote y estaba especializado en esos asuntos, los de "La Curia". El padre Ezquerra, hombre joven, aunque mayor que ella, era un experto en la materia. Lo primero que hizo fue solicitar el traslado de su expediente a la corte eclesiástica de la República Dominicana, el país de origen de Aída, en donde él sabía, por experiencia, que todo resultaría menos complicado.

Por residir en España, no obstante, Aída no pudo librarse de ser sometida a crueles interrogatorios por parte de las autoridades eclesiásticas de Madrid. El padre Aquilino, uno de los "mandamás", no simpatizaba con ella. Tan duro era aquel clérigo en sus acusadores interrogatorios que en una ocasión hasta logró hacerla llorar.

Pero a pesar del infierno por el que tuvo que pasar, la joven siguió adelante. Durante más de tres años, con paciencia y a base de grandes sumas de dinero, consiguió arreglar su situación legal y volvió a recuperar su anhelada soltería ante Dios y ante los hombres.

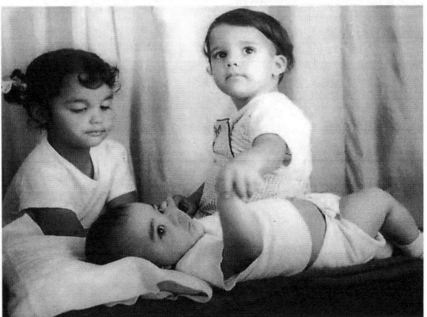

Doña Nieves Martinez y Don Pedro Ricart. Padres de Tantana

Aida, Claudia del Carmen y Rafael Leonidas

CAPÍTULO XV

...Sin embargo, Balaguer boicoteó, expropió e incluso destruyó, a menos que, por pertenecer al patrimonio nacional, no pudiese hacerlo, todo lo que había rozado, directa o indirectamente, al finado mandatario...

Cuando apenas se han cumplido los veintiún años, las ganas de ser, de vivir y de descubrir son muy poderosas y uno olvida el pasado con facilidad. El tiempo parece no marcar el paso y uno cree que la edad madura no ha de llegar jamás. Cuanto menos, la vejez. Se tiene la errada noción de que los ancianos a los que uno conoce, o a los que ve por la calle, siempre han sido viejos. La juventud no identifica con ellos su propio futur .

Poco tiempo había transcurrido desde su separación cuando Aída conoció a José Manuel Inchausti. Siendo tan solo siete años mayor que ella, su forma de ser, de innata picaresca y locas vivencias, hacían que pareciese doblarle la edad a la joven. Su profesión, matador de toros, y sus frecuentes incursiones en el mundo de la música, como agente de Joan Manuel Serrat, y de otros artistas famosos, le permitieron recorrer medio planeta y convertirse en un auténtico "Casanova".

"Tinín", que era su nombre de batalla en su mundo profesional, además de apuesto, era un juerguista nato y no parecía estar dispuesto a renunciar a su soltería. Se prendó de Aída y más tarde desistiría, por ella, de su celosamente guardado celibato. Al fin y al cabo, ¿qué más se le podía pedir a una mujer? Aída era bonita, joven y poseedora de una pequeña fortuna, herencia de su padre que, por entonces, en España no era nada despreciable.

Algunos de sus amigos, relacionados en su mayoría con el mundo taurino, eran tan machistas como él y en un principio se escandalizaron por el hecho de que la joven fuese madre de dos niños y que hubiese sido ella la que se hubiese atrevido a separarse de su marido.

"Tinín" tenía un morboso y mal concepto general del sexo opuesto que mantendría toda su vida. Jamás se paró a pensar que, si alguna fémina lo había abandonado en el pasado, no era porque fuese "mala" sino porque, seguramente, él no la había tratado bien. Por si hubiese sido poco, en el mundillo taurino, por aquel entonces, circulaba una coletilla que no tenía ninguna gracia pero que apoyaba su opinión. Algunos hombres, demasiados, la exponían sin ningún pudor, como si de una cuchufleta se tratase. La que, a su modo de ver, era una frase inocente y que provocaba en ellos una retorcida y malsana risotada, resultaba ser algo realmente infame y dañino.

—¡Todas las mujeres son unas putas! —exclamaban desternillándose de la risa y soltando escandalosas carcajadas— Con la única excepción, claro, de nuestra madre… —proseguían estúpidamente chistosos— pero eso habría que preguntárselo a nuestro padre.

La primera vez que Aída oyó aquello fue presa de una gran indignación. ¿Cómo se podía bromear y afimar algo así, tan a la ligera? ¿Qué clase de gente era aquella? Se preguntaba, cavilando sobre lo que aquellos hombres pretendían confundir con un simple y salado chiste.

¡Pero, ay! A pesar de que eso, y otras múltiples señales, eran un claro indicio de la vida que le esperaba junto a José Manuel, que no tenía la más mínima intención de retirarse de sus eternas juergas, la joven se colocó otra venda en los ojos. "El amor es ciego", como dice el proverbio pero solo lo es hasta que uno quiere. Y eso es una realidad que puede durar toda la vida, según uno decida. Para Aída, la forma de ser disipada y promiscua de su recién estrenado y flamante novio, resultó ser, durante todo el tiempo en el que duró su relación con él, motivo de continuos e innecesarios sufrimientos. El desenfreno que vivía José Manuel era una verdad que ella intuyó desde el primer momento pero que la pasión, no el amor, que sentía por él se empeñó en ocultarle. El señor Amor suele llegar acompañado de doña Pasión. Algunas veces ella se retira demasiado pronto y, si él no es auténtico, también se marcha. Otras, ocurre lo contrario y Pasión se empeña en disfrazarse de Amor, ocultándonos su verdadera identidad e inventándose virtudes que no existen en el objeto de nuestros deseos.

Cuando comenzó su peculiar soltería, al estilo español de entonces, en el que no estabas casado ni estabas divorciado, Aída disfrutó de ella, animada por sus ansias de realizar cosas que no había tenido ocasión de hacer antes de casarse con Paco. A pesar de estar comprometida por sus obligaciones como madre y el cuidado de su hogar, Aída aceptaba invitaciones a fiestas, salía a menudo a almorzar o a cenar a restaurantes con sus amigos y descubrió y se divirtió con el ambiente de las discotecas de moda del Madrid de la época.

Pero después de conocer a José Manuel, ella sintió que ya no necesitaba nada de todo aquello. Los pocos planes que a partir de entonces ella aceptó, se lo confirmaron. Esa, la de soltera, no era la vida que ella, que seguía anhelando formar un hogar para siempre, deseaba. De modo que, siempre que su novio estaba ausente, Aída se recluía en casa. Prefería esperarle acompañada de sus hijos a echarle de menos rodeada del bullicio y las risas de sus amigos.

Una vez más, en su vida, las cosas se precipitaban. Lo que podía haberse quedado en una simple aventura se convirtió, a pasos descomunales, en una relación que más tarde la llevaría nuevamente al altar.

En la época, Aída y José Manuel frecuentaban mucho a María Altagracia y a su marido, Jaime Oriol, que habían sido los que los habían presentado. Jaime era abogado y fue el encargado de resolver la parte civil de la separación matrimonial de Aída. Fue por entonces cuando Rafael Leonidas, el hijo menor de Ramfis y Tantana, se casó con una muchacha que había conocido en su época de estudiante, Idania Álvarez hija de un conocido humorista cubano, Álvarez Guedes. Claudia del Carmen se le había adelantado y ya era madre de un niño. Mercedes de los Ángeles no había encontrado al hombre que la hiciese renunciar a su soltería y no comprendía a sus hermanos que, a su modo de ver, se habían precipitado en contraer matrimonio.

Ramfis Rafael, el mayor de los varones, tras separarse de su primera esposa, conoció a María José Florez-Estrada, Peque, como la llamaban cariñosamente por ser la más joven de sus hermanos, con quien Aída congenió desde el principio. Estaba convencida de que esta vez su hermano había acertado. Peque era, a su modo de ver, una mujer estupenda que seguramente lo haría feliz. Entre las dos surgió una amistad de esas que duran toda la vida.

Sin haberlo planeado y sin darse cuenta apenas, José Manuel e Aída se encontraron viviendo juntos. Tenían que ser muy cautos porque ella corría el riesgo de ser recluida en prisión por ello. Los hombres, al contrario que las mujeres, podían ser sancionados con multas pero el adulterio de ellos se consideraba "amancebamiento" y esa falta no conllevaba pena de cárcel.

Cuando Aída encontró a José Manuel, "Tinín", él estaba forjando su regreso a los ruedos. Su carrera como torero, iniciada desde jovencito, había sido consecuencia de un acontecimiento tristemente sobrecogedor. Fue el azar, terrible en aquella ocasión, y no tanto la afición, entonces desconocida para él, lo que fraguó su destino. Sin embargo, después de iniciarse como matador de toros, la pasión por el toreo embargó todo su ser. El penoso suceso coincidió, con pocos días de diferencia, durante el que fue un año fatídico para los Trujillo, el 1961.

El hermano mayor de José Manuel, Faustino, había debutado, cuando aún era un chiquillo, como novillero sin caballos y, gracias a sus continuos triunfos, había sido contratado para torear en la feria de Burgos. Aquella iba a ser una gran oportunidad para él y Faustino, el padre de ambos, gran aficionado a los toros, tenía puestas todas sus esperanzas en el éxito de su hijo.

De carácter austero, Faustino padre, que respetaba ante todo y sobre todo al dinero, no escatimaba en gastarlo en nada que contribuyese a obtener el triunfo de su primogénito. Le daba lo mismo comprar morlacos para que el jovencito torease a puerta cerrada que pagar a entrenadores, comprar trajes o invertir en cualquier otra cosa que resultase útil para su carrera.

Cuando aún era un mozo, Faustino padre había abrigado la ilusión de llegar él mismo a ser torero. Pero el miedo, en sus primeros y únicos escarceos delante del toro, lo venció y pudo más que sus sueños. Más tarde, cuando por primera vez fue padre de un varón, se juró que no descansaría hasta verlo convertido en maestro de la profesión que a él le había quedado grande.

Faustino era un hombre muy listo que tenía la virtud de saber buscarse la vida con el mínimo esfuerzo. Tenía, además, un "ojo clínico" para darse cuenta de lo que podía ser una inversión con perspectivas de futuro. El único problema que tenía en ese sentido era que carecía de los medios económicos para realizar lo que con tanta facilidad él podía pronosticar. El que su hijo Faustino llegase a materializar sus malogrados sueños, ganando además un buen caudal de dinero, le parecía la mejor opción para salir de una vez por todas de la mediocridad económica en la que vivía su familia. Era, o había sido, comunista y había luchado en guerrillas contra el fascismo. Conocía personalmente a Dolores Ibarruri, la famosa "Pasionaria" y, por haber pertenecido al bando que después perdió la Guerra Civil, ahora se veía privado de cualquier ventaja de las que otros disfrutaban.

Muchos de sus contemporáneos, aquellos que lucharon del lado de los triunfadores, se veían ahora recompensados con una vivienda y buenos puestos de trabajo. Faustino padre odiaba con toda su alma, aunque no creía en ella, a Francisco Franco.

Todas aquellas ilusiones que los dos, padre e hijo, tenían puestas en la oportunidad que se le brindaba al jovencísimo torero en la Feria Burgos, fueron arrastradas hacia la nada a causa de un terrible accidente. Cuando el novillero se disponía a matar al toro, el estoque saltó y fue a clavársele en el muslo izquierdo, seccionándole la femoral y provocándole una hemorragia que por poco le cuesta la vida. Tuvieron que amputarle la pierna que, debido al torniquete que le fue aplicado, se le había gangrenado. Y, junto a ella, en aquel hospital en donde el jovencito fue intervenido, se marcharon todos sus sueños de convertirse en el que prometía ser gran matador de toros.

Fue por lo que, aunque parecía que su destino iba a ser otro, José Manuel suplantó a su hermano mayor. En su honor fue apodado "Tinín" y, poco antes de cumplir los veinte años, se consagró como "maestro" del toreo.

Cuando tomó la alternativa, estaba ya respaldado por múltiples triunfos como novillero. Todo parecía marchar sobre ruedas. El honor y la economía familiar estaban a salvo. En pocos años el joven acumuló lo que, en la época, representaba también una pequeña fortuna. Se había transformado en uno de los toreros de moda y, por su arrogancia, parecía que se iba a "comer el mundo". La victoria profesional y el éxito con las mujeres se le subieron a la cabeza. Soberbia y Egoísmo se apoderaron de él. El joven empezó otra carrera volviéndose un hombre mujeriego y gastador. Ya no era el mismo al que su padre podía dominar a su antojo.

El cambio producido en la forma de ser de su hijo dio que pensar a Faustino. El hombre se planteó seriamente hacerse cargo personalmente de su patrimonio. Habría sido una pena que José Manuel lo despilfarrara. Él lo administraría, lo invertiría en negocios de provecho y le sacaría un jugo que después recaería sobre el propio José Manuel y sus hermanos. Al final todos se lo agradecerían.

La intención del padre era buena pero el joven Inchausti, dejándose llevar por un arrebato propio de su edad, se rebeló. La forma brusca en que Faustino planteó las cosas incitó al joven a prohibirle tocar su dinero. Pero su progenitor ignoró aquella interdicción que además le pareció una provocación y una falta de respeto. Como Faustino, además, tenía fi ma autorizada, retiró discretamente todo el caudal que José Manuel había depositado en la cuenta de ahorros de una entidad bancaria.

Los altercados que se produjeron entre ellos aumentaron cuando José Manuel se enteró de las actuaciones de su padre. El muchacho le exigió la devolución inmediata de su dinero y, cuando él se negó, le agredió verbalmente de forma muy violenta. Faustino, dolido por los insultos recibidos de parte de su hijo, continuó fríamente con sus planes. La relación padre hijo se vio seriamente afectada y se originó un largo distanciamiento que no hizo bien a ninguno de los dos.

José Manuel, en plena inmadurez, se dejó arrastrar por la furia que le devoraba el alma, sin preocuparse por sus consecuencias. Para atacar a su padre, sin percatarse de que se estaba perjudicando a sí mismo, comenzó a torear mal a propósito y a no llegar a tiempo, o no llegar, a sus compromisos profesionales. Abandonó el cuidado de su aspecto físico. Un torero que había sido famoso por su elegancia en la plaza, cada vez lucía más desaliñado. Aumentaron sus horas de juerga y disminuyeron las de sueño y las de los imprescindibles entrenamientos.

Ocurrió entonces que su apoderado falleció repentinamente. El señor Chopera, como él le llamaba respetuosamente, era un hombre muy poderoso en el mundo de los toros. Chopera sentía un gran cariño por José Manuel y había intentado, en no pocas ocasiones, que el muchacho volviese al buen camino. Confiaba en él y pensaba que aquella era una racha tonta que "Tinín", si se lo proponía, podía superar fácilmente. Sin embargo, su repentina muerte terminó de rematar la moral del joven, que decidió abandonar los ruedos. Su brillante carrera se había truncado por completo pero aquello, a José Manuel, pareció no importarle.

Cuando, transcurridos esos meses de total desatino, el joven torero pudo, por fin superar su pernicioso estado anímico y decidió regresar a los ruedos, las cosas se habían puesto difíciles para él. Su manera de comportarse había anulado la seguridad que los hijos del finado Chopera, en un principio, habían depositado en él. Ninguno de ellos se animaba a apoyarle como antaño hiciera su padre. Su forma de actuar, en pleno éxito profesional, los había desinflado por completo. No conseguían hallar en su comportamiento ningún tipo de justificación

La primera vez que Aída fue a verlo torear, vestido de luces, tan artista, tan valiente y tan voluntarioso, José Manuel terminó de conquistarla. Como si no hubiese tenido bastante con sus dos retoños, ella no supo ver la inmadurez del hombre que había empezado a amar. Su propia torpeza, y sus deseos de dar y recibir amor, no la dejaban ver más allá de sus narices.

La convivencia con José Manuel resultó ser muy difícil. Aída se había impuesto la absurda tarea de convertirse en una especie de "buena samaritana" que, con certeza, iba a cambiar la forma de ser de él, inestable y esparcida. Ella se encargaría de ello, se afi mó. Al amparo de una familia y una preciosa casa con jardín y perro incluido, José Manuel se tornaría, sin duda, en un hombre estable y hogareño.

Más tarde, a lo largo de su ajetreada vida, Aída aprendería que no se puede poseer ni transformar a nadie. Asimilaría, además, que es preciso querer a la gente como realmente es, sin ponerle una máscara ni taparse los ojos. Hacer lo contrario no es más que empeñarse en amar una ilusión que, tarde o temprano, termina desmoronándose como un falso ídolo en el altar de nuestros sueños.

Pero, entonces, Aída vivía convencida de que, si no era feliz a pesar de tenerlo todo, era por culpa del comportamiento de su amado en el que había puesto absolutamente todas sus expectativas de vida, creándose una insensata y atormentada dependencia. La joven parecía haber olvidado por completo su propio yo y José Manuel, Jose como ella lo llamaba, se convirtió en la excusa perfecta para no enfrentarse a todo aquello que tanto le inquietaba el alma. Ella consiguió ocultar, tras una pareja ingrata y ausente, a sus ancestros y junto a ellos a toda su historia pasada.

Aunque los dos parecían quererse mucho, José Manuel se sentía más seguro ausentándose, y descuidaba a Aída. Ella, que no tenía el aguante para soportar su forma de ser, machista y anticuada, se lamentaba y se sentía engañada. Él, por su lado, se sentía fiscalizado por ella. Ambos eran muy apasionados y por ello su relación sufría grandes altibajos. Recíprocamente se sentían enormemente felices o sumamente desgraciados el uno con el otro. No existía ni paz, ni serenidad, ni confianza entre ello .

Las peleas entre los dos jóvenes eran continuas pero también lo eran sus momentos de exultante pasión. Gracias a eso la pareja pudo mantenerse junta más tiempo del que estaba destinada a perdurar. Sin embargo, desde el principio, José Manuel demostró tener un carácter muy agresivo que fue agravándose con el paso de los años. La lastimaba psicológicamente y en alguna ocasión llegó a intentar "ponerle la mano encima". Pero Aída no se lo permitió y amenazó con abandonarlo si se atrevía a maltratarla físicamente.

Por aquella época, habían transcurrido ya dieciséis años desde que Aída había salido, junto a su familia, exiliada de Dominicana. Ella ni siquiera se había planteado la intención de regresar a su tierra natal. Se amparaba, del que le parecía ser un gran reto, recordando las palabras que su abuela, doña María, que aún vivía, le había dicho una vez, cuando aún era una niña.

Pero, la verdad era que, de forma instintiva, la joven rehuía el momento de desenterrar y enfrentar su pasado. Prefería "taparlo" con un presente turbulento y con el placer que le producía el comer de forma compulsiva. Aunque ella no engordaba por más que se atiborrase de los deliciosos platos que servían en los restaurantes que frecuentaba. Su favorito era y sigue siendo "Sacha", cuyos propietarios son Alejandro Hormaechea y su esposa Lys, grandes amigos que siguieron invitándola a disfrutar de su buena mesa, a pesar de ella no poder costeárselo.

Como el que guarda un tesoro, Aída conservaba una fotografía que su padre, montado a caballo, le había dedicado apenas un año antes de morir. El retrato, que ella había colocado encima de la chimenea de su casa, de pronto se tornó misterioso, como si tuviese vida propia. Sin causa aparente se caía al suelo "cada dos por tres". Lo volvían a poner en su sitio y, sin ninguna lógica, se desplomaba nuevamente. El episodio se repitió durante un periodo de cerca de dos meses sin que nadie lograra discernir la causa que lo provocaba.

Fue por entonces cuando la joven recibió una triste noticia. Nieves, su abuela materna, se estaba muriendo. Aída sintió la necesidad imperativa de ir a verla, a como diese lugar, aunque ello supusiese desafiarse a sí misma y cortar los lazos de irrealidad que su familia y ella misma se habían creado. Llamó por teléfono a Tantana, su madre, que estaba ya en Santo Domingo, y la puso al corriente de su decisión.

El viaje se le hizo corto y, cuando la aeronave aterrizó y la joven bajó por la escalerilla, no pudo contener las lágrimas. La mezcla de dulces fragancias que flotaba en el aire le produjo un fuerte impacto. ¡Cuántos recuerdos vivían acumulados en aquellos olores!

Después de pasar la aduana y recoger su equipaje, Aída asomó el hocico.

Su familia materna había enviado a un chofer a recogerla. El mulato, de pelo blanco y muy corto, exhibía, orgulloso y sonriente, un cartel con su nombre. Aquel aviso, que delataba su presencia en la isla, la alteró aún más de lo que ya estaba. Después de identificars , el hombre la ayudó con las maletas, la condujo al aparcamiento y le abrió la portezuela trasera de un vehículo de prestigiosa marca y color negro.

Durante el trayecto que separa el aeropuerto de la capital, Aída era incapaz de pensar conscientemente. Solo veía y sentía. Observaba el paisaje familiar y desconocido a la vez. Sentía el olor, nunca relegado del todo y, sin embargo, nuevo, renovado en la memoria celular de sus sentidos. Apreciaba también aquel calor húmedo, que le recordaba su infancia, recorriendo e hidratando su piel. No podía impedir aquella paradoja; sentirse forastera y oriunda a la vez. De pronto había descubierto que algo, que le pertenecía profundamente a ella y a nadie más, se había quedado allí, en su isla, esperándola. Y súbitamente se percató de que tenía que recuperarlo porque ella no era extranjera, pertenecía, de algún modo, a aquel lugar.

El regreso a Santo Domingo "removió las tripas" de Aída que, aunque estaba muy afligida por la enfermedad de su abuela, no podía remediar sentir que flo aba y, en cierto modo, hasta sentirse feliz. Pero, al mismo tiempo, no entendía el porqué de aquel regusto amargo que, por momentos, también la embargaba.

La ciudad había crecido, sin duda, pero la joven enseguida se dio cuenta de que seguía siendo la misma que ella guardaba en sus ocultos recuerdos. Una mezcla de culturas arquitectónicas adornada por árboles y arbustos frondosos, muchos de ellos cargados de flores, se desplegaba ante sus ojos. Por las calles seguían circulando los mismos vendedores ambulantes acarreando su mercancía de frutas tropicales o golosinas caseras. La energía que bailaba en el ambiente, siempre dulce a pesar de los sufrimientos, de las guerras o de las catástrofes naturales, era idéntica a la que ella había respirado durante su infancia. A pesar de los cambios que el tiempo, inexorable, produce a su paso, el corazón de la urbe seguía latiendo al mismo ritmo que antaño.

Una vez que llegaron al hospital, el chofer salió apresuradamente del coche para abrirle la puerta a la joven y le dijo que llevaría sus maletas a casa de su tía. También le preguntó a qué hora quería que viniese a recogerla. Todo ello sin perder ni un momento su radiante sonrisa.

Aída penetró en el edificio y preguntó en recepción el número de la habitación en la que estaba ingresada su abuela. A continuación se dirigió al ascensor y presionó el botón del tercer piso. Salió al pasillo y caminó hasta la puerta 343. La abrió, sin llamar para no hacer ruido y lo primero que hizo, cuando la vio, fue dar a su madre un largo y cálido abrazo.

Tantana y sus hermanas no se despegaban del lado de abuelita Nieves, que ahora dormía plácidamente. Sentada al lado de su lecho, Parca se frotaba las manos y sonreía. Pero Aída no quiso verla, al contrario de su madre, Tantana, que cuando la divisó por primera vez, vestida de blanco, con el cabello suelto y la mirada desprendida, intentó disuadirla de su cometido. Le rogó, le imploró que no se llevase todavía a su madre y que la dejase vivir durante algún tiempo más. Pero Muerte, dirigiéndole una mirada fría y cálida a la vez, le contestó con gran determinación:

—Hija, deja partir a tu madre. ¿No te das cuenta de que está cansada? ¡Si no hubiese sido así no hubiera sufrido este infarto! ¡Piénsalo! Una enfermedad del corazón reiterativa es equivalente a dolor, sufrimiento, agotamiento… Significa que, la persona que la padece, en más de una ocasión, ya no puede, no quiere seguir padeciendo. ¿Por qué retenerla? Yo, que no soy tan horrible como los mortales me veis. Me la llevaré suavemente, no te preocupes.

Ante la sabiduría de Parca y a pesar de su gran pena, Tantana comprendió plenamente el significado de sus palabra .

—Mamá se va… —pensó tristemente— ¡Ahora sí se va para siempre!

Aída decidió permanecer el mayor tiempo posible en el hospital, al lado de su abuela, su madre y sus tías. Tuvo que luchar con ahínco en contra de los múltiples sentimientos nuevos que la embargaban y con las ganas de explorar su tierra, aquel paraíso, perdido y recuperado, aunque solo fuese por unos días. Pero, el amor que sentía por su abuelita pudo más que sus ansias y su curiosidad por rastrearlo.

Había transcurrido un largo rato desde su llegada cuando Nieves se despertó y Aída fue a darle un tierno beso en la cabeza. La anciana tenía el cabello gris y sedoso; su suave piel, de una blancura perfecta, a pesar de su avanzada edad y sus múltiples vivencias, desprendía un tenue aroma a polvos de talco. Cuando su nieta la abrazó, la mujer se alegró tanto de verla que pareció animarse, y hasta se tomó el vaso de leche con galletas que le habían traído.

Al cabo de algunas horas, el chofer vino a recoger a Aída, a la que ya estaba calándole en el cuerpo el cansancio del viaje y del cambio de horario.

La llevó a casa de su tía Josefina en donde la recibieron, con mucho amor, su tío "Yuyo", Guido D'Alessandro, el marido de Josefina, una de las hermanas de Tantana, y sus primos. Ella aceptó una cena ligera y se fue a la cama con una algarabía de pensamientos, punzándole la mente y el alma, que provocaron que la joven no lograse descansar tranquilamente.

Al día siguiente se levantó temprano y pidió al chofer que la llevase de nuevo al hospital. Allí el tiempo se hacía eterno y se hablaba poco para no perturbar la tranquilidad de Nieves. A pesar de ello, la joven permaneció durante horas junto a su abuela, acomodándole las almohadas, acariciándola y hablándole de tonterías para distraerla un poco. Después, el tío Enriquito, hermano de Tantana, vino a rescatarla y la llevó a almorzar en su casa, y a dar un paseo por "El Malecón".

El episodio se repitió, aunque, cada vez, Aída insistía en regresar pronto al lado de su abuela. Sus tíos, que querían entretenerla aunque fuese por un rato, la dejaban quedarse en el hospital durante algunas horas, y después volvían nuevamente con la intención de alejarla de la natural tristeza permanente que reinaba en la habitación de Nieves.

En una ocasión, casi a la fuerza, la llevaron a la playa de Boca Chica en donde visitó la que había sido su casa, convertida ahora en "El Club Náutico". La residencia le había sido injustamente expropiada, por el gobierno de la República Dominicana a Tantana, a quien se la había regalado un primo suyo. No era un bien adquirido ni con el dinero ni con las influencias de la "Era de Trujillo". Sin embargo, Balaguer boicoteó, expropió e incluso destruyó, a menos que, por pertenecer al patrimonio nacional, no pudiese hacerlo, todo lo que había rozado, directa o indirectamente, al finado mandatario. Cuando la casa fue embargada, nadie se atrevió a enfrentársele. Ahora él llevaba años siendo el presidente elegido democráticamente por el pueblo dominicano.

Una de las acciones que Balaguer emprendió, durante los primeros años de su mandato, fue aprobar un decreto que determinaba la expropiación de todos los bienes de cualquiera que fuese descendiente directo de Trujillo. No contento con eso había dictaminado que la nueva legislación afectaría hasta la cuarta generación familiar directa del dictador. Con ello pretendía manifestar que él libraría al pueblo para siempre del yugo al que había sido sometido. Era una forma de "lavar" su reputación trujillista ante el pueblo dominicano, y ante el mundo.

Cuando conoció aquella ley, Aída sintió otra punzada en el corazón. Una vez más se sintió exiliada y rechazada. No era fácil volver a enfrentar algo que había intentado enterrar junto a su abuelo y a su padre. Pero como, por el momento, no tenía el propósito de volver a vivir en su país, desertó aquel pensamiento y volvió a sepultarlo en lo más hondo de su mente. No pudo, de todos modos, evitar el volver a sentirse extranjera. Y recordó que, a pesar de que llevaba mucho tiempo viviendo en España, aún conservaba su nacionalidad natural. Se preguntó a sí misma el porqué de aquella lealtad. Quizás era debido a que, como ya una vez la había perdido, ahora la apreciaba más de la cuenta.

En aquella ocasión en la que la llevaron a Boca Chica, Aída se bañó en el mar y tomó el sol tendida en la blanca arena. Fue allí en donde sintió con gran intensidad la fuerza de Tierra que la reclamaba y le decía que ya no podría ausentarse durante tanto tiempo. Aunque, por el momento, no tendría el mismo derecho a sentirse en casa, como cualquier otro dominicano, valdría la pena volver. Si lo hacía, se daría cuenta de lo que ella quería decirle. Alegría y Armonía se acercaron a ella y, sin mediar palabra, asintieron con la cabeza apoyando lo que Tierra le había dicho a la incrédula joven.

Una de las excursiones obligadas, durante la estadía en Dominicana, fue visitar la casa de campo de su abuelo situada en su pueblo natal, San Cristóbal. Tía Teresita, que adoraba a su sobrina Aída, fue la que le propuso aquel plan y se ofreció a acompañarla.

Ahora "La Caoba" yacía en brazos de Abandono, convertida en un museo muy mal conservado. Allí los recuerdos tomaron gran fuerza y se manifestaron más que en ningún otro lugar. Aída recordó y echó de menos a su "papá viejo" y a aquellos días felices en los que se levantaba por las mañanas con la obsesión de que la dejasen ir a ordeñar vacas en los establos de la finca.

Cuando llegaron a la sala de trofeos ganaderos, que era en donde normalmente sus hermanos y ella jugaban con su abuelo, a Aída le pareció verlo sentado en uno de los sillones, frente a una mesita de cristal. Pero enseguida desechó la visión y agarró con fuerza la mano de su tía.

—¿Qué te pasa, Aidita? Estás pálida —dijo la mujer algo alarmada.

—Nada, nada tía Teresita… debe de ser el calor… ¿Vamos a tomar algo? ¡Aquí me asfixio

Transcurrieron cerca de dos semanas desde la llegada de Aída a Santo Domingo. El estado de salud de Nieves había empeorado y entonces, María

Altagracia, su hermana mayor, decidió, también viajar a Dominicana para despedirse de su moribunda abuela.

Una tarde, estando en el hospital, María Altagracia invitó a Aída a tomar un café. Las dos se dirigieron a la planta baja del inmueble, que era en donde estaba situada la cafetería, y se sentaron a una mesa ubicada al lado de una ventana que daba a la calle.

—He arreglado para que mañana por la mañana vengas conmigo a la base aérea de San Isidro, que era donde trabajaba papá... —soltó de pronto la mayor de las hermanas.

Aída se encogió de hombros pero no entendía para qué quería su hermana ir a visitar una base aérea militar. Al ver la expresión de su cara, María Altagracia prosiguió: —Tú ignoras lo que voy a contarte... Cuando aún seguía vivo, papá me pidió que cuando él muriese, le cortara un mechón de pelo y, junto con una fotografía suya, lo enterrase en ese lugar. No en vano era consciente de que nunca sus restos podrían descansar en nuestro país.

—¿Fue por lo que pasó con la tumba de abuelito? —preguntó Aída, curiosa.

—¡Claro! Recuerda que papá se lo tuvo que llevar a París porque la habían profanado. ¡Y el trabajo que le costó conseguirlo! —Y no se habló más del asunto que también resultaba doloroso.

Al día siguiente, las hermanas se trasladaron en coche a San Isidro, recorriendo un camino menos largo y un paisaje más verde del que las dos recordaban.

Aída nunca había mantenido ese tipo de conversaciones con mi padre, a diferencia de María Altagracia. Lo único que sabía era que, al volver a Madrid, la foto de Ramfis nunca volvió a caerse. Era como si hubiese estado avisando de que él, después de tantos años, iba a volver a Santo Domingo. Aunque fuese de una forma simbólica.

A pesar de lo delicada que estaba, Nieves se empeñaba en aferrarse a la vida. No se podía saber cuánto tiempo le quedaba. Su estado era crítico pero los médicos comprendieron que aquella mujer quería morir en su hogar, al lado de los suyos y de sus recuerdos. Y, con la aprobación de sus hijos, que también lo habían entendido, la devolvieron a su casita color azul pastel, rodeada de plantas y flore , y a su mecedora de caoba que llevaba acunándola más de treinta años. Muerte no se despegó de ella y la acompañó en el que sería el último paseo que Nieves daría en esta vida.

Aída decidió entonces regresar a Madrid. Su ausencia se había prolongado demasiado, sus hijos la reclamaban y ella les echaba de menos. Volvió a su casa y a su vida al lado de José Manuel, siempre tan dispar, llena de discusiones y de momentos sublimes. Unos días después recibió la noticia de que su abuela había fallecido.

Tantana fue la que le dio la triste nueva pero, aunque estaba muy afligida y triste, se sentía reconfortada por el hecho de que el tránsito se hubiese producido suavemente, acorde con el carácter de la anciana, tal y como le había prometido Muerte. Aunque, claro, esto último lo omitió cuando llamó a Aída por teléfono. Tantana no estaba enterada de que su hija había heredado su virtud de ver y sentir cosas que generalmente los demás no parecían percibir.

Aída intentó alentar a su madre para que regresase a Madrid y saliese de aquel marco de desconsolada tristeza. Pero Tantana le dijo que ella prefería alargar su estadía en Dominicana para estar junto a sus hermanos, y pidió a su hija que, si podía, fuese ella la que volviera a Santo Domingo.

Motivada por la petición de su madre y ya que había logrado "romper el hielo", Aída sintió un fuerte deseo de regresar a su país. Recordó lo que Tierra le había dicho en Boca Chica y pidió a José Manuel que la acompañase. Pero él se negó. Tenía demasiado trabajo en España, según le dijo. Era raro que él quisiese acompañarla en sus viajes o en cualquier otra cosa, de modo que, la joven, sola, como de costumbre, tomó un avión que la llevó nuevamente rumbo a Santo Domingo.

A partir de entonces, siempre que la convivencia con su pareja se hacía insoportable, Aída realizaba viajes relámpago a Dominicana. Aquellas improvisadas excursiones le infundían la energía que necesitaba para sobrellevar las ausencias, la agresividad y la falta de respeto de José Manuel.

Un tiempo después, antes de realizar uno de aquellos viajes "cargapilas", como ella los llamaba, Aída tomó una decisión. Se instalaría en un hotel y no en casa de algún familiar, como solía hacer. Sentía, no sabía muy bien por qué, la necesidad de pasear sin compañía por las calles de su ciudad natal y de resguardarse, después, en un lugar que no estuviese habitado por nadie conocido. Aunque ella no era consciente de ello, ya había llegado su hora de dar la cara al pasado.

Cuando llegó al aeropuerto de Santo Domingo, después de recoger su equipaje, la joven tomó un taxi y se dirigió al Hotel Hispaniola. Una vez en su habitación, la 222, llamó por teléfono a su familia que no cesaba de reprocharle el hecho de que no se hubiese instalado en una de sus casas. Pero Aída hizo "oídos sordos" a sus sermones, sin entender, ni ella misma, el porqué de su terca actitud.

Al día siguiente se levantó temprano y llamó nuevamente a sus familiares para avisarles de que, aquella tarde, iría a visitarles. Quería aprovechar la mañana para ir a Boca Chica y disfrutar de la playa y del verano. En España transcurría tranquilo el final del otoñal mes de octubre pero, aunque todavía el invierno no había llegado oficialment , ya su gélido frío había hecho acto de presencia, avisando de lo que a los españoles les esperaba en los próximos meses. Era, pues, imprescindible para ella el cargarse de aquella energía y del calorcillo que su tierra le ofrecía, les explicó Aída, para que no se ofendieran por no correr a darles un abrazo. Pero, la verdad era que, sin entender sus propios sentimientos, la joven anhelaba estar sola en Dominicana.

Durante los días siguientes, Aída se dedicó a dar vueltas por el centro de la capital, sin programar ningún rumbo fij . Fue entonces cuando ocurrió lo que tenía que ocurrir. Durante una de las muchas incursiones que hizo, recorriendo la "Ciudad Colonial", la joven fue literalmente arrastrada por Luar, su Ángel de la Guarda, hacia una librería. Una vez allí, la muchacha vio que en una encimera del establecimiento habían colocado algunos tomos que contaban la historia del país. Y aunque ella no tenía la más mínima intención de comprar nada, de forma automática e incomprensible, adquirió unos cuantos ejemplares.

Después, salió apresuradamente de la tienda, asiéndose a la funda de plástico, como lo hace un náufrago a su tabla de salvación. Pero se sentía algo aturdida pues no entendía la razón que la había inducido a comprar esos tomos. De pronto se detuvo a tomar un "refresco rojo" en un bar que estaba situado cerca del "Monumento a Colón".

Cuando apuró aquel refresco, que siempre le evocaba sus fiestas de cumpleaños o a las que asistía como invitada en la, entonces, Ciudad Trujillo, decidió tomar un taxi y dirigirse directamente al hotel. Se sentía algo cansada, de modo que subió directamente a su habitación y se metió debajo de la ducha. El agua, cayendo sobre su cabeza, la despejó un poco y, cuando salió del cuarto de baño, Curiosidad estaba allí instándola a que abriese la bolsa que contenía los libros que había adquirido.

La mayoría de ellos exhibía una o varias fotos de su abuelo en la portada. Aída se sentó en una de las dos camas de la habitación, se acomodó con todas las almohadas que encontró y empezó a hojearlos, dispuesta e enfrentarse a ellos. Pensaba que tal vez encontraría alguna anécdota divertida y desconocida para ella. Pero, en vez eso, encontró cosas que no esperaba encontrar. ¿O quizás sí?

Un dolor agudo y potente sacudió su corazón cuando, en todos los escritos, se topó con relatos más difíciles de "digerir" de lo que nunca hubiese imaginado. Aída empezó a marearse pero, de repente, allí, sentada en la cama de al lado, vio a una mujer que la saludó con un gesto de su mano, y sonriéndole le dijo:

—No te asustes, Aída... soy Inconsciencia y vengo a despedirme... Te he estado acompañando durante todos estos años para que ignorases la verdad sobre tu abuelo y no sufrieras. No estabas preparada... pero ahora ya me voy... ya me toca marcharme. Te dejo con Criterio. Es tuyo, personal... no dejes que nadie lo eche nunca de tu vida.

Antes de que Aída pudiese reaccionar, Inconsciencia desapareció dejando en su lugar a un hermoso niño que la miró fijam nte a los ojos, se le acercó y se fundió en un gran abrazo con ella. La joven no entendía nada de lo que le estaba sucediendo. No había tomado alcohol ni ninguna otra sustancia... ¿Por qué sufría alucinaciones? El "refresco rojo" venía embotellado pero, quién sabía, tenía que reclamar porque todo aquello era absurdo.

El niño, en tono suave pero fi me, le dijo —Aída, no estás alucinando... ¡Soy Criterio, el tuyo! Y vengo a quedarme contigo, si tú quieres... A veces, para que yo permanezca a tu lado, tendrás que sufrir. Pero después te sentirás muy bien contigo misma. Recuerda que tú eres con quien mejor te tienes que sentir. Eres la persona con quien has de vivir para siempre —y dicho esto, el crío desapareció como por arte de magia.

—¡He estado soñando! —gritó de pronto Aída, levantándose de golpe de la cama— Me he quedado dormida unos minutos... claro, venía muy cansada... los libros han terminado de agotarme... ¡Todo esto ha sido un sueño! —se repitió en voz alta, como queriendo convencerse a sí misma, una vez pasado el estupor del primer momento, y reanudó la lectura que había interrumpido.

La muchacha leyó durante horas y se enteró de atrocidades y horro-res que, al parecer, Trujillo había cometido. Hojeaba un libro, tomaba otro pero… daba igual. La joven ya no podía escapar. Pero quiso convencerse de que, sin darse cuenta, había adquirido unos tomos cuyos autores eran enemigos declarados de su abuelo. Algunos de ellos habían sido perjudicados directamente, estaba claro. Era normal que hablasen mal del mandatario. Sin embargo había otros que se basaban únicamente en datos históricos. Pero podían estar mal documentados, se dijo para consolarse. Unos cuantos, se convenció, seguramente pretendían vender sus libros como si de una novela de terror se tratase. De ese tipo de escritores ya conocía Aída las tretas. Se aprovechaban de todo sin importarles a quién podían herir.

Otros, con sus denuncias, parecían querer lograr hacer justicia. Pero eso ya era inútil puesto que Trujillo había sido "ajusticiado". Según todos los autores de aquellos libros, el abuelo de Aída no había sido asesinado. No se trataba de un magnicidio tampoco, sino de un "ajusticiamiento". A ella aquello le llamó la atención y se dispuso a buscar la palabrita en un diccionario.

Hasta adonde Aída sabía, su abuelo no había sido juzgado por ningún tribunal y sin embargo a sus asesinos se les llamaba "ajusticiadores". Aunque aquellos hombres habían librado al país de la dictadura de Trujillo, y a veces ella sabía que aquello era inevitable, no habían recurrido a la Justicia para hacerlo. Por su mente se cruzó una idea. Si queremos luchar por la democracia en nuestro mundo, no debemos tomarnos la justicia por nuestras manos. Eso es lo que se comenzaba a oír poco a poco en España. Y era lo que, en el resto del continente europeo se defendía. Ya que su abuelo había pagado con su vida, por lo menos merecía que se dijese que había sido asesinado en un atentado!

Pero todas esas deducciones no hacían más que encubrir el desgarro y el dolor que Aída sentía. En aquellos momentos le resultaba imposible aceptar que, aunque fuese solo en parte, su abuelo hubiese podido hacer cosas como las que se contaban en aquellos libros.

Con los ojos y el alma encharcados en lágrimas, Aída obedeció su primer impulso y los arrojó todos a la papelera. Pero incluso después de haberlo hecho, no pudo arrancar su contenido de la mente. Empezó a darles vueltas a todas las cosas que había leído. Se comenzó a hacer preguntas que rayaban la paranoia: —¿Qué pensaría ese camarero si supiese de quien soy nieta? ¿Habrá perdido, el hombre, bajo su yugo, a algún pariente? Todos los dominicanos que se han mostrado tan afables y cariñosos conmigo durante estos días, ¿actuarían del mismo modo si supiesen cuál es mi origen?

Hubo un momento en el que, acosada por sí misma, sintió como si estuviese volviéndose loca. Recordó la cara de su abuelo: redondita, amable, cariñosa… Visualizó aquellas facciones que ella recordaba con auténtico amor… ¿Aquel querido rostro, podía esconder tanto horror, tanto crimen, tantas injusticias?

De pronto se volvió a sorprender hecha un mar de lágrimas. No, no podía ser… no podía concebir que, lo más tierno que ella recordaba en su infancia, la persona que más cariño le había dado… ¡No! ¡Eso no podía ser verdad! ¡Tenía que haber un error!

Recogió un libro de entre los que había tirado a la papelera, en el que, además del texto, recordaba haber visto algunas fotos de Trujillo. Quería contemplar su cara y recorrer con la mirada sus ángulos redondeados. Deseaba ver nuevamente aquellos rasgos que le recordaban los juegos, la casa de San Cristóbal y las escapadas a la disciplina y al rigor de la abuela María.

Con la foto de su abuelo delante y el corazón encogido, se sintió más pequeña que nunca. Toda su infancia se derrumbó como un ídolo de papel al que se ha quemado y del que sólo quedan las cenizas. Aída empezó a vociferar como una loca, pidiendo cuentas a su difunto abuelo.

Cuando por fin logró calmarse un poco, decidió bajar a nadar a la piscina del hotel, y así intentar liberarse de aquella energía negativa que sentía que la invadía completamente. Tenía los ojos rojos como tomates por lo que, antes de salir, se aplicó unas gotas que tenían fama de no dejar rastro de ningún tipo de irritación. A duras penas consiguió ponerse el bañador, coger una toalla grande y salir al pasillo.

Una sensación de ingravidez la invadía de tal modo que no quiso llamar al ascensor sino que prefirió bajar los tres pisos a pie para sentir que aún tenía piernas. Cuando llegó a la planta baja saludó con un gesto de cabeza al personal que estaba en recepción, siempre sonriente, preguntándose si aquellas gotas serían tan eficaces como afi maba la televisión. Y volvió a inquirirse, sin querer, sobre si aquella gente que tan amablemente le sonreía haría lo mismo si supiese quien era ella.

Aquella noche Aída durmió mal. Tuvo pesadillas en las que, Criterio, el que se le había presentado como un niño, se le enroscaba en las piernas. Ella veía de lejos y quería llamar a Inconsciencia, que era la que le había dejado su sitio, pero ésta la saludaba con la mano y le decía que nunca más volvería a su lado. Por la mañana Aída se despertó a sí misma con un alarido.

—¡Los has matado! —gritaba mientras lloraba angustiada. Y, levantándose rápidamente de la cama, fue a darse una ducha de agua caliente y a lavarse el pelo.

Cuando salió del cuarto de baño llamó a casa de su tía Teresita para pedirle que la alojara allí durante los días que le quedaban en Santo Domingo. Teresita se puso muy contenta y le mandó a su chofer para que la recogiese en el hotel. Aída se sentía triste y agobiada. Después de hablar con su tía, llamó al aeropuerto y adelantó la fecha de su regreso a España.

Unos días después, al montarse en su avión, se sintió reconfortada. Madrid, pensó, su hogar, sus hijos, José Manuel... ¡La rutina! Tenía ganas de sentirse segura dentro de su día a día, lejos de Dominicana.

Poco tiempo después de su llegada a España, sucedió lo que tarde o temprano tenía que suceder, un hecho que marcaría enormemente la historia del país. Franco, treinta y seis años después de haber comenzado su larga dictadura, había enfermado, se había vuelto viejo y con él su desgastado corazón. Muchos españoles anhelaban su muerte desde hacía tiempo. Pensaban que era la única forma de que su mandato tocara su fin de una vez por todas. Otros, sin embargo, se resistían a creerlo, como si el mandatario hubiese sido un ser inmortal. Los médicos, apremiados por importantes personajes del gobierno, intentaron prolongar su vida más allá de lo normal.

Franco sobrevivió artificial ente, con la ayuda de modernos aparatos de la época, durante bastante tiempo. Cada día, los medios de comunicación intentaban persuadir a los españoles de que la salud del dictador iba mejorando. Pero, por más que quisieron retenerlo, una mañana, en uno de los periódicos de más venta del país de la época, el ABC, publicaron su foto sobre un fondo negro con los titulares que daban la sobradamente esperada noticia: "Franco ha muerto".

Aída pensó que, al igual que en Dominicana cuando habían matado a su abuelo, en España se iba a armar la revolera, y sintió miedo. Sin embargo, y para su sorpresa, los acontecimientos que siguieron al fallecimiento del dictador y el camino hacia la democracia se produjeron de forma pacífica. El Rey, porque España estaba destinada a volver a ser monarquía después de la dictadura, jugó un papel esencial en la transición. Definit vamente, pensó Aída, éste, su segundo país, era completamente diferente al que la vio nacer.

Durante las fi stas navideñas que siguieron a la muerte de Franco, Aída hizo todo lo posible por disfrutar mucho con sus hijos y con su marido de las típicas celebraciones. Se deleitó hasta con el frío. "Carpe Diem", se decía a cada instante. Resolvió, de momento, no regresar a Dominicana. Necesitaba tiempo para digerir su última experiencia.

Como cuando de niña demandaba la presencia de Alegría y Armonía, Aída invocó la de Inconsciencia, y le pidió un plazo. Necesitaba que la acompañase todavía durante un tiempo. Sentía que las cosas estaban aconteciendo en su vida a una velocidad de vértigo. Sentía también que lo práctico, el día a día, era más urgente que darle el frente a su abuelo que, al fin y al cabo, estaba muerto y enterrado desde hacía ya muchos años.

Los familiares de Franco no tuvieron ningún problema tras su muerte. Aída estaba pendiente de ello y no se enteró de que se les hubiese expropiado ninguno de sus bienes. Tampoco se les exilió, y seguían gozando de la estima de muchas personas, además de su nacionalidad española.

Empezó a leer algunos libros que habían estado prohibidos durante la dictadura y en los que se hablaba muy mal de Franco, y cada vez se sentía más confundida. Todo le parecía injusto. Si su padrino había sido "tan malo" como su abuelo, ¿por qué el destino de los descendientes del segundo había sido tan cruel?

Aída se alegraba de que fuese así, no tenía nada en contra de la familia de su padrino, todo lo contrario. Pero no comprendía por qué ella y los suyos habían sido tratados tan mal. Sobre todo ella y sus hermanos, que eran niños inocentes. Recordó que cuando mataron a su abuelo, María Altagracia, la mayor de todos, acababa de cumplir los doce años. ¿Tendría algo que ver una historieta que le contaron sobre una maldición que le habían echado a Trujillo? Desechó esa idea por su irracionalidad, aunque enseguida recordó cuantas cosas absurdas ya habían ocurrido en su vida.

Inconsciencia accedió a volver a acompañarla durante una temporada. La veía muy agobiada, le dijo, pero no tardaría en volver a abandonarla pues era su obligación. Aída se lo agradeció con toda su alma aunque se dio cuenta de que el niño Criterio seguía también a su lado y que empezaba, poco a poco, a crecer.

La vida al lado de José Manuel se iba convirtiendo en un infie no insufrible para Aída que no entendía por qué seguía queriéndole. En muchas ocasiones la joven se refugiaba en la amistad que tenía con su cuñada, la que estaba casada con el hermano de él. Isabel Bravo, que así se llamaba la joven, era bonita y de carácter simpático y abierto. Al igual que Aída, se había casado a edad muy temprana y ya era madre de dos niños. Desde que se conocieron, entre Isabel y ella surgió un gran afecto y un sincero apego. En el fondo, ambas seguían siendo un poco niñas y el carácter de los hermanos a los que estaban unidas era demasiado áspero y poco cariñoso. La una le servía a la otra de "paño de lágrimas" y de apoyo. Las dos parejas se reunían a menudo y de vez en cuando viajaban juntos. Mientras los hermanos hablaban continuamente de temas taurinos, Isabel y Aída hacían planes de grandes negocios de moda y de viajes en los que recorrerían el mundo entero. Tenían toda la vida por delante.

Había pasado un año desde la muerte de Franco y las cosas en España seguían tranquilamente su curso. Isabel y Aída decidieron celebrar la Navidad con una fiesta de disfraces, aunque sus respectivas parejas se opusieran. Había que brindar por la pacífica transición del país hacia la democracia, les dijeron y ellos no tuvieron más remedio que aceptar su proposición. Pasadas las celebraciones, después de Reyes, Aída se sintió extraña y se sometió a un examen ginecológico que confi mó lo que ella sospechaba: estaba esperando un bebé… "Un hijo de José", pensó con inmensa alegría la eterna romántica que, a pesar de todo, parecía seguir enamorada de él.

Durante el embarazo, sano y sin problemas, Aída engordó, como siempre que estaba encinta, más de la cuenta. ¡Se sentía tan feliz! Se la pasaba palpándose el vientre, mirándoselo en el espejo y pensando que Dios la había bendecido regalándole aquel hijo, fruto de su nueva relación. Pero, a pesar de su inmensa alegría, a Aída se le planteó un grave problema. A principios de 1977, a pesar de que Franco había fallecido hacía tiempo, las leyes españolas habían cambiado poco y el divorcio seguía brillando por su ausencia.

Cuando a Aída se le empezaba a abultar el vientre, le fue concedida su anhelada libertad: la anulación eclesiástica. Su bebé podría nacer en Madrid, sin mayores problemas que el ser hijo de madre soltera. En el momento en que recibió la feliz noticia, José Manuel creyó estar ilusionado con la idea de ser padre. Pero, en cuanto se solucionó el problema que se les había planteado en un principio, el hombre pareció atemorizarse. O puede que simplemente se arrepintiese de haber dejado embarazada a Aída. Eso no podía saberlo nadie más que él mismo. El caso es que su subsiguiente reacción fue alejarse, aún más si cabe, de la mujer cuyo vientre y ñoñerías iban creciendo por día.

En el transcurso del siguiente verano, en el que la joven ya estaba bien gorda, contrataron, para gran deleite suyo, a "Tinín" para que torease en varios festivales taurinos, en municipios cercanos a Madrid. Pero él no solo estaba radiante por haber sido contratado sino porque aquello le permitiría estar con su mujer el menor tiempo posible. Ella cada vez requería más su presencia en casa y más atenciones y mimos.

Debido a la sensibilidad propia de su estado, ella se sentía más sola y abandonada que nunca y aquello se le hacía muy cuesta arriba. Pensaba que José Manuel no estaba contento pues, aunque él ni le insinuaba que no deseaba ser padre, tampoco le expresaba su alegría. Se limitaba a tomarse el asunto como algo natural y normal en la vida "de ella". Actuaba como si a él no le atañese el niño que Aída guardaba en su vientre ni tampoco, por supuesto, el cambio físico y psíquico de ella.

Por suerte para ella, a partir del sexto mes de gestación, la joven se desapegó mucho del mundo exterior, con la excepción de sus otros hijos. Se sentía tan unida a la vida que latía en su seno que casi olvidaba que tenía una relación de pareja. Pero los resentimientos en contra de su esposo, que crecían a la par que el feto, iban albergándose, cada día más, en el corazón de Aída. Aquel embarazo tan deseado por la joven, le dejó, en lo que se refiere al que era su supuesto compañero, un sabor más amargo del que ella jamás hubiese podido imaginar. Su único consuelo era sentir, cada vez con más intensidad, la presencia del bebé en su vientre. La distancia entre la pareja se fue acentuando peligrosamente.

En su momento, quizás unos días antes, vino al mundo Haydée. Aída volvió a sentir el gran amor y placer que le producía el arrullar a un hijo recién nacido. Pero, además, y tal como ella lo había presentido, esta vez el Cielo le había regalado una niña. Tan inmensamente dolida estaba Aída por el comportamiento que había tenido su pareja durante su embarazo que, en un principio, inscribió a su hija en el Registro Civil, con sus apellidos, Trujillo Ricart, y prescindió de los de José Manuel al que pensaba abandonar cuanto antes.

Aquello hizo reaccionar a Inchausti cuyo desapego pareció esfumarse súbitamente. El "eterno soltero", como él se definía a sí mismo, pidió matrimonio a Aída. La proposición, aunque la pilló por sorpresa, no entusiasmó a la joven en absoluto. José Manuel insistió y alegó que, además, él tenía que dar sus apellidos a su hija. ¡Vaya afrenta! ¡Ahora, su orgullo de macho se veía herido! Él no podía permitir eso ni tampoco quería perder a "la gallinita de los huevos de oro".

Utilizó todas sus "armas de hombre" para convencer a la joven de cuánto la quería y le pidió perdón tantas veces que ella se conmovió, olvidando los sinsabores y el gran abandono al que él la había sometido durante el embarazo. Entonces volvió al Registro Civil, esta vez junto a José Manuel, y Haydée pasó a apellidarse Inchausti Trujillo.

La niña había cumplido algo más de un mes cuando José Manuel y Aída celebraron su boda civil en un bonito pueblo de Francia, Guéthary, adonde fue trasladada la recién nacida cuya madre no deseaba separarse de ella ni por unos días. El acontecimiento fue celebrado, después de la ceremonia, en otro lugar, llamado Dax, en un conocido restaurante, el "Bois de Boulogne", cuyos propietarios eran capaces de deleitar el paladar del "gourmet" más exigente. Con motivo de aquella alegre celebración, fueron invitados buenos amigos de la pareja entre los que se encontraba el torero Andrés Vázquez y, por supuesto, era inevitable la presencia del cantautor Joan Manuel Serrat que acudió a la cita con la que más tarde se convertiría en su esposa, Candela. Unos días después, la pareja fue a registrar su matrimonio en el consulado de España en Saint Jean de Luz, para inscribir a su hija como legítima del mismo.

Habían pasado ya dos años desde la muerte de Franco pero todavía las leyes españolas no se habían modificado en absoluto en ese aspecto. En el consulado, lógicamente, no aceptaron como válido el matrimonio celebrado por lo civil. Pero, para su vergenza, ya que parecían querer sentirse superiores, los funcionarios no escatimaron en hacer comentarios desagradables: —Lo sentimos mucho, pero su hija sigue siendo una "hija natural".

El empleado que atendió a los Inchausti vomitó su frase con malsana sorna y regocijo que estaban fuera de lugar. A Aída, ese hombre con aspecto y bigotillo típico del régimen franquista, le recordó a aquel agente de aduanas que de pequeña la había llamado "apátrida" con el mismo desprecio.

—¡Claro que mi hija es "natural"! —exclamó de pronto la joven, más furiosa por la actitud de aquel hombrecillo estúpido que por el hecho de que las leyes siguieran siendo tan absurdas como siempre— Mi hija es y seguirá siendo "natural". No como usted que parece estar concebido y hecho de plástico, y acto seguido abandonó el recinto del consulado, dando un portazo.

Cuando regresaron a Madrid, Aída ya había olvidado el incidente. En el fondo, los documentos legales "se la traían al pairo". Pero José Manuel empezó a darle vueltas al asunto y le sugirió que se casaran por la iglesia. Aída quería creer que, a pesar de ser un "calavera", su marido estaba enamorado de ella, y que el amor que él le profesaba se había acrecentado con la llegada de Haydée. También Carlos y Jaime, sus hijos, parecían haber encontrado en él a un segundo padre porque el hombre era cariñoso con ellos. Entre los cinco habían logrado formar la familia con la que Aída siempre había soñado. Por eso Aída resolvió acceder a los deseos de su marido y, transcurridos unos meses, los dos regresaron a Francia para contraer matrimonio religioso.

Transcurría el mes de abril de 1978 y, en aquel agradable embelesamiento, se cumplieron los primeros ocho meses de vida de Haydée, que era preciosa y rolliza, y que ocupaba la mayor parte del tiempo de su madre. Aída estaba menos pendiente de las acciones de su marido y él parecía estar más tranquilo, aunque, como de costumbre, se ausentaba frecuentemente.

La familia vivía más que desahogadamente aunque eso no era debido a los éxitos ni a los esfuerzos de José Manuel. Aída invertía en su proyecto de hogar todo lo que le había dejado su padre en herencia. Pero ella no le daba importancia al asunto. Nunca le había interesado el dinero, seguramente porque era algo que nunca le había faltado. Ella creía fi memente que el amor era lo primordial y no escatimaba en compartirlo todo con José Manuel.

Sin embargo, su ceguera no le permitía ver que a su marido no le importaba que su fortuna creciera o mermara. Él nunca hizo nada para ayudarla en ese sentido; al contrario, se había acostumbrado a la "buena vida" y no pensaba más que en divertirse y dilapidar los caudales de su mujer y los pocos que él ganaba toreando o haciendo alguna gestión perteneciente al mundillo taurino.

José Manuel volvió a las andadas y toda la belleza que rodeaba a Aída parecía tener el poder de evaporarse cuando él volvía a abandonarla. Más tarde, en su edad madura, la entonces joven mujer, se daría cuenta de lo desagradecida que había sido con Vida que, por entonces, le brindaba tantos dones, centrándose, casi exclusivamente, en las actuaciones de aquel a quien realmente no amaba.

Ni que decir que, aglutinada como estaba, Aída ni se acordaba de su procedencia. Criterio no le había vuelto a hablar pues, cada vez que se le acercaba, ella salía corriendo y se refugiaba en los brazos de Inconsciencia, que había perdido su fuerza de voluntad y no se animaba a alejarse de aquella joven que parecía sufrir mucho.

Llegó el mes de junio y con él una tremenda y precoz canícula. Aquella mañana, que parecía presentarse alegre, animada por los juegos y las risas de sus hijos, Aída sentía una pesadez en el corazón que, por más que se empeñaba, no lograba vencer. Sin comprender el porqué, aquella desagradable sensación le recordaba algo de forma muy clara. Sí, aquello se parecía al sentimiento de niña que tuvo durante aquel mes de agosto en el que había regresado a Dominicana, después del asesinato de su abuelo. Tenía un nudo en el estómago, otro en la garganta y un presentimiento muy malo.

No había transcurrido ni una hora cuando Faustino padre le dio la espantosa, espeluznante y dolorosa noticia de que Isabel se había matado. Había estado jugueteando con una pistola y, creyendo que el cargador estaba vacío, se había disparado a sí misma en la sien, provocándose una muerte instantánea.

Aída notó como Muerte le aguijoneaba el corazón, la dejaba sin aliento y hacía que se le doblaran las piernas, aunque no era a ella a quien había venido a buscar. Sintió que se le partía el alma en mil pedazos, como un cristal fin, produciendo, en sus entrañas, un gran estruendo.

Tomó su coche y se dirigió a gran velocidad al tanatorio en donde habían instalado el velatorio de Isabel. Nuevamente esa especie de locura que de niña se había adueñado de ella, la estimulaba a comprobar que lo que estaba ocurriendo no era verdad y que su amiga no había muerto.

Al llegar a su destino, se encontró con los padres de la malograda muchacha, destrozados por el dolor. Estaban sentados en unos bancos dispuestos en una habitación cuadrada, forrada de azulejos blancos, que parecía la sala de operaciones de un hospital. A través del cristal de un ventanuco situado en una de las paredes se podía percibir, en la habitación contigua, una camilla sobre la que yacía lo que parecía ser el cuerpo de una persona, cubierto con una sábana verde, similar a las que se usan en los quirófanos. Allí reposaban los restos de su querida amiga. Aída se quedó un rato mirando, sin ver nada más que aquella fría e impersonal escena de la que se sentía incapaz de apartar la vista.

—¡Otra muerte violenta en mi vida! —pensó Aída con gran agonía—
Esta vez se trataba de un ser completamente inocente como lo era su joven
y queridísima amiga. Ella, que acababa de cumplir los veinticinco años y
todavía tenía el poder de olvidar con facilidad, no era consciente de que
Violencia, un ente de desagradable y horrible aspecto, aparece cuando le da
la gana y en muchas ocasiones no hace falta ni siquiera ir a buscarla. Tristeza
la había acaparado completamente y Aída ni podía ni quería deshacerse de
ella. Prefería estar triste… pero, cada vez con más fuerza, no entendía el
porqué de la muerte. Y cada vez entendía más cuánto se puede querer a un
verdadero amigo.

Permaneció en el velatorio hasta tarde y después, arrastrando su cuerpo
y su alma, como una cruz a cuestas, regresó a su casa. Aquella noche no
probó bocado y se acostó temprano para, al día siguiente, ir a acompañar
los restos mortales de su amiga a su última morada.

He perdido un gran amor
que no es ni carne ni sangre…
Es un consuelo inesperado,
una llamada a tiempo,
un espejo de lo que siento…
¡Es una amiga fiel

¡Cuánto tiempo Aída lloraría a su amiga! Ni ella misma lo sabía. Isabel
había dejado un doloroso espacio que ella no quería llenar. No sentía deseos
de que otra persona lo ocupase. Le escribió algunos versos que aliviaban su
pena y el pasar del tiempo se ocupó del resto.

Sin embargo, Tiempo también se encargó de volver a poner otras cosas
en su sitio. José Manuel seguía teniendo una conducta que dejaba mucho
que desear. Poco le importaba que Aída estuviese sufriendo por la muerte
de su amiga y que, con su ausencia, se sintiese aún más sola y abandonada.
No daba importancia tampoco al hecho de que Haydée aún fuese muy pequeña. —¡Ya crecerá! —decía lanzando una carcajada sonora que sacaba de
quicio a su mujer.

—¡Claro que crecerá! —contestaba ella furiosa— Pero tú no disfrutarás
viéndola crecer. ¡Nunca estás en casa!

Aunque Aída, entonces, no lo sabía, las palabras que había pronunciado
eran proféticas. José Manuel se encogía de hombros. Ahora que la temporada taurina estaba en pleno apogeo, él se marchaba a casi todas las ferias y

durante varios días. Aquel año toreó poco, si es que llegó a torear. Pero era incapaz de desaprovechar las juergas que se le presentaban al amparo de sus "obligaciones profesionales", como él las llamaba. Las discusiones y, sobre todo la falta de comunicación entre los esposos, se hicieron demasiado patentes como para ignorarlas.

Por entonces, Aída deseaba con toda su alma cumplir los cuarenta años porque pensaba tontamente que, a esa edad, uno ya no sufría por amor. Creía que, con la madurez, llegaría la paz del cuerpo y del espíritu. No tenía la menor idea de lo que Vida todavía le tenía reservado para que experimentase en ese aspecto.

Soledad y Abandono se metían, cada noche, en su cama. Pero también Celos, un personaje al que ella había conocido desde que estaba con José Manuel, venía a atormentarla contándole cosas que algunas veces eran reales y otras no. Pero ella sabía perfectamente que su marido le era infiel porque, en diversas ocasiones, las mujeres con las que él se relacionaba, dejaban rastros y huellas inconfundibles. Su vida se había convertido en un verdadero infie no, ella no sabía cómo luchar para cambiarla y se preguntaba el motivo por el cual no plantaba a aquel hombre que tan poco le aportaba.

Cada vez más, sentía la necesidad de refugiarse en el cariño que le brindaba su prima Maritza, hija de un hermano de su abuela María, y de su amiga María Rosa. Las dos parecían poder llenar el vacío que Isabel había dejado en su vida.

Una noche, Criterio fue a visitarla. Su crecimiento estaba estancado, le dijo muy enojado.

—Es que la infelicidad en la que vivo en mi matrimonio, no me deja ocuparme de ti —contestó ella, convencida.

Pero él no se dio por vencido y volvió al ataque.

—¿Y no te has planteado el hecho de que esa desdicha tenga mucho que ver con no darle la cara a tu marido? ¿Prefieres anularte a ti misma por una relación que sabes que está condenada al fracaso?

Aída se encogió de hombros y Criterio, ofendido, desapareció de forma súbita. Fue en la misma época cuando a José Manuel se le ocurrió una idea que a su modo de ver podría resultar interesante. Un restaurante en el centro de Madrid sería una forma de contentar a Aída que, por su lado, había observado que él estaba perdiendo la ilusión de seguir toreando. José Manuel se asoció con dos amigos y pidió un préstamo a su mujer, con la promesa de devolverle el dinero en cuanto le fuese posible. Ella no se lo negó porque creyó sinceramente que aquella nueva ocupación haría sentar la cabeza a su esparcido esposo.

En un principio, una vez que el proyecto se convirtió en realidad, José Manuel se volcó en su recién estrenada actividad. "El Figón de la Cava", que así se bautizó al establecimiento, estaba situado en una calle emblemática del centro de Madrid, la Cava Baja. El lugar resultó ser muy acogedor y allí se servían viandas y caldos de la mejor calidad.

Aída estaba encantada y orgullosa de lo bien que su marido había montado aquel restaurante por donde empezó a desfilar mucha gente famosa e importante. Parecía que aquella inversión iba a resultar todo un éxito. Pero no solo eso, Inchausti estaba entusiasmado y parecía estar muy contento de haber descubierto algo que le gustaba. Aunque él se veía obligado a llegar tarde por las noches, a su mujer aquello no le molestaba en absoluto.

Sin embargo, lo que en un principio parecía haber sido un negocio serio, transcurrido un tiempo, se tornó en un nuevo pretexto para las interminables juergas de su propietario. Los horarios de cierre, por las noches, que muchas veces él inventaba, no eran los de un restaurante normal. A pesar de ello, Aída no protestó, no indagó y quiso creer que realmente su marido trabajaba hasta muy tarde. Quería y necesitaba con toda su alma poder confiar en él, y no se permitió poner en duda su palabra. Tanto se empeñó ella en seguir creyendo en él que, una noche en la que Criterio decidió ir a visitarla de nuevo, ella, al verlo, se hizo la dormida y él se esfumó, rabioso.

Pero, a pesar de lo próspero que resultó ser el negocio y de la comprensión de su mujer, pasados unos meses, José Manuel lo dejó en manos de sus socios. Por más que Aída intentó animarle a que continuase, él se negó. La hostelería le aburría, le dijo. Además, ella lo sabía, su mundo era el de los toros y el restaurante le robaba un tiempo que él prefería dedicarle a la que él consideraba su verdadera y profunda vocación.

Unos meses después de abandonar completamente el restaurante, José Manuel volvió a pedir otro préstamo a su mujer. Ella lo sabía de sobra y él argumentó con gran entereza: había intentado hacer algo diferente pero, como le había dicho siempre, se había dado cuenta de que lo único que le interesaba en esta vida era torear.

Unos días después Inchausti se fue de viaje, y su mujer, aunque le echa-ba de menos, estaba decidida a ser un apoyo para él y darle una oportunidad a su desmembrada relación de pareja. Quizás fuese verdad que era ella la que provocaba las prolongadas ausencias de su esposo.

En muchas ocasiones, Aída se preguntaba por qué las separaciones, aunque fuesen temporales y breves, le causaban tanto daño. Todavía no se atrevía a conectar y darle plenamente la cara a su pasado. Inconsciencia seguía acompañándola, tal y como ella se lo había pedido y a Aída eso le resultaba cómodo. Pero no conseguía darse cuenta de que la que sufría no era la adulta en la que ella se estaba convirtiendo sino su niña interior. Esa criatura que se queda siempre a vivir adentro de nosotros y a quien hay que sanar. Esa niña, en su caso, que se había tenido que separar continuamente de todo lo que amaba y que sufría, y que se aterraba cada vez que volvía a sentirse sola y abandonada.

Transcurrieron dos semanas desde la partida de José Manuel y, una noche, él la llamó por teléfono. No tenía buenas noticias; los acontecimientos no se habían desarrollado como él había esperado y deseado. No aguantaba más, la extrañaba y quería volver a casa.

—Voy a "tirar la toalla", Aída… Espero que perdones el que te haya hecho gastar tanto dinero… Tengo que reconocer que aquí, en Sudamérica, tampoco he obtenido ni una ínfima pa te de lo que pensaba conseguir…

Una vez más, ella olvidó el montante de la cifra que le había entregado a su marido. No puso ningún impedimento a su precipitado regreso y, como siempre, volvió a recibirlo con los brazos abiertos. Los sentimientos de Aída hacia José Manuel, que confundía el verdadero amor con la dependencia, seguían siendo enfermizos. Ella necesitaba controlar, acaparar y pedir que la quisieran y que se lo demostrasen continuamente.

No obstante, él, que no tenía ningún respeto hacia su relación y llevaba una vida cómoda, mitad de casado, mitad de soltero, tampoco se sentía contento. Desde su regreso, y pasados los primeros días de apasionado reencuentro, el joven volvió a demostrar su falta de interés por ella y por todo lo que la vida a su lado le había regalado. Siguió ausentándose sin necesidad y las palabras que dirigía a su esposa sólo eran párrafos vacíos, peticiones de orden doméstico o solicitudes en la cama. Ella estaba muy cansada de su proceder, sentía que empezaba a sentirse más desprendida de él y a veces le parecía que había dejado de amarle.

Pero, a pesar de aquellos contradictorios y molestos sentimientos que la embargaban cada día más, Aída no tuvo que tomar ninguna decisión unilateral. Su marido la tomó por ella y ni siquiera se molestó en provocar una conversación que la justificas . Inchausti seguía con su juego y no era consciente de la gravedad del asunto. Una tarde, a principios de verano, a eso de las ocho, llegó precipitadamente a su casa y le escupió, de sopetón, que se marchaba de casa.

—No te aguanto, Aída… —le expuso con una frialdad excesiva—, estás demasiado pendiente de mí y yo soy libre… aunque esté casado contigo. De modo que ahora mismo me voy.

—¡Pero si eres tú el que me persigues, José Manuel! —exclamó la sorprendida joven a modo de contestación— Si no me dejas, a pesar de que te lo exigí, ni comer con mis amigas después de las clases de baile porque vienes a buscarme a la hora de la salida… para traerme a casa y marcharte tú. ¿En qué quedamos?

—Es que, una mujer decente no debe de estar por ahí zascandileando. Una mujer tiene que estar en su casa, con sus hijos, esperando a su marido.

—Pues… yo no debo ser "decente" porque ya estoy harta de ti y de tu sinvergonzonerías. ¡Machista e insensible! Eso es lo que eres —gritó ella moviéndose de un lado al otro del dormitorio al que habían subido para seguir hablando sin ser escuchados.

Decididamente aquella conversación no les iba a llevar a ningún lado porque, mientras se insultaban el uno al otro, José Manuel seguía preparando su maleta. Y Aída se sorprendió a sí misma. No hizo nada, esta vez, por retenerle, limitándose a observarle como si de un extraño se tratase. No obstante, cuando llegó la noche, la joven se derrumbó y sintió un gran pánico y tristeza. También le pasó por la mente una idea muy necia que la hizo creerse culpable. ¡Había vuelto a fracasar! Fracaso le retumbaba en la cabeza. Fracaso se acomodó junto a ella, satisfecho por sentirse admitido en su corazón.

Aída no era consciente de lo afortunada que era al contar, todavía, con una buena suma de dinero y una casa propia. Aún no le había llegado la hora de ese importante aprendizaje.

Rafael Leonidas, que vivía muy cerca de ella y en la misma urbanización, resultó ser de un inmenso apoyo moral. También a él, su mujer, Dani, le había abandonado, hacía poco tiempo. Aquel verano, Rafael propuso a su hermana pasar un tiempo con él y la niña en una casita que había alquilado frente al mar. Carlos y Jaime se habían marchado a pasar las vacaciones con su padre, y él pensó que les vendría bien, tanto a Aída como a él, alejarse de sus respectivas casas y sus recuerdos. Unos días después los tres volaron hacia Ibiza a impregnarse de su paz, alegría y belleza.

Los parajes salvajes desde donde se divisa el mar y el olor a pinos eran ciertamente el mejor remedio para los corazones de Rafael y de Aída. En las calas, en donde brillaba un agua color turquesa y transparente, los hermanos se tostaron al sol y se sumergieron, a modo de bautizo renovador, en el mar. El contacto directo con la naturaleza, la alegría de sus conversaciones, las buenas comidas y el descanso les devolvieron la energía malgastada durante los meses anteriores con sus frustradas parejas.

Transcurrieron unos días de feliz diversión hasta que Inchausti se enteró de que su mujer y su cuñado se habían marchado juntos de vacaciones. Entonces decidió hacerles una visita ya que tenía la excusa perfecta para hacerlo. Su hija estaba allí y él quería y tenía derecho a verla. Pero lo que, en un principio, pareció ser una anécdota, se repitió a menudo y José Manuel hizo a los hermanos varias visitas "relámpago". Aída no sabía cómo decirle que ya no era bien recibido.

Para Aída aquel continuo visiteo resultó ser extremadamente molesto porque no la dejaba reflexionar en paz. Estaba empezando a darse cuenta de que prefería vivir sin su marido y que, estando totalmente apartada de él, había recobrado su perdida tranquilidad. Trató de aclarar las cosas con su esposo. Pero a pesar de que ella intentó explicarle que se sentía mejor con su ausencia, le fue imposible conversar con él. Inchausti se limitaba a no escucharla.

La agradable estadía en Ibiza llegó a su fin. Al regresar a casa, Aída ya estaba preparada para los ataques de su marido que la llamaba cada día por teléfono para decirle que quería regresar a su lado. Y ella, cada día, se negaba a volver a aquella "acompañada soledad". Tenía mucha vida por delante y se sentía más tranquila que nunca. Había tomado la decisión de vender su casa. Demasiados kilómetros la separaban del centro de la ciudad y, lo mejor para una mujer que volvía a estar sola, pensó, era volver a instalarse en Madrid ciudad.

Se mudó, con sus tres hijos, a un piso situado en un barrio céntrico en donde vivían, muy cerca, algunos buenos amigos suyos. La joven empezó, poco a poco, a saborear su libertad. No tenía que dar cuentas a nadie más que a sus hijos, podía bailar, cantar, pintar. Podía salir a comer y a cenar afuera, y no tenía que ocuparse de ningún hombre. Estaba encantada y, cuando vino a darse cuenta ya habían transcurrido más de tres meses desde su separación. Pero José Manuel no abandonaba su empeño en volver a su lado. La vida, lejos de ella, no resultaba tan fácil y ahora era él quien estaba obsesionado por retomar la relación.

Un día la invitó a comer al restaurante, del que había vuelto a ocuparse para impresionarla, con la excusa de que quería hablarle de su hija Haydée. Cuando llegó, Aída se vio envuelta en una nube de agasajos, flore , velitas ubicadas en el centro de su mesa, aperitivos, buen vino y anchas sonrisas. Todos los allí presentes parecían haberse confabulado para deleitarla y hacer que su almuerzo resultase de lo más agradable.

Aquella noche Aída no pudo dormir. En su corazón vivía un "sexto sentido" que le hacía desconfiar de José Manuel. Su brusquedad, su violencia, sus desprecios y ausencias le habían dejado una herida muy profunda. Sin embargo, las voces de su infancia, las del colegio y la Iglesia, retumbaban en su cabeza, y la regañaban. De modo que, a la mañana siguiente, a pesar de sus miedos, Aída se levantó sugestionada por sus atavismos y su retrógrada educación. Ni siquiera se planteó sus sentimientos. Solo recordó la ternura que su marido le había inspirado el día anterior. Y, por supuesto, todas aquellas voces que la reprochaban.

Pasó un día en el que hizo verdaderos esfuerzos por ilusionarse por el reencuentro con José Manuel y por la noche fue a verlo al restaurante. Lo intentarían de nuevo. Él volvió a llorar. Ella volvió a enternecerse. Al día siguiente un José Manuel Inchausti, radiante, repleto de maletas, bártulos y regalos para todos, regresó a su hogar. Los niños estaban contentos y Aída un tanto recelosa.

Al principio todo parecía marchar sobre ruedas. Se notaba que ambos estaban heridos por la reciente experiencia, pero dispuestos a luchar por su matrimonio. Pusieron mucho de su parte. Pasó Tiempo, que siempre logra que las cosas evolucionen, se modifiquen e incluso se olviden. Cuando José Manuel volvió a sentirse seguro de que había recuperado a su mujer, volvió a sus antiguas andanzas. Mandaba, decidía y organizaba, cosa que a Aída le importaba poco siempre y cuando le dejase un pequeño espacio para sus aficione . Pronto empezó a faltarle nuevamente al respeto, y las manifestaciones de amor y dulzura con que la había tratado en el reestreno de la relación, se esfumaron como el humo de una hoguera.

José Manuel volvió a desatender a Aída y la dejaba sola durante todo el día. Solía regresar a casa cuando ya estaba bien entrada la noche y casi siempre "cargado" con una copa de más.

A ella no le molestaba como antes la actitud de su esposo y pasaba por alto su abandono. Se decía que si él era así no tendría más remedio que aceptarle y procurar disfrutar de los momentos buenos. Ya sentía que tenía muchas cosas de las que ocuparse y que llenarían el hueco que él dejaba cada mañana cuando se marchaba después de desayunar. Y, aunque a veces Abandono y Tristeza se metían en la cama con ella, Aída procuraba aceptarlos, abrazarlos y decirles que pronto Alegría y Armonía volverían a ocupar su lugar.

El ente que sí llevaba mucho tiempo desterrado de la vida de Aída era Desarraigo. Ella, ahora más que nunca, gracias al flamenc , se sentía muy, pero que muy española. La joven parecía una auténtica flamenca, no solo por su aspecto, cada vez más agitanado, sino por sus gestos y su forma de hablar. Aída parecía también haber olvidado sus raíces dominicanas y no tenía planeado regresar a su tierra. Era curioso que, sintiéndose tan española, no hubiese cambiado ya su nacionalidad.

A pesar de sus esfuerzos por salvar su matrimonio, había algo a lo que la muchacha no quería someterse bajo ningún concepto. José Manuel había empezado a tratarla con desprecio ya fuese en privado, ya fuese en presencia de otras personas. El caso era que, cuando a él se le antojaba, le escupía cosas que la humillaban. Aída no entendía el porqué de aquella actitud tan dañina de su marido aunque le daba la impresión de que él quería vengarse. Quería hacerle pagar aquellos momentos en los que había sido ella la que había tomado las riendas. Y posiblemente tenía razón. Pero hasta ahí ella no dejaría llegar ni a su supuesta bondad ni a su comprensión. No se dejaría denigrar ni por su esposo ni por nadie.

La joven empezó nuevamente a enfriarse y a distanciarse de su marido, al que apenas veía. Cuando él volvía a casa por la noche tenía que compartir su cama, pero ella se negaba a hacerlo para otra cosa que no fuese simplemente dormir. Aquella tozuda determinación de su mujer ponía frenético a José Manuel. Estaba muy mal acostumbrado. Al fin y al cabo, ella siempre le había perdonado y también le había dado muchas oportunidades. A él ya se le habían olvidado los meses de separación y lo que le había costado el volver con ella. Vivía convencido de que Aída le perdonaba siempre porque era "tonta", como ahora se atrevía a repetirle delante de cualquiera.

—Eres tonta, Aída… tonta desde que "te echaron pol coño" —le decía.
Y, cuando ella protestaba, él se reía a carcajadas en su propia cara y ella se
marchaba indignada y dolida.

Por si fuera poco, y para poner "la guinda en el pastel", José Manuel,
celoso como era, cuando Aída le rechazaba en la cama, dudaba de su fidel-
dad. El "macho", comenzó a vigilarla más de cerca, a seguirla a escondidas
a todas partes. Sus inútiles y necias pesquisas llegaron a convertirse en una
oscura ofuscación que le robaba la poca serenidad que tenía. Cuanto más
comprobaba la inocencia de su mujer, más se decía a sí mismo que seguro
que había "gato encerrado" en sus actuaciones.

Sin embargo, la realidad era que Aída tenía otras cosas en la cabeza: sus
tres hijos, las clases de flamenc , cada vez más frecuentes y más intensas y
su afic ón por la pintura la llenaban plenamente. Además, había retomado
sus escritos y sus versos, aunque no tenía intención de publicarlos nunca.
Aída no quería que otro hombre entrase en su vida, por lo contrario, en
aquellos momentos de renovada amargura, lo que menos deseaba era eso.

Además, el recuerdo de la figura de su abuelo había vuelto a ocupar
sus pensamientos. Empezaba a plantearse cosas de las que, desde que había descubierto su historia, no había podido desprenderse, aunque seguía
pidiendo a Inconsciencia que no la abandonase todavía. Estaba cansada,
demasiado cansada para ocuparse de algo que pertenecía al pasado. Aún
era muy joven, no había cumplido los veintinueve años todavía, y llevaba
encima la carga de dos matrimonios y tres hijos.

Aída se refugiaba a menudo en el abrazo y el amparo de su madre, y
le contaba el camino por el que estaba atravesando. Tantana le respondía,
con gran seguridad, que tuviese paciencia porque su matrimonio iba a caer
por su propio peso. José Manuel volvería a marcharse y entonces sería para
siempre. Tantana había sobrepasado la cincuentena del brazo de una belleza
madura que delataba lo bonita que siempre había sido. Ahora era un abrigo,
un enorme apoyo para Aída que la visitaba casi a diarió. De vez en cuando,
ella le pedía que le leyese las cartas.

A pesar de su insuperado miedo a ser castigada por el Todopoderoso,
Tantana no podía negar "echar una manita" de cartas a su desolada hija de
vez en cuando. Sabía que Aída estaba agobiada y que se sentía muy infeliz
con aquel matrimonio. Ahora, todo lo que ella intentase iba a resultar estéril. Su relación de pareja se había convertido nuevamente en una auténtica

pesadilla. José Manuel hasta había llegado a ponerle la mano encima y, además, la agredía y humillaba verbalmente incluso delante de ella.

Pasaron cinco meses de tira y afloja en el que, por más que José Manuel se empeñaba, Aída no quería más que dormir con él. Ella decía que no se podía maltratar a alguien durante el día para después amarle por la noche. Él, por su parte, cada vez inventaba más excusas para redoblarle la vigilancia sin querer darse cuenta de que lo que tenía que hacer era cambiar su irrespetuosa forma de ser para con ella. Hasta que un día, el insensato hombre, enarbolando estúpidos argumentos, volvió a marcharse de casa diciendo que aquella vez sería la definit va.

Cuando habían transcurrido únicamente unas cuantas horas en las que Aída, sumida en un estado de confusión, intentaba aceptar su recién recuperada libertad, se produjo un colosal hecho histórico. El pánico cundió a lo largo y ancho de España cuando un grupo de militares, fieles a la memoria y la política del finado Francisco Franco, pretendieron hacerse con las riendas y el poder del país. Transcurría el mes de febrero de 1981 y los españoles vivieron momentos de gran tensión e incertidumbre. La gran mayoría de ellos pegados literalmente a la televisión, que pudo captar y retransmitir las imágenes en El Palacio de Las Cortes de Madrid.

Sentada en una butaca del salón de su casa, Aída olvidó por completo su tormentosa vida privada y como la mayor parte de sus convecinos, no podía apartar la mirada del televisor. Después de tantos años de férrea dictadura, aquello no podía ser cierto, se decía. Pero la pantalla reflejaba claramente la triste realidad en la que daba miedo ver a un oficial de la Guardia Civil luciendo sendos bigotes y apuntando a los allí presentes con su pistola.

Además, en El Congreso, con la mirada vacía y lejana, y sentada de la forma más natural del mundo, estaba Parca. Cuando la vio, Aída no pudo impedirse el pellizcarse un brazo para cerciorarse de que no estaba soñando. Parecía que nadie se había fijado en Muerte, que iba engalanada de joyas, y vestida con un traje blanco.

Su inusitado aspecto no la delataba en absoluto. Sin embargo, la joven sabía que aquella no era una mujer corriente, y un frío estremecedor recorrió todo su cuerpo. Pero cuando la vio levantarse, contrariada y aburrida, y salir sigilosamente del recinto sin llamar la atención de ninguno de los allí presentes, Aída tuvo la certeza de que no habría que lamentar víctimas mortales. El intento de golpe de estado en España fue abortado y se quedó en un enorme susto que sirvió de lección a muchos.

Un par de meses después, el que seguía siendo su marido, la llamó por teléfono para invitarla a tomar un café y a charlar. Ella acudió a la cita sin poner impedimentos. Tenían una hija en común y no era cuestión de no volver a dirigirse la palabra. Además Aída ya no le guardaba ningún rencor. Estaba demasiado ocupada intentando vivir.

Cuando llegó a la cafetería en donde se habían citado, a Aída le sorprendió ver que José Manuel la estaba esperando. Normalmente sucedía lo contrario. Se dirigió a la mesa en donde el joven saboreaba un café y fumaba un cigarrillo. Le dio un beso de cortesía en la mejilla, a modo de saludo y se dirigió a la barra del establecimiento para pedir que le trajesen una coca-cola.

En un principio la conversación que mantuvieron llegó a ser rutinaria y hasta agradable. Pero cuando José Manuel le propuso una nueva reconciliación, Aída fue rotunda. Ya no había vuelta a atrás. No volvería con él jamás, le dijo con fi meza.

Al despedirse de ella, José Manuel le manifestó su deseo de no verla durante un tiempo, así sería más fácil olvidarse de ella. Aída lo comprendió y hasta sintió un poquito de pena cuando le comunicó que tenía intención de solicitar el divorcio. Lo haría en la República Dominicana ya que por entonces en España aún no existía esa posibilidad. Sin embargo, aquel primer sentimiento fue remplazado por uno de indignación cuando él añadió que tampoco quería ver a su hija. Según el atolondrado hombre, Haydée era un reflejo de su malograda relación. Y, en aquel momento, se arrepintió de haberle puesto su apellido porque presintió que él no se ocuparía nunca de ella.

Aquella fue una etapa difícil para la joven que no consiguió que José Manuel la dejase en paz hasta que él se marchó a Méjico y conoció a la que se convertiría en su segunda mujer.

Rhadames Trujillo con Mimi Trujillo y TantanaMaria Altgracia, Claudia del Carmen, Rafael Leonidas y Mercedes de los Angeles.

CAPÍTULO XVI

...Tanto Ramfis Rafael, como el resto de la familia, habían hecho de la memoria de Trujillo un tema tabú. Únicamente se podía mencionar al finado con amor y respeto...

Mientras, Aída, que seguía practicando flamenco cada vez con mayor pasión, había formado, junto a dos amigas, un grupo en el que ella bailaba y las otras cantaban. Y, para gran alegría de todas, el terceto fue contratado para actuar en algunas galas en ciertos pueblos que celebraban sus fiestas patronales. Por fin iba a poder expresar en un escenario lo que solo había podido demostrar en un estudio. Así comenzó para la joven una carrera profesional que duraría más de diez años. Una vez que hubo probado las tablas, Aída supo que ya no quería dedicarse a otra cosa.

Cuando terminó la gira veraniega, el grupo se disolvió y cada una de sus componentes fue contratada por su lado en distintos lugares. "Los Canasteros", un conocido "tablao flamenco" de Madrid, abrió sus puertas a Aída y la contrató por una temporada de seis meses. Durante ese lapso, la muchacha volvió a sentir una gran premura por regresar a su tierra natal. Hacía ya mucho que había dejado atrás, sin resolver, algo a lo que no podía seguir resistiéndose. No tenía más remedio que volver a enfrentar el pasado y dejar partir a Inconsciencia que se lamentaba y le decía que estaba envejeciendo a pasos agigantados. Su hora de abandonarla ya había llegado, sentenció. Y a pesar de que la joven se aferraba a ella, presa de un miedo inexplicable, resolvió que aquel verano volvería a Dominicana y daría la cara a lo que la estaba reclamando con tanta intensidad, sin importar lo que fuese. Aquella noche, cuando se acostó, Criterio se le apareció y la felicitó.

Durante los comienzos de su incursión en el mundo del flamenco a Aída, que aún seguía siendo muy inocente en lo que al dinero se refería, algunas personas le sacaron todo lo que pudieron y más. Fue como pagar una especie de "derecho de piso" que ella se reprochó durante mucho tiempo.

Pero su nueva profesión no sólo le aportó pequeñas desgracias sino muchas y grandes satisfacciones y experiencias. La joven logró vencer su timidez innata. Descubrió que el calor de los aplausos era una auténtica "droga dura". Nunca había creído ser bonita pero, la acumulación de admiradores que iban expresamente a verla bailar, reafi mó su carácter y su autoestima.

En "Los Canasteros", Aída tuvo la suerte de conocer a Pepa Martínez, una mujer bella y simpática, bailaora como ella, gran artista y mejor persona, que en poco tiempo se convirtió en una de sus mejores amigas. Pepa enseñó mucho a Aída. No solo era técnica lo que había que aprender, había que dejar salir la pasión y el duende que uno guardaba adentro y expresarlos con pasión, amor y fuerza.

Más tarde, Pepa llegaría a ser su cuñada. El principio de todo ocurrió durante uno de los viajes que Rafael Leonidas, que desde hacía un tiempo residía en los Estados Unidos, hizo a Madrid. En aquella ocasión, Rafael se instaló en casa de Aída y conoció a Pepa. Cupido se ocupó del resto. Aunque tuvo que volver a marcharse durante un tiempo, Rafael, desde el momento en que se encontró con ella, tomó la decisión de regresar a vivir a España.

Cuando él volvió a mudarse definit vamente a Madrid, la enamorada pareja decidió compartir casa, vida y sueños. Un tiempo después les nació un hijo fruto de su vertiginosa y bonita relación de amor que terminó en matrimonio.

Cada año, por Navidades, Aída bailaba en un hospital, junto a Irene y Piedad, a las que ahora ella daba clases, para distraer de sus males, durante un rato, a los enfermos y a los que les acompañaban. Sentir que, la presencia de su arte curaba un poquitín las heridas del alma y del cuerpo de aquellas personas, producía, en su corazón, un gozo indescriptible. Nunca se había sentido tan necesaria para con los demás. Se dio cuenta, además, de que la música y la risa pueden ser muy importantes y útiles para los que sufren, tanto como lo es cualquier calmante o medicina administrado por prescripción médica.

Mercedes se declaró como una de las mayores admiradoras de su hermana. Afi maba que Aída no solo había tenido el coraje de enfrentarse a la sociedad y a la familia, haciendo lo que le gustaba, sino que lo hacía muy bien. A ella, según sus propias palabras, le deleitaba su arte y se lo demostraba yendo a verla bailar a menudo y haciéndole bonitas fotografías que después ella misma revelaba en su casa.

Ramfis Rafael no estaba de acuerdo con que Aída actuase en público. Él también era muy machista y consideraba que las mujeres decentes no debían subirse a un escenario. Fue a verla actuar una sola vez, a regañadientes y arrastrado por Peque, y nunca se supo si a él le gustó su actuación porque de su boca no salió ningún comentario. Pero lo que sí dio claramente a entender, un tiempo después, por la contrariada y furibunda expresión de su cara, fue que no le agradó, en absoluto, ver que a Aída la entrevistaban, en un conocido programa de televisión, y la presentaban como "la bailaora nieta de Trujillo".

Tanto Ramfi Rafael, como el resto de la familia, habían hecho de la memoria de Trujillo un tema tabú. Únicamente se podía mencionar al finado con amor y respeto y, por supuesto, nadie tenía derecho a poner en entredicho su bondad, su sabiduría y sus magníficas cualidades gubernamentales. El que se hiciese alusión a la vinculación del malogrado mandatario con una artista, sobre todo siendo su propia nieta, resultaba insultante y degradante.

Se puede imaginar, entonces, lo extremadamente difícil que se le hacía a Aída el querer profundizar en el hallazgo que había hecho sobre la vida y obra de su abuelo. Si su familia consideraba el que ella se dedicase profesionalmente al baile, como una deshonra para su memoria, cómo iba a comprender el deseo de ella por ganar claridad sobre ciertas cosas. El desconcierto invadía a Aída que, a pesar de sus vivencias, aún no había aprendido a "volar sola" y dependía en exceso de la aprobación de los demás.

Aquel verano, como tenía previsto, Aída viajó a Santo Domingo y volvió a dar la cara al tema que tanto le dolía. Fue, a su regreso, cuando la joven empezó a rodearse de personas de izquierdas. Necesitaba absolutamente conocer todo lo que le habían ocultado, y frecuentar a los anteriormente temidos "rojos" con que tanto la habían amedrentado cuando era una niña.

Hubo un momento en el que la joven llegó a considerarse atea y comunista porque no existían términos medios para la rebelde. Aunque le doliese, si alguien le hablaba mal de su abuelo, demostraba una indiferencia que tampoco era natural. Era como si le hubiesen arrancado la parte de su corazón que albergaba el amor a su viejo y la hubiesen arrojado al mar. Ya ni siquiera exhibía sus fotos en su casa.

Tan despegada y dura se había vuelto en lo que se refería a su historia que los que la conocían ni se lo mencionaban sino era en tono de delicada y soslayada broma. Tantana, su madre, la reprendía diciéndole que ella no era quien para juzgar a su antecesor. Pero lo único que conseguía era que su hija se burlase de ella.

Fue también por entonces cuando Inconsciencia la abandonó por completo y permaneció en Santo Domingo cuando ella regresó a España. Aída se dio cuenta, entonces, de que el que había sido el niño Criterio se había convertido en un apuesto joven. Aquel año de 1985, Aída descubrió, de manera fortuita, sus dotes de vidente. Transcurría el mes de julio y había sido contratada para bailar en "La Venta del Gato", un tablao flamenco situado en las afueras de Madrid. El local gozaba de gran éxito por lo que las actuaciones solían terminar tarde, bien entrada ya la madrugada.

Una mañana, la joven se despertó mucho antes de su hora habitual. Serían las nueve de la mañana cuando, dejándose llevar por un extraño impulso, en medio de su ensueño, buscó las barajas españolas que guardaba en un cajón del aparador situado en el saloncito de estar de su casa. Se sentó en una silla, al lado de la redonda mesa que presidía la habitación en donde las extendió, y las observó como si fuese la primera vez que las hubiese visto. De pronto, sintió como si una fuerza misteriosa le demandase revisar las cartas una por una. Ella obedeció y comenzó, además, a asignarles un significado que después iba anotando en un papel de fo ma automática.

En aquel momento, Aída carecía de la lucidez necesaria para plantearse el porqué estaba actuando de aquel modo y, una vez hubo terminado su extraña labor, volvió a acostarse quedándose, al momento, profundamente dormida.

Más tarde, cuando se levantó, la muchacha no se acordaba de nada y se dirigió, como de costumbre, directamente a la cocina para prepararse un café. De pronto se fijó en el manojo de cartas y en los apuntes esparcidos sobre la mesa, cuyo leve recuerdo se le había antojado ser un sueño y que, sin embargo, ahora contemplaba ahí, materializado, presente.

La situación resultaba absurda, posiblemente todo era un invento de Imaginación que, debido a su profesión, últimamente la acompañaba con gran frecuencia. A ella nunca se le había ocurrido ponerse a predecir el futuro, a pesar de que, por el lado familiar materno, aquello parecía ser algo muy normal. Pero, ahora, se sentía arrastrada por esa fuerte presión desconocida e incontenible.

En un primer momento, Aída se tomó el asunto como un juego sin importancia al que muchas de sus amigas se prestaron. Todas sentían curiosidad, al igual que ella, por conocer el resultado de aquella nueva experiencia en la vida de la joven. Después, sin embargo, como la mayoría de las cosas que ella predecía se iban cumpliendo, tanto una como las otras, se dieron cuenta de que aquello no se trataba de una simple diversión.

Aída recordó, entonces, a todos los personajes "ajenos" a este mundo que la habían acompañado y que, como Criterio, que cada vez crecía más, seguían haciéndolo. No era, por tanto, tan extraordinario que ella fuese vidente, como lo era su madre y lo habían sido su abuela y la madre de ésta. Todo formaba parte de una herencia natural, y el episodio de las cartas y los apuntes había venido a revelárselo. Para Aída ese don pronto se hizo más evidente y su intuición fue acentuándose de forma asombrosa. Pero ella prefirió divulgarlo a pocas personas. Al igual que su madre, a ella no le interesaba convertirlo en su "modus vivendi".

Y fue durante ese tiempo cuando Escasez se acercó a Aída real y poderosamente y no solo se coló, como cuando era una niña, en su imaginación. Vino acompañada de Miedo que se hizo muy patente cuando la mujer se quedó sin el pequeño capital que le quedaba y que había ido menguando, y escurriéndose por las rendijas de sus ventanas, poco a poco. Los dos venían de la mano a darle unas cuantas lecciones y a demostrarle que ella "sí podía".

Al principio también Desesperación se instaló en su casa para no dejarla mirar hacia adelante. Pintó sus paredes de negro y cerró las persianas a cal y canto para que no pudiese ver la luz. Desesperación fue muy poderosa en aquellos momentos: la obligó a borrar de su mente que ella sabía bailar, que hablaba cuatro idiomas y que era tan valiosa como otros. Lo único que permitió a Aída fue pedir ayuda a su familia. Sabía de sobra que se la iban a negar y, entonces, ella triunfaría y se apoderaría completamente de la joven.

—¡Haberlo pensado antes! —Aída no daba crédito a sus oídos… ¿Era María Altagracia la que le daba aquella dura respuesta a su petición? Aunque al principio no le entraba en la cabeza, e insistió intentando llegarle al corazón, la joven tuvo que rendirse a la evidencia. Era verdad, su querida hermana la estaba rechazando sin demostrar ni un mínimo atisbo de compasión.

—¿Sabes, Aída? Yo no tengo ninguna obligación para contigo… Y poseo lo justo para que mi hija y yo podamos vivir bien —prosiguió, y acto seguido le colgó el teléfono.

En aquella ocasión, Aída se derrumbó, para gran deleite de Desesperación que, sentada en su cama, se reía a carcajadas mientras ella intentaba quedarse dormida para olvidar su dolor durante unas horas. El dinero que ella había heredado de su padre, durante aquellos años de "dar y no recibir", se había esfumado. En los escasos negocios en los que Aída había invertido, siempre había perdido. Ella no tenía ni idea de cómo hacer crecer un pequeño capital. Ni siquiera sabía cómo mantenerlo. Además de ser madre de tres niños, la mujer era excesivamente generosa y desprendida. Siempre que podía, socorría a quien lo necesitase y las parejas de su vida no la habían apoyado, ni si quiera aconsejado, en lo que a la economía se refería.

Aída no entendió la fría actitud de su hermana. Hasta entonces, las dos parecían haber estado muy unidas, pero ahora estaba claro que la cosa había cambiado. De ella no obtuvo ni una sola palabra de consuelo. María Altagracia se distanció bruscamente y dejó de dirigir la palabra a su hermana. Parecía como si, de algún modo, se sintiese amenazada por su presencia, ahora que era pobre.

Aquellos primeros tiempos junto a Escasez, Desesperación, Tristeza y, nuevamente Abandono, resultaron terribles para Aída que se debatía entre el dolor y la angustia. No tenía ni idea de cómo se las iba a arreglar sin un capital, por pequeño que fuese, que la respaldase. Simplemente, no sabía qué hacer, estaba completamente bloqueada.

A lo largo de su vida, ella no había tenido suerte con el amor. Ya fuese por sus elecciones, siempre erróneas, ya fuese porque ese era su destino, o por el motivo que fuese, sus manos estaban vacías. Durante su infancia se había sentido abandonada por su familia, había deseado recibir unas caricias y unos abrazos que nunca recibió. Hasta ahora, la falta de amor había sido algo que la había acompañado durante casi toda su existencia y ella había aprendido a lidiar con esa gran carencia que parecía prevalecer en todo su círculo familiar. Resultaba muy doloroso, pero Aída sabía, de antemano, qué terreno estaba pisando.

Ahora se le planteaba una cruda y desconocida realidad que le había dado la vuelta totalmente a sus creencias, y había cambiado todo por completo. Era, imprescindible, volverse más práctica y menos romántica. Aunque sintiese la tristeza que produce el vacío del desamor, no había más remedio que tomar medidas para arreglar su situación económica. Y Aída no confiaba en ella misma para lo rarlo. Se sentía impotente e inútil.

Como si le proyectasen la película de su pasado, vio como el dinero se le había escurrido de las manos. Se dio cuenta de que había querido comprar amor regalando dinero y ahora era consciente de que había obrado mal porque ese sublime sentimiento no puede comprarse. Aquel pensamiento la hundió aún más, tan trabada estaba en su derrota. Aún no podía comprender todo lo que la nueva situación venía a enseñarle. Se sentía perdida, con Autoestima, que lloraba desconsolada por el suelo, y no era capaz de apreciar los recursos que tenía. Solo deseaba que alguien viniese a protegerla. Tenía mucho miedo.

A pesar del gran dolor que el rechazo de María Altagracia le causó, la joven decidió pedir ayuda al resto de sus hermanos. Estaba convencida de que, cuando se quiere a alguien, no se le puede negar el apoyo para poder salir adelante. Pero aquella certidumbre se desmoronó completamente cuando, con la única excepción de Rafael Leonidas, el resto de sus hermanos actuaron del mismo modo, dándole la espalda.

Aída sintió nuevamente el frío que produce la presencia de Abandono, que la penetró con su gran fuerza masculina e inundó la sangre de sus venas apoderándose de todo su ser. Pero, a pesar del dolor que la invadía, convencida, se dijo a sí misma, una gran verdad: "No hay más ciego que el que no quiere ver". Con esa célebre frase asumió su responsabilidad absoluta.

En el transcurso de una de las insomnes noches de aquellos terribles días, Criterio se presentó en su habitación y sonriéndole le preguntó que si ella era consciente de que él tenía que seguir creciendo junto a ella. La joven no supo qué contestar.

—Cada persona tiene que tener su "propio criterio"... Yo soy el tuyo... —continuó el joven— Ya va siendo hora de que tú también actúes según tus propias creencias.

—Me tuviste a tu lado en aquellos difíciles, momentos de tu vida en los que, a pesar de las enormes dificultade , seguiste hacia adelante con tu decisión de anular tu primer matrimonio —prosiguió—. Pero, aunque por entonces eras incapaz de verme como ahora, yo estaba contigo. Recuerda también que, aún siendo muy niña, decidiste que jamás abandonarías a tu madre... yo te guiaba.

Aída permanecía atenta y callada y Criterio continuó hablando.

—¿Recuerdas cuando tu padre murió? —añadió— Sí, claro... ¿cómo ibas a olvidar eso? Ya sé que ese episodio fue muy doloroso para ti. Te sentiste nuevamente abandonada, ¡pobrecita! Pero no voy a hablarte de eso ahora, niña... Yo, que había crecido un poco, muy poco la verdad, fui reducido a una verdadera miseria. Tú te dedicaste a hacer lo que todos y cada uno de tus familiares te pedía, y no echabas cuenta de mí. Firmabas todo tipo de documento, incluso los que te perjudicaban directamente, para lograr que ellos te amaran. ¿Y qué fue lo que conseguiste? Menos dinero, menos amor y mucho menos respeto, si es que alguna vez te lo tuvieron.

Aprovechando que su interlocutora no pronunciaba palabra, el travieso Criterio siguió recordándole anécdotas que ella creía haber olvidado.

—Tengo guardadas, desde hace ya un tiempo más que prudencial, algunas creencias tuyas acerca de tu abuelo y de tu familia en general. No te has atrevido a sacarlas a la luz, algo más que comprensible. Eso no es una tarea fácil. Pero... volvamos adonde estábamos... ¿Cuándo piensas hacerlo? Aída, intenta no seguir engañándote a ti misma.

—Te fuiste de un extremo al otro, buscando el equilibrio que necesitabas... —continuó Criterio, ignorando el llanto que se había apoderado de la joven— Pero fue también por entonces cuando tomaste la decisión de enterrar, en lo más hondo de tu ser, todo lo que te habías atrevido a descubrir, ignorándolo, omitiéndolo, para no sufrir. Y empezaste a crearte problemas de todo tipo que te mantendrían "distraída".

—¿Cómo es eso de que "empecé" a crearme problemas? —exclamó Aída, indignada.

—¡Uy! ¡Perdóname! —replicó Criterio con sorna— Se me había olvidado que todavía no has alcanzado ese aprendizaje en el que uno sabe que puede "crearse" muchas de las cosas que le ocurren. Aunque, si no me falla la memoria, recuerdo que hace algunos años escribiste un verso que terminaba diciendo algo así: "…..me lleno el alma de fatal descuido y busco problemas por no hallar vacío…"

—No, no te falla la memoria... —contestó Aída— La verdad es que no entiendo por qué escribí aquello.

—Primero —continuó Criterio impasible—, empezaste por la convivencia, imposible y tremenda con el que fue tu marido, el torero. Que, por cierto, toreaba poco, ¿no? Je, je… Perdona que me ría pero es que… hija, lo tuyo es de risa.

—Pero, no contenta con eso… cuando te separaste de él, a pesar de lo fuerte que fuiste, sin ceder a sus peticiones, seguiste dejándote manipular por tu familia. Y, para reafi marte en lo "buena" que eres desde pequeña, dilapidaste lo que quedaba de tu pequeña fortuna en aras de gente que no vale un céntimo. Y lo peor es que no tienes ni idea de cómo lo has hecho.

—Eso es verdad —respondió Aída tristemente—, no tengo ni idea de cómo lo he hecho.

—Es comprensible que te hayas arruinado. Cuando no se tiene lo esencial para subsistir, la falta de esa energía no le deja a uno pensar. Dime, ¿crees que merece la pena, por no enfrentar el pasado, boicotear el presente? —prosiguió el joven— Pues bien, si de verdad piensas así… sigue creándote sufrimiento. Ese es tu criterio, o sea, ese… soy yo. Je, je, je… —y acto seguido abandonó la habitación sin salir por la puerta ni por ningún otro sitio aparentemente visible.

La charla de Criterio hizo reaccionar a Aída que se esforzó por vencer su abulia. Se levantó de la cama dando un salto y resolvió dar la cara a Vida y a lo que ella viniese a ofrecerle nuevamente. De ahora en adelante, se prometió, amaría a las personas como eran realmente. Y, si no era así, intentaría dejarlas partir sin rencores. No era tarea fácil, iba a costarle muchos esfuerzos y tiempo, lo sabía, pero lo intentaría.

En los días que siguieron, el apoyo y la presencia de Rafael fueron un dulce bálsamo para Aída. El sentirse querida por su hermano le dio fuerzas para echar a Desesperación de su lado. Empezó a planear nuevas opciones, nuevos caminos que le permitirían seguir adelante. A pesar de ello, no pudo arrojar a Escasez ni a Miedo y mucho menos a Abandono. Los tres se habían instalado en su casa con la intención de quedarse junto a ella durante aún mucho tiempo. Aquel fue el comienzo de una época difícil. Aída sentía que estaba participando en un juego peligroso y desconocido para ella, cuya meta le parecía imposible de alcanzar. Sin embargo, logró tomar algunas decisiones. Una de ellas fue vender su piso y comprarse uno más pequeño.

La nueva casa resultó ser muy agradable y era inmensamente luminosa y acogedora. Estaba situada en el último piso de un edificio ubicado en un barrio menos caro, en la calle Ronda de Segovia. Una gran terraza, casi del mismo tamaño que la propia vivienda, y que desde el primer momento la cautivó, enseñoreaba el conjunto. En ella, se dijo la joven, podría tener y cuidar muchas plantas que alegrarían un poco su nueva e incierta vida.

Unos días después de haberse mudado, Aída se topó con un apartamento que estaban arrendando por un precio muy asequible. Cuando lo vio, se le encendió la chispa de la ilusión y, sin pensarlo demasiado, resolvió alquilarlo. Lo convertiría en estudio de baile, decidió, eufórica. Bailaría por las noches en el tablao y durante el día daría clases de flamenc .

Por entonces, la mujer descubrió que podía hacer muchas cosas que antes ni le habían pasado por la imaginación. Se encariñó mucho con su ático al que arreglaba, decoraba con sus propias manos y con pocos medios, y bendecía cada mañana. Su hogar se convirtió en un imán para la alegría.

Por las mañanas, la joven se levantaba muy temprano para que le diese tiempo a preparar un buen desayuno a sus hijos antes de que se marcharan al colegio. Aunque no tenía los medios económicos suficiente , Aída se resistía a mandarlos a la escuela pública. Sentía que no tenía derecho a ello y que, mientras ella pudiese, sus hijos recibirían una educación adecuada.

Por entonces, Aída conoció a Pilar, una muchacha que, al igual que ella, carecía del afecto y del apoyo de su familia. Enseguida congeniaron y, por tener ésta última un carácter un tanto "anarco", las nuevas creencias de Aída se afianzaron mucho más. Su recién adquirida amiga tenía un sentido del humor que lograba arrancar una sonrisa de sus labios cuando las cosas se ponían feas.

—Mira, Aidita —solía decir Pilar con ese aire de "sabelotodo" que adoptaba—, tó se arregla con una buena comida y un buen polvo.

Pero era verdad que la vida de Aída, siempre agitada, ahora parecía haber caído en una extraña rutina. La joven salía antes de las nueve y media de la mañana para llegar a tiempo a dar la primera clase del día. Alrededor de las tres, entre clase y clase, picaba cualquier cosa en alguna tasca de los alrededores, y después volvía al estudio y seguía trabajando hasta las siete o las ocho de la tarde.

Cuando se marchaba el último, o la última alumna, la mujer regresaba a casa. Era el momento de estar con los niños, vigilar sus estudios y procurar que se asearan. Les servía la cena y se sentaba con ellos, aunque solía comer poco porque le hacía daño bailar con el estómago lleno.

Una vez recogida la mesa, Aída se duchaba, se vestía y se maquillaba. Acostaba a los chicos y a eso de las diez de la noche salía rumbo al tablao. Por suerte, "El Corral de la Morería" estaba bastante cerca de su casa. Aída, que seguía amando el flame co con toda su alma, hubiese deseado no tener que bailar por obligación. Las continuas noches de falsa juerga cada vez le pesaban más. A excepción de los lunes, que era su día de libranza, Aída regresaba a casa, como pronto, a eso de las tres de la madrugada y, al día siguiente, volvía a levantarse antes de las siete y media. Realmente, como le había dicho Criterio, por entonces no tenía tiempo ni de acordarse de quién había sido su abuelo.

Para Aída, lo más triste de aquellos momentos resultó ser la actitud de desidia de algunos a los que ella había considerado amigos. Cuando ella se arruinó, muchos se alejaron. Sin embargo, quedaron los verdaderos, para gran regocijo suyo. Además de Irene y Piedad, Toli, Carmela, Carmen, entre otras, se solidarizaron con ella una auténtica recua de personas nuevas en su vida. Jesús Castro, Javier Girón y Andrés Rodríguez Alarcón fueron algunas de las muchas personas que tanto la ayudaron.

La joven, que por entonces era ya bastante delgada, perdió en pocos días, mucho peso. Se quedó tan flaca que toda su ropa se le quedó grande. Pero pudo, aquel primer mes de diciembre en su recién estrenada casa, con el dinero que tanto le había costado ganar, celebrar las Navidades y comprarles regalos a sus hijos.

Una noche, de esas que parecen no tener nada que brindar, Pilar se empeñó en que salieran a tomar unas copas. ¡No todo podía reducirse al trabajo y a las obligaciones! Dijo a su amiga, obligándola, prácticamente, a vestirse y maquillarse y arrastrándola literalmente a una discoteca de moda.

Y fue por una de esas casualidades, en las que Aída ya no creía, que Destino la puso, otra vez, frente a frente a un hombre que había conocido un par de años antes.

Gerardo Iglesias, además de ser, a su modo de ver, guapo e interesante, le producía una fascinación especial por ser el "mandamás" del partido político Izquierda Unida. Habían pasado más de once años desde que se había producido el fallecimiento de Franco y España se había convertido en un democrático reino. Gerardo había estado en contra de la dictadura desde que tenía uso de razón. Su familia, su entorno y las injusticias que había conocido, le habían convencido. Él era de Mieres, ciudad asturiana y minera. Ya de adulto, se empeñó tanto en la lucha contra el franquismo que fue recluido en la cárcel durante cinco largos años y en múltiples ocasiones arriesgó su vida en pos de sus ideales. Aída le admiraba y le consideraba uno de los pocos políticos honestos que conocía. Transcurrió una velada muy agradable que acabó en una relación corta y, sin embargo, tierna y muy enriquecedora para Aída.

Un día, ella abrió su corazón a Gerardo y le comentó que estaba hecha un verdadero lío. No sabía ya cuales eran sus verdaderos sentimientos con respecto a su difunto abuelo. Él, que no lograba entenderla del todo pero admiraba su coraje y su entereza, la escuchó atentamente y después exclamó.

—¡Quédate con tu abuelo! Ese es mi consejo, Aída… Tú no tienes nada que ver con el otro, con el dictador, pero sí con el que tanto amor te dio en la infancia… ¡No lo olvides nunca!

CAPÍTULO XVII
CAPÍTULO XVII

...Este energúmeno, por el simple hecho de ella apellidarse Trujillo, sin conocerla en absoluto, se atrevía a hablarle de la forma en la que lo estaba haciendo...

Un tiempo después de su ruptura con Gerardo, sus amigas Irene y Piedad la invitaron a una fiesta de disfraces a la que, después de Pilar insistir mucho, Aída asistió a regañadientes. Pilar, no solo la animó a que se arreglase y a que acudiese al festejo sino que, para facilitarle las cosas, le ofreció quedarse al cuidado de los chicos. Aída no podía imaginar que esa noche conocería al que, en un futuro no demasiado lejano, se convertiría en el padre del cuarto de sus hijos.

Al llegar a la casa en donde se celebraba la mascarada, se topó con un joven, delgado y de aspecto peculiarmente desaliñado. No resultaba, a primera vista, un hombre especialmente guapo. Sin embargo, el brillo de sus ojos, mitad inocente, mitad pícaro, y la amplitud de su sonrisa, de dientes impecablemente blancos, le convertían en alguien muy atractivo.

Se llamaba Enrique Gabriel, y en cuanto la vio se lanzó por ella y no se le despegó en toda la noche. Enrique, nacido en Buenos Aires, llevaba ya varios años viviendo en Madrid aunque, desde hacía un tiempo, había fijado su residencia en París, ciudad a la que adoraba. Estaba totalmente convencido de que allí le sería más fácil convertirse en director de cine, su gran vocación. No quería seguir ejerciendo de ayudante de dirección, oficio que desempeñaba por aquel entonces, durante toda su vida. Él, además, era un buen guionista que pretendía llevar sus historias a la gran pantalla.

Transcurrieron tres meses de sublime idilio. Con la única excepción de Gerardo, Aída nunca había podido conversar con ninguna de sus parejas como lo hacía con él. Había elegido siempre a hombres poco cultos y sin grandes inquietudes en lo que a la cultura se refería. Aída no solo se enamoró de Enrique sino que empezó a sentir una gran admiración por él y sus guiones de cine que le parecieron interesantes y muy originales. Pero la magia de aquel romance se quebró porque, como él le había advertido a Aída desde el principio, tenía que regresar a París para continuar con sus planes profesionales.

La joven había aceptado aquella condición que él le impuso, convencida de que, el simple hecho de haber conocido a Enrique y haber tenido la oportunidad de vivir una relación con él, había valido la pena. Lo que no impidió que, la mañana en la que él se fue, Aída quedase encerrada dentro de un duelo callado y oscuro a pesar de que, en Madrid, una claridad reverberante, producida por un magnífico sol de mayo, entraba por las ventanas y por la puerta de la terraza de su ático.

Apenas él salió, se adueñó de ella una enorme nostalgia, que por su inmensidad podía transgredir las leyes físicas y hasta se colaba por el auricular del teléfono. Aquello provocaba que, cada vez que Aída hablaba con sus amigos, éstos empezaran a llorar sin entender el motivo.

Transcurridos unos días, aquella tremenda nostalgia traspasó la frontera y la distancia que la separaban de Enrique y se filtró también por su teléfono. El joven, que tampoco podía resistir la separación, dos semanas después de su partida, mandó a su amada un billete de tren para que se reuniese con él.

Después, los encuentros de la pareja, entre Madrid y París, fueron en aumento. Y para su regocijo, unos meses más tarde a Enrique le ofrecieron trabajar en un largometraje que se iba a rodar en el sur de España. Fue entonces cuando él decidió involucrar a Aída en el mundo del cine. Aquel sería el mejor modo de estar juntos y además ella ganaría un dinero que superaría, con mucho, lo que iba a dejar de ganar en su estudio de baile.

La joven se sintió pletórica de felicidad ante la oportunidad que se le ofrecía. Iba a poder estar al lado de Enrique sin dejar de trabajar. Además, Lucía, la madre de Enrique, se ofreció para hacerse cargo de los niños. Tanto ella como su esposo, Isidro, desde el primer momento, miraron a la joven con muy buenos ojos, y hacían todo lo posible por facilitarle los encuentros con su hijo.

Finalmente, llegó el día de partir hacia Sanlúcar de Barrameda, una bonita ciudad andaluza, emplazada al lado de la desembocadura del río Guadalquivir, que era en donde se iba a realizar el rodaje. Aída estaba emocionada y algo asustada pues desconocía por completo los entresijos de ese mundo, y no quería dejar en mal lugar a Enrique. Sin embargo, él la animaba, la apoyaba y confiaba tanto en su buen hacer que, en poco tiempo, Aída se sintió como si hubiese estado realizando aquella labor desde siempre.

El trabajo era duro pero estaba muy bien remunerado. Enrique y Aída aprovechaban los días de descanso para hacer alguna excursión por los alrededores. Se amaban y se sentían llenos de vida; eran muy felices.

"Luna Menguante", la finca propiedad de un antiguo almirante de la flota española, tío lejano de Enrique, que desde el primer encuentro le tomó a Aída un gran cariño, estaba situada cerca de Sanlúcar y los jóvenes acudían allí frecuentemente en sus ratos libres. La joven empezó a adorar a aquel viejito, Manuel Romero, cuyas arrugas no impedían ver que había sido muy apuesto, de ojos de color azul turquesa, como el mar al que él tanto amaba.

Enrique y Aída coincidieron con la hija de Manuel, Liana, que estaba casada con un americano y que iba de vez en cuando a visitar y a quedarse en casa de su padre. Ella era amante de cualquier cosa que se saliese de lo corriente y de todo lo folklórico o curioso. Por tanto, estaba encantada con la idea de que la novia de su primo fuese la nieta del que había sido un conocido dictador.

Liana organizó un paseo en el que primero visitarían la ciudad natal de doña María, la difunta abuela de Aída, Chiclana de la Frontera. Allí degustarían unos vinos olorosos en un lugar muy conocido, "Sanatorio", almorzarían después en Zahara de los Atunes y a continuación irían a bañarse a una playa cercana y, a su modo de ver, muy bonita. Para rematar el día, terminarían tomando unas copas en casa de un amigo suyo que vivía muy cerca de esa playa.

Cuando la tarde empezaba a caer, los tres, con el natural y sano cansancio que el baño de mar les había regalado, subieron nuevamente al coche, dispuestos a rematar el día con algún que otro "cubalibre".

Una empinada carretera flanqueada de ficu , hibiscus y buganvillas, conducía a casa del amigo de Liana. El blanco y alto muro, la puerta de hierro forjado, los perros, el telefonillo automático con pantalla y el sirviente, que finalmente vino a abrirles, protegían su morada

Liana fue la primera en entrar y él la recibió esbozando una gran sonrisa y dándole un fuerte abrazo. Después vinieron las presentaciones. El hombre, embadurnado de "Chanel pour Homme", ataviado con un batín de seda y pantufl s de gamuza color natural, invitó a seguirle hasta una terraza que resultó ser, además, un maravilloso mirador desde donde se podía contemplar el mar, con sus brillos del atardecer, en todo su esplendor.

—¿Qué queréis tomar? —preguntó el hombre a la vez que llamaba a su mozo de comedor.

Cuando el mozo se marchó, Liana, que no pudo contenerse por más tiempo, le comentó a su amigo que, la sorpresa que le tenía guardada era que, la novia de su primo era, nada más y nada menos, que la nieta del que había sido Trujillo, el famoso dictador de la República Dominicana. Aída, a quien no gustaba fli tear, evocando a su abuelo, se quedó callada y tímida, mientras Liana se explayaba, dando tanto detalle como conociese, e incluso alguno más.

Mientras la escuchaba, su amigo permanecía silencioso y cejijunto. Parecía muy interesado en el relato de Liana y la dejó terminar de hablar. A continuación, con una frialdad que impresionó a todos, sin perder la compostura, ni el empaste de su pelo engominado, se dirigió a Aída, mirándola directamente a los ojos.

—Si eres nieta de Trujillo —le dijo con gran parsimonia—, ¡no eres bienvenida en esta casa!

Ella se sintió desagradablemente sorprendida y extremadamente violenta. Pero su única reacción fue intentar disimular. Enrique optó por actuar del mismo modo para no poner a su prima en un compromiso. Ambos siguieron conversando como si no hubiesen escuchado al hombre que ahora se había vuelto a quedar en silencio pero que no quitaba ojo a Aída, como si de algún bicho raro se tratase.

Liana, por su parte, estupefacta, optó por escupir una nerviosa y disparatada verborrea en la que se refería, principalmente, a la vida de los famosos y famosillos de España. Empezó a criticar a unos, a alabar a otros, a preguntarse por qué Dios habría permitido que Fulano se saliese con la suya y que Mengana tuviese que sufrir tantos desengaños.

Liana seguía hablando y hablando. Su amigo parecía escucharla pero no despegaba la mirada de la joven que cada vez se sentía más incómoda.

—¿Sabes, Aída? —exclamó de repente— tu abuelo fue un a-se-si-no!

Aída, que nunca habría podido imaginar que el final de aquel día de alegre asueto se iba a convertir en una pesadilla, estaba achantada. No obstante, recobrando algo de fuerzas y con una entereza que sorprendió a todos los allí presentes, incluyendo al dueño de la casa, contestó.

—¡Sí, sí…, ya lo sé! —Y, dolida por enésima vez por tener que soportar que le hablasen mal de un ser tan querido para ella, pero al que ella no podía, no sabía defender, se tomó de golpe la mitad de la segunda copa que le habían traído.

Además de lo que ella sentía, Aída estaba violenta por Liana que había enmudecido súbitamente. Aquel desagradable ser era el amigo de ella y Aída intuía que Liana, de algún modo, se sentía culpable por haberlos llevado a su casa, aunque ya no sabía cómo deshacer el entuerto. Y, aunque tenía ganas de tirarle el resto de su bebida en la engominada cabeza y después largarse, por consideración a la prima de Enrique, Aída intentó "mantener la calma".

Pero el hombre no la dejó. Aunque todos cambiaban continuamente el rumbo de la conversación, él insistía. Cualquiera habría pensado que, sin querer, se sentía atraído y magnetizado por la presencia de aquella mujer en su casa.

—¿Lo sabes, no? ¡Tu abuelo fue un asesino! —repitió.

Aída, una vez más, no se dio por aludida. Empezó a distraerse observando los pequeños detalles que tenía una pared revestida de azulejos típicos de Andalucía. De pronto recordó a Gerardo Iglesias. Él, que desde niño había luchado contra el fascismo. Él, que había estado cinco años en la cárcel por haber defendido sus ideales políticos. Él, un ser humano sensible que le había dicho que "se quedase con su abuelo". Gerardo era tan diferente a este hombre, quien era un falso demócrata, que maltrataba a quienes él consideraba inferiores, ya que ella había visto con sus propios ojos cómo se comportaba con sus trabajadores. Este energúmeno, por el simple hecho de ella apellidarse Trujillo, sin conocerla en absoluto, se atrevía a hablarle de la forma en la que lo estaba haciendo, sin importarle, ni tan siquiera, la presencia de la que decía ser su amiga, que cada vez se ponía más colorada de vergenza.

El que no quiso permanecer callado esta vez fue Enrique. Miró a su prima y luego se encaró al dueño de la casa y le escupió, sarcásticamente, algo que consiguió enmudecerlo durante unos instantes.

—¡Sí! Es muy posible que ella lo sepa mejor que tú. Pero también es muy viable que, un sábado, a las siete de la tarde, después de haber estado trabajando diariamente entre catorce y dieciséis horas durante toda la semana, no le apetezca hablar de ello.

Enrique parecía haberse hecho con la situación. Liana respiraba y Aída, aunque ya no era capaz de relajarse, se prometía a sí misma que, por deferencia a los que la acompañaban, iba a evitar en lo posible "montar un numerito".

Pero, no habían transcurrido ni cinco minutos cuando, el supuesto demócrata, el arrogante dueño de aquel palacio a quien, los obreros y sus propios sirvientes, molestaban con su sola presencia, volvió a arremeter en contra de ella.

—¡Aída Trujillo, no eres bienvenida en esta casa! —sentenció con la naturalidad del que da a alguien los buenos días.

Ella no pudo resistirlo más. Sin articular palabra, se levantó, cogió su bolso y se dirigió a la puerta. Salió al jardín, llegó hasta la verja de la entrada, tocó el timbre y el sirviente, desde la cocina, le abrió. Estaba indignada, furiosa, dolida. Había en su cabeza tal mezcolanza de pensamientos que no hubiera sabido, por más que se lo hubiese propuesto, qué era lo que verdaderamente sentía.

Empezó a bajar por la carretera que tan alegremente, y en coche, había subido una hora antes. En esos momentos no se acordaba de Enrique ni de Liana. Solo escuchaba una voz que le decía que no era bienvenida. Tampoco sabía cómo iba a regresar a Sanlúcar, pero eso era lo de menos. Ya se las arreglaría. Cuando había recorrido algo menos de medio kilómetro aparecieron, montados en el automóvil, Enrique y su prima. Ellos también habían dejado plantado a aquel indeseable. Pero, cuando empezaron a hablarle de él, Aída les pidió que se callasen. No podía más.

Esa primera película fue el comienzo de una breve carrera profesional para Aída que llegó a trabajar, siempre a las órdenes de Enrique, primero en producción y más tarde como jefa de vestuario en varios largometrajes, comerciales y "video clips". Una nueva y enriquecedora experiencia en su vida.

A su regreso a Madrid, Enrique recibió un par de ofertas de trabajo en España. Entonces, ni corto ni perezoso, sabiendo que no iba a ser rechazado, decidió instalarse en casa de Aída, a quien propuso colaborar con él también en los próximos rodajes. Empezó así una etapa de felicidad amorosa y económica en la que la pareja vivía encantada y la vida transcurría tranquila y divertida a la vez.

Un día, y por sorpresa, llegó a la vida de Aída una persona que se convertiría en alguien muy querido para ella, Paloma Trujillo. Paloma, una mujer muy bonita, se presentó al día siguiente, impecablemente vestida y acompañada de su hija. Dijo ser hija del segundo matrimonio de un hermano de su abuelo Rafael.

La primera impresión que se llevó Paloma fue motivo de gran desilusión para ella que esperaba encontrarse con alguien muy diferente. La nieta de Trujillo, vivía en un modesto piso y no llevaba encima ni un solo vestigio de los lujos de los que había gozado en el pasado. A pesar de que el momento parecía no haber sido el más propicio para conocerse, ocurrió entre ellas algo bueno, una energía muy positiva, que logró unirlas y consiguió que, con el paso del tiempo, se fueran tomando un cariño grande y sólido.

La vida transcurría con cierta rutina que habría sido calificada por muchos como una continua aventura ya que era raro que no aconteciese algo que cambiase los planes, las directrices y la organización del hogar de Aída. Pero, en medio de su jungla particular, la relación con Enrique parecía haberle aportado la estabilidad que ella tanto deseaba.

Un día cualquiera, la joven recibió la noticia de que su cuñada y amiga, Peque, esposa de su hermano Ramfis Rafael, después de doce años de convivencia, había tomado la decisión de poner fin a su matrimonio. La suya había sido una relación difícil. Ramfis Rafael, un hombre joven, de muy buen ver y con dinero suficiente para no verse obligado a trabajar para ganarse el sustento, era un ser que sufría enormemente. En el fondo de su alma, aquel hombre que tenía mil posibilidades en la vida, se sentía imperfecto e indigno de amor. Su infancia, alejada también del calor de un hogar, le había marcado profundamente y él no había sabido elegir un camino que pudiese ayudarle a sanarla.

Entre él y Peque parecía imposible mantener durante mucho tiempo un espacio de paz. Ramfis Rafael tenía siempre algo que reclamar a su mujer. Todo el vacío que él sentía lo volcaba en ella, haciéndola responsable de su malestar. Incluso cuando él tomó la decisión de regresar a vivir a Dominicana, demostrando ser todo un valiente pionero, la lejanía no puso fin a aquellas peleas motivadas por retorcidas elucubraciones de su cerebro.

Además, Ramfis Rafael era un hombre muy celoso y desconfiado que veía enemigos por todas partes.

El gran cariño que sentían la una por la otra había logrado que, Peque y Aída mantuviesen su amistad, a pesar de la gran distancia geográfica que ellas salvaban por medio de llamadas telefónicas y afectuosas misivas. Ramfis Rafael, sin embargo, se mantuvo distante. No quiso ayudar a su hermana cuando se arruinó y tampoco se interesó por su vida ni la de sus hijos. Nunca la llamaba ni le escribía y, aunque aquello dolía a Aída, con tal de no perder el poco cariño que él le tuviese, ella tragaba con todo.

A lo largo de su vida, Ramfis Rafael se volvería a emparejar dos veces más. La primera sería con una mujer oriunda de Panamá, país al que posteriormente se iría a vivir con ella. La relación duraría unos años y, tras su ruptura, él regresaría a vivir a Dominicana. Allí conocería a la que sería su última pareja, con la que contraería matrimonio: Denise. Pero, a pesar de rehacer su vida, él nunca quiso liberarse del rencor, que guardaba celosamente en el corazón, hacia su segunda mujer por haberlo abandonado. Por ese motivo, nunca perdonó a su hermana Aída que no se dejó chantajear cuando él la amenazó con retirarle el habla, para toda la vida, si seguía tratándose con ella. Lo que en aquellos momentos ninguno podía imaginar era que Ramfis Rafael, por des racia, cumpliría su palabra.

El tiempo transcurría feliz junto a Enrique. Ambos viajaban con frecuencia a París en donde él tenía alquilado un pequeño estudio. Aída admiraba la forma tan original de su pareja de escribir guiones. Sus ideas le parecían diferentes y frescas. Él se sentía un tanto frustrado porque aún no había conseguido llevar ninguno de ellos a la "Gran Pantalla".

Cuando se le destapaba "el alma eslava" característica de sus antecesores rusos, que tan profundamente arraigada llevaba en sus adentros, Enrique se volvía insoportable. No solamente su humor se tornaba agrio sino que, a todo su ser, le embargaba un pesimismo contaminante y capaz de infectar a todo aquel que se le acercase.

Aída intentaba animarle pero eso le resultaba imposible. Cuando Enrique entraba en ese especial trance no se podía razonar con él. A la casa entera, junto con sus habitantes, la envolvía una nube negra y en ella se instalaban Desazón, Desesperanza y Desaliento. Aída hacía grandes e inútiles esfuerzos para echarles a base de enormes dosis de Optimismo que, cansado de fracasar en su intento, se marchaba de paseo durante horas e incluso días.

En cierta ocasión, estando él de viaje, Aída leyó un guión de Enrique que la dejó muy impresionada. Era peculiarmente original y muy divertido y, antes de acabarlo, ella intuyó que aquella historia pronto se iba a convertir en película. Mientras ella las leía, sus páginas, escritas a máquina, se habían tornado, como encantadas por algún misterioso mago, en imágenes animadas que parecían estar siendo proyectadas en una pequeña pantalla, escondida adentro del libro.

Entonces Aída consultó con su Baraja Española y ésta le respondió diciéndole que tenía que ayudar a Enrique a producirla. Le indicó que la persona apropiada para ello era alguien a quien ella quería. La película, en un futuro no demasiado lejano, se iba a realizar.

Después de la consulta Aída quedó pensativa. Por la gran fuerza con la que se habían manifestado, ella estaba segura de la veracidad de sus cartas. Pero no se le ocurría a quien dirigirse ni por dónde empezar a ayudar a su compañero. Aquella noche tardó en dormirse pensando en ello. Cuando por fin lo consiguió, tuvo un sueño muy agradable. En él se veía, a sí misma, sonriente junto a Enrique y a Jaime Oriol, el ex marido de María Altagracia.

Cuando despertó por la mañana, recordó su sueño y entendió perfectamente su significad . Jaime había abandonado la abogacía y llevaba varios años siendo productor de cine. Y era, además, alguien a quien ella quería. ¡Y mucho! ¿Cómo podía no haberlo pensado antes?

Sin perder el tiempo, Aída lo llamó por teléfono para proponerle, como hacían de vez en cuando, almorzar juntos. Pero todavía no quiso mencionarle nada. Unos días después, los dos amigos se citaron en un restaurante. Durante el almuerzo, Aída aprovechó para hablarle del guión de Enrique y pedirle que por lo menos le diese una oportunidad y lo leyese.

Entonces Jaime, por complacerla, la invitó a ella y a su compañero, que ya había vuelto de viaje, a cenar en su casa. La curiosidad le había picado y quería que Enrique le contara personalmente el argumento que tanto había encandilado a su amiga.

En aquella ocasión, Enrique estuvo realmente inspirado. La narración que hizo de aquella disparatada historia que él había escrito, hizo reír tanto a todos que, cuando se marcharon a casa, Aída ya sabía que lo había conseguido. Jaime produciría la película. Y no se equivocaba cuando se lo afi ma ba a Enrique que no conseguía ser tan optimista como ella.

Unos días después Jaime los llamó. Estaba decidido a producir la parte española de la película. Como la trama de la historia se desenvolvía en París, había que conseguir a alguien que quisiera coproducir la parte que correspondía a Francia.

La noticia fue motivo de gran alegría para la pareja, a pesar de que ambos sabían que ahora había que trabajar duro y que quedaba aún mucho por hacer. Era necesario obtener subvenciones, participaciones, en fin, todo lo que se necesita para la realización de un largometraje, que es mucho más de lo que parece. Pero Aída confiaba plenamente en el buen hacer tanto de Enrique como de Jaime. Ellos lo iban a lograr, de eso estaba segura.

Al cabo de un año de duro trabajo y plena dedicación, lo que había sido un proyecto, se convirtió en realidad. En unos días empezaría el rodaje del primer guión de Enrique Gabriel que iba a representar también su comienzo como director de cine. El trabajo duraría siete semanas que se repartirían entre París, Madrid y Bruselas.

Y como, tanto las épocas de bienaventuranzas, al igual que las de infortunio, suelen venir de la mano, coincidió que en la misma época Aída, ayudada por un buen abogado y mejor amigo, Rafael Mombiedro, cobrara una comisión inmobiliaria millonaria.

Antes del comienzo del rodaje, la mujer recibió en su casa una rara visita. Una paloma mensajera, blanca como la nieve, había venido a posarse en el alféizar de una de las ventanas de la terraza. Mucho alegró su corazón aquella presencia no anunciada pues ella supo, desde el primer momento, que aquel era el presagio de algo bueno. Pocos días después, su hermano Rafael la llamó y le contó algo que ensombreció su alma. Él también había recibido una visita poco corriente. También era la de un pájaro, una lechuza, que se había caído por la chimenea de su casa. Aída intuyó que aquella no era una casualidad. De pronto tuvo la certeza de que ella iba a seguir recibiendo dones maravillosos pero que algo doloroso iba a sucederle a su querido hermano. Sin embargo, Aída desterró aquel desagradable pensamiento y se dijo en silencio que las lechuzas eran famosas también por traer buena suerte.

Unos días después, Enrique y ella embarcaron, junto al resto del equipo cinematográfico español, en un avión que les llevaría a Bruselas. Allí fue en donde empezó a materializarse el sueño profesional del nuevo y flamante director de cine; los primeros planos de su película "Krapatchouk", que era el nombre de unas montañas imaginarias, inventado por él.

Aída regresó sola a Madrid, porque tenía que preparar el vestuario para la parte del rodaje que se iba a realizar en la capital. Una vez reanudada la filmación, volvió la alegría que suponía trabajar con un equipo que, además, por su rebosante entusiasmo, parecía haber copado por completo el Palacio de Congresos de la ciudad.

Pero aquella felicidad se vio transformada de la noche a la mañana cuando Rafael llamó a su hermana para darle una triste noticia. A Pepa, su esposa, le habían diagnosticado un cáncer. Una gran tristeza invadió el corazón de Aída que empezó a reunirse con ellos todos los domingos, el único día de descanso que tenía. Sentía que, por desgracia, su compañía era lo único que podía darles en aquellos duros momentos.

Durante el rodaje de "Krapatchouk" en Madrid, se le confi mó a Aída una sospecha que tenía desde hacía unos días. ¡Pronto volvería a ser madre! Aquella fue una noticia que llenó de felicidad a todos.

Al finalizar la filmación, Enrique regresó a París para realizar el montaje de la película. Pero Aída no le acompañó. Prefirió acompañar a Pepa y a su hermano a Pamplona, en donde ella recibiría tratamiento de quimioterapia. A pesar de la alegría que le producía su estado gestante, no podía impedir que la tristeza de ellos la afectara enormemente.

Cuando regresaron a Madrid, Aída se dispuso a buscar una vivienda más amplia, ahora que la familia iba a aumentar. Un mes después los Gabriel Trujillo se trasladaron a un bonito y gran piso, cuyo alquiler, se encargó de empezar a mermar la recién estrenada riqueza de sus inquilinos.

La nueva casa habría de ser escenario de muchos y nuevos acontecimientos. Pero ahora ella estaba centrada en el proceso de crecimiento del que sabía iba a ser un varón y que pronto vendría a este mundo. Con amorosa dedicación y una inmensa carga de ilusión, la feliz futura mamá fue preparando una habitación, y todo lo necesario para recibir a aquel regalo que el Cielo le enviaba.

María Altagracia, que desde hacía un tiempo había decidido volver a relacionarse con su hermana, también había quedado encinta casi a la vez que ella. Las hermanas se veían a menudo, y compartían ilusiones propias de su estado. Parecían estar más unidas que nunca. Aída, que no era rencorosa, había olvidado sus desplantes y su anterior abandono.

Llegaron las Navidades, un nuevo año, el 1992 en el que nacerían los bebés de ambas y, después el, tan esperado por los niños, día de Reyes Magos.

Las dos hermanas decidieron celebrarlo al estilo español. Reunieron a toda la familia en casa de Aída, entorno a un enorme roscón, típico de ese día, y litros de chocolate dulce y caliente.

—Como una verdadera familia... —Pensaba complacida Aída. Y, aunque echaba de menos a su hermano Ramfis Rafael, seguía albergando, muy adentro de su corazón, la esperanza de que algún día la recuperaría.

Tres pisos más arriba, en el mismo inmueble, vivía una amiga muy querida, Concepción de la Torre. María Altagracia, que era también amiga de Concepción, decidió subir a visitarla a su casa.

La reunión en casa de Aída siguió alegre y despreocupada, centrada únicamente en la diversión y las risas estridentes de los niños que habían convertido el pasillo en una eventual pista de carreras de coches. El tiempo pasó deprisa, como ocurre siempre que estamos disfrutando de algo. Cuando la tarde amenazaba con convertirse en noche, la familia fue recogiendo poco a poco a sus hijos y los juguetes que estaban esparcidos por todas partes. Tantana fue la última en despedirse pues, siempre que podía, aprovechaba la ocasión para estar con Aída a solas. Era la hija con la que más confianza tenía y con la que más a gusto se sentía

Apenas unos minutos después de que Tantana se marchase, cuando Aída, ayudada por Haydée, recogía los restos de la que había resultado ser una alegre merienda, sonó el teléfono. La chiquilla levantó el auricular y le dijo a su madre que, al otro lado de la línea, estaba su amiga Concepción que pedía que se pusiera. La doctora le dio a Aída una mala noticia pues María Altagracia estaba teniendo una hemorragia. Pero, para tranquilizarla, también le dijo que ya había avisado a su médico y que seguramente no pasaría nada malo. Aída, sin perder tiempo, subió corriendo a ver a su hermana, y la encontró hecha un mar de lágrimas.

—No llores, mi amor... ya verás cómo todo se arregla! —le dijo dulcemente acariciándole la cabeza.

Al rato llegó el doctor Mayo, el médico que atendía a María Altagracia, acompañado de un especialista en ecografías que traía un aparato portátil. Los dos galenos la examinaron y le diagnosticaron una "placenta previa" por lo que, a partir de aquel momento, debería guardar reposo absoluto. Pero, a pesar de seguir sus consejos, pasados unos días María Altagracia tuvo que ser ingresada en una clínica, con dolores de parto. Aunque en un principio el médico intentó controlarlas, porque todavía era pronto para el alumbramiento, las contracciones del útero no cesaron. Así transcurrieron tres días tras los cuales, en vista de que la medicación no surtía efecto, el médico decidió practicarle una cesárea.

Cuando fueron a llevarse al quirófano a su hermana, Aída, que estaba con ella en la habitación, vio que, al lado del enfermero que empujaba la camilla, iba una mujer bastante rara. Llevaba, como él, una bata y un gorro verdes. No era ni guapa ni fea, ni joven ni vieja y, más que andar, parecía flota . Aída acompañó a los tres hasta la puerta del ascensor, dando la mano y susurrando palabras de aliento a su hermana.

Pero, cuando llegó el momento de despedirse de ella, se dio cuenta de que la extraña enfermera no tenía piernas. Aquella inverosímil mujer parecía un dibujo incompleto porque, a pesar de no tenerlas, podía caminar como si algo invisible la sujetase. Y fue cuando también se percató de que, por el modo de manipular la camilla y la actitud de estar realizando una labor a solas, el enfermero no podía verla.

Ya se había cerrado la puerta del ascensor cuando, Aída, que se había quedado de piedra, fue capaz de reaccionar. Se dirigió nuevamente a la habitación y se desplomó en un sofá que estaba destinado a convertirse en cama si alguien se quedaba a acompañar al enfermo por la noche. El pánico se había apoderado de ella. Aquella supuesta enfermera no era otra que la propia Muerte, ¡estaba claro! Aída sintió mucho miedo por María Altagracia. Permaneció sola durante hora y media sin poder mover ni un dedo hasta que la puerta de la habitación se abrió. Era el doctor Mayo que enseguida le comunicó que María Altagracia estaba bien pero que la niña que esperaba había fallecido.

Cuando Aída recibió aquella noticia rompió a llorar y se mareó pensando en la pequeña pero, sobre todo, pensando en el momento en que su hermana despertaría de la anestesia. ¿Por qué, se preguntaba, tenían que ocurrir tantas tragedias alrededor suyo, justo en una de las épocas más felices de su vida? Y mientras pensaba en ello, le pareció que alguien le susurraba al oído algo que ella no entendió en absoluto: —No olvides la maldición.

El 20 de abril, acompañada por Enrique, Aída ingresó en la clínica en donde daría a luz. Por la tarde del mismo día, le nació un precioso niño, sano y muy glotón. Cuando lo tuvo en sus brazos, olvidó de golpe toda la tristeza que la rodeaba. La llegada de Nicolás provocó que, con casi cuarenta años de edad, Aída rejuveneciera, física y moralmente.

Se volcó en cuerpo y alma en aquella hermosa criatura que la vida le había regalado. Ella sabía que había recibido un regalo. Más tarde se daría cuenta de que Nicolás iba a ser su aliciente y su fortaleza para poder sobrellevar la tremenda lucha que le esperaba.

Pasó una época en la que la única ocupación de Aída era el cuidado de su bebé. En casa la relación entre Enrique y sus hijos empezaba poco a poco a volverse tensa. Aída no entendía los motivos y se envolvía en una nube de ignorancia.

También, en aquellos momentos, María Altagracia, a quien Aída reservaba una atención especial después de la pérdida de su hija, estaba pasando un mal momento económico. Por lo que le contaba, su penúltima pareja, un conocido político italiano, había tenido serios problemas en su país, debiendo huir y esconderse para evitar la cárcel, y la había involucrado a ella en el asunto. Aunque Aída no entendía lo que le había pasado a su hermana con aquel hombre, aceptaba el hecho de que ella había perdido su status económico y sabía que tenía que ayudarla.

Aída estaba convencida de que el ayudar a su hermana era algo natural. No se apuntaba ningún mérito por hacerlo. Cuando querías a alguien las cosas tenían que ser así, se decía en silencio. Dentro de sus posibilidades, siguió "echando un capote" a María Altagracia, a quien dedicaba tiempo, energía y dinero.

Por entonces, Enrique y ella empezaban a vivir una gran crisis de pareja. Ya durante el embarazo de Nicolás él había manifestado celos de los hijos de ella. La angustiada mujer había albergado la esperanza de que aquello fuese algo pasajero. Pensaba que con el nacimiento del niño las cosas se arreglarían. Seguramente, al convertirse Enrique en padre, comprendería lo que se quiere a un hijo y ya no la agobiaría con los de ella.

Y así ocurrió tras la venida de Nicolás a este mundo que fue cuando Aída creyó haber ganado la batalla a aquellos absurdos celos. Durante un tiempo en el que Enrique se vio obligado a viajar constantemente para promocionar su película, la paz parecía haber vuelto a reinar en su hogar. Aunque no estaban casados, para Tantana, al igual que para Aída, Enrique era su marido. Llevaban ya muchos años viviendo juntos y el Cielo les había bendecido con el nacimiento del que hacía el número dieciséis de sus nietos. La abuela, quizás presintiendo que ese niño, en el futuro, iba a ser la salvación de su hija, estaba tan ilusionada y "enamorada" del bebé como si hubiese sido el primero.

Pasadas las primeras Navidades desde la venida al mundo de Nicolás, en un intento por salvar su vida en común, Enrique propuso a Aída que le acompañara a Argentina. Allí pasarían unos días tras los cuales se desplazarían a Punta del Este, en Uruguay, lugar en el que iba a celebrarse un festival de cine al que él estaba invitado como director de "Krapatchouk".

Después de unos días y más de doce horas de vuelo, la pareja aterrizó en Buenos Aires. Allí pasaron tres semanas muy agradables. Sus tristes malentendidos y distanciamientos parecían haberse olvidado.

Aída llamaba a su casa en días alternos. Los chicos estaban bien atendidos por Carmen Delgado, su fiel y querida amiga, y Rafael también les echaba un vistazo de vez en cuando. Pero cuando quedaban pocos días para regresar, éste le dio una mala noticia. A Tantana la habían tenido que ingresar en una clínica, abatida por una neumonía. Aída tuvo un mal presentimiento. Su intuición le avisó de que, a pesar de que su hermano le había quitado importancia a su dolencia, algo muy malo estaba ocurriéndole a su madre.

Cuando regresaron a Madrid, la mujer fue a visitarla al centro médico en donde estaba hospitalizada. Tantana parecía no encontrarse demasiado mal y se alegró mucho cuando volvió a ver a su hija y a su nieto.

Aída decidió salir un momento al pasillo, con la excusa de que quería fumarse un cigarrillo, y fue a buscar al médico que estaba atendiendo a su madre. Nada más hizo salir de la habitación, llegó María Altagracia que se unió a ella.

Cuando le preguntaron, el galeno les habló sin tapujos y sin rodeos. Tantana tenía cáncer y su opinión era que no le quedaban más de tres meses de vida. Dos días después, gracias al consejo de un gran médico y amigo, Andrés Rodríguez Alarcón, sus hijos sacaron a Tantana del hospital. Le quedaba poco tiempo de vida y era mejor para evitarle mayores sufrimientos, que el desenlace se produjese tranquilamente en casa. Él se encargaría de recetarle medicamentos que le aliviarían los dolores. Tantana, que creía padecer una simple infección respiratoria, se alegró mucho y pidió a Aída que la llevase a su casa a recuperarse, y ella la complació, encantada y tragándose su pena. A los cinco días Tantana entró en coma y pocas horas después, falleció.

Aunque nadie más pudo verla, Aída se dio cuenta de la presencia de Parca, que sonreía en un rincón de la habitación. Se dirigió, fuera de sus casillas, hacia la espectral y negra figura, con la intención de agredirla. Pero, cuando estuvo cerca de ella, la acompañante del Sueño Eterno, se esfumó y Aída tuvo que contentarse con golpear la pared en la que antes ella se había apuntalado.

Sin embargo, el espíritu de Tantana no abandonó a su hija y estuvo, durante bastante tiempo rondando por su casa y por su vida. Al principio, Aída sólo sentía una fuerte presencia. Pero un día la vio claramente, caminando por el pasillo de su casa. Sin embargo, aquella aparición no le produjo ningún miedo, al contrario. Con el tiempo, cuando surgían problemas, se acostumbró a invocar a ese espíritu tan querido.

Parecía irónico que a la pobre Pepa, después de casi dos años debatiéndose entre la vida y la muerte, no le hubiese llegado su fin y que a Tantana, que nunca había tenido síntomas, la enfermedad se la hubiese llevado con tanta urgencia. La pobre desgraciada sobrevivió un mes a su suegra, aunque ya estaba en las últimas y los médicos la mantenían todo el día narcotizada para evitarle los terribles dolores que de lo contrario hubiese padecido.

Todos estos tristes acontecimientos llevaron a Aída a creer que Enrique estaba arrepentido por su comportamiento con los hijos de ella porque, durante una temporada, retornó a ser la persona dulce y amable que ella había conocido en un principio. Pero volvió a errar en su apreciación, alimentada por el profundo deseo que tenía de salvar su matrimonio. A Enrique, ahora que tenía un hijo con ella y ya había formado una pequeña familia, los de Aída le sobraban. Pasado un tiempo, retomó su actitud en la que no escatimaba amargura, reproches y malestar.

Ahora Enrique le reclamaba a su mujer que ella le consideraba menos que a sus hijos y que él se sentía desplazado. Y puede que fuese verdad que él se sintiera así. Pero, la realidad era que, por su lado, también los chicos echaban en cara a su madre que ella siempre estaba de parte de su marido. Aída no supo manejar la situación, que fue agravándose peligrosamente. Su mundo se venía abajo. La relación había concluido por más que ellos se empeñasen en no querer admitirlo.

Unos años después Aída escucharía por primera vez, de los labios de un gran amigo y maestro, Adolfo Domínguez, una frase que le haría meditar: En la vida, cuando alguien que vino a enseñarnos alguna cosa ya cumplió su propósito, suele alejarse de nosotros. Y, aunque nos impongamos el retenerle, si no lo hace de un modo físico, se aleja moralmente, que es aún peor. Después, cada vez que se sorprendía a sí misma empeñada en una lucha encarnizada por conseguir lo que fuese, intentaba aplicársela, aunque eso no resultase ser una tarea fácil. "Me abandono y atraigo hacia mí lo que realmente me pertenece…"

Pero en aquellos momentos, las continuas discusiones entre la pareja habían llegado hasta un punto tan álgido que hasta Jaime decidió irse de casa. Se fue con Carlos que un tiempo antes ya se había ido a vivir con sus abuelos. Aída sufrió mucho, y todo lo que estaba ocurriendo contribuyó a separarla aún más de Enrique.

Pero, aunque Desamor vino a visitar y se instaló en la vida de ellos, aún transcurrieron dos años hasta su separación definit va durante la cual Aída volvió a sentir el vacío y la pena que produce un fracaso sentimental. La casa se le había quedado grande, al igual que el precio que pagaba por el alquiler. La buena situación económica de la que había gozado, se había marchado de su vida de la mano de su malograda unión con Enrique.

La entristecida mujer, tirada en el sofá, incapaz de levantarse, una noche se puso a repasar todas las vivencias que se habían producido en aquella casa, que ahora le parecía inmensa y fría, tan distinta a su ático de la gran terraza. En aquel piso, sólo había sido feliz, y mucho, eso era verdad, cuando Nicolás nació. Aída decidió que se marcharía con él y con Haydée a otro lugar en donde los tres empezarían una nueva vida.

CAPÍTULO XVIII

CAPÍTULO XVIII

...Pasados unos meses, el negocio se fue al traste. No funcionó como parecía prometer en un principio y tuvieron que echarle el cierre para siempre. Aída se arruinó completamente...

En aquella época, Aída estaba desorientada, se sentía perdida. Se daba cuenta de que su vida se había reducido a una constante búsqueda frustrada del amor de pareja. Y, esa pesquisa, ahora se le antojaba ser igual a una patética obra de teatro en la que el protagonista tenía que ser "Aquel que colmaría sus sueños" y que se encargaría de llenar el gran vacío que seguía sufriendo su alma. Ese "Príncipe Encantado", de cuya existencia nos convencen desde la más tierna edad, por supuesto, no había llegado y lo más probable era que nunca lo hiciera.

Aunque desde hacía años estaba interesada por los temas espirituales y con todo lo relacionado con el Yo Superior que llevamos dentro, y no con doctrinas "fabricadas" por seres humanos pertenecientes a diferentes creencias, Aída nunca se había involucrado tanto como lo estaba haciendo ahora. Estaba tomando conciencia de que la Plenitud no podía reducirse a sentirse feliz al lado de un hombre. Tenía que existir algo más.

Un tiempo después, una conocida propuso a Aída abrir un negocio. La idea de vender sólo rosas la sedujo enormemente. Empezó a buscar locales en alquiler y a ahondar en los entresijos de aquel mundo nuevo, creativo y desconocido para ella. Como ya no disponía de mucho capital, tuvo que arreglárselas también para encontrar financiación

Aunque esas gestiones ocupaban casi todo su tiempo, pasado más de un año después de su separación de Enrique, el destino la puso nuevamente frente a frente a Amor. El encuentro ocurrió una noche en la que, junto a unas amigas, Aída celebraba el santo de una de ellas que coincidía con el final de la Semana Santa

Alfredo era corpulento y bien parecido. Tenía el pelo negro como el azabache, la tez muy blanca y una mirada triste que a ella se le antojó ser una especie de abismo de melancolía y ternura. Además, el joven resultó ser muy divertido y no paraba de hablarle y hacerle preguntas sobre su vida. La conversación se deslizaba con facilidad hasta que ya se hizo muy tarde y todos se despidieron, no sin antes él haber pedido a Aída su número de teléfono.

Al día siguiente la llamó para invitarla a comer y a partir de entonces empezaron a verse a diario. Los dos comenzaron a amarse y daba la impresión de que ya nunca podrían estar el uno sin el otro. Alfredo se encariñó mucho con Nicolás, y el niño con él, algo que terminó de conquistar a la madre coraje que vivía en Aída. Alegría, Armonía y también Fantasía habían regresado a su hogar.

Pero, detrás de aquella auténtica imagen dulce y cariñosa, Alfredo guardaba un malsano bagaje de estúpidos prejuicios. Tuvieron que pasar años hasta que él se decidiera a presentar a Aída a su familia, con la única excepción de Javier, su hermano, al que ella había conocido la misma noche en que se encontró con su amado. Y ella no había querido darse cuenta de que él se avergonzaba de su pasado, aunque la quería mucho, y que se aferraba a su soltería a la que no pensaba renunciar por una mujer divorciada y que era madre de cuatro hijos.

Los dos vivieron, como la mayoría de las parejas, muchos altibajos. Los padres de Alfredo, nunca miraron con buenos ojos a Aída debido a la diferencia de edad, ella le llevaba casi diez años, y a aquel pasado que no les inspiraba ninguna confianza. Y él que estaba muy mediatizado por la familia, por los vestigios de su educación franquista comenzó a espaciar sus visitas proponiendo a Aída no verse tan a menudo. Pero, a pesar de sus propósitos de distanciarse, Alfredo era incapaz de conseguir separarse de ella. Cuando transcurrían varios días sin verse, si él no la llamaba, Aída lo hacía superando su orgullo. Y él volvía a lanzarse a sus brazos.

Con la práctica de ese nocivo juego "amoroso", al que los dos se fueron acostumbrando, pasó casi un año. Aída pensaba que algún día él cambiaría porque, eso sí, estaba segura del amor de Alfredo. Mientras, ella seguía trabajando con ahínco para convertir en realidad su negocio de venta exclusiva de rosas y, gracias a su constancia, terminó por conseguirlo.

La boutique de rosas abrió sus puertas antes de las Navidades del año 1996 y, en un principio, resultó tener más éxito del que las socias habían esperado. Haydée, se apuntó al proyecto y empezó a trabajar en la tienda de su madre. Aprendería el ofi io y además estudiaría un curso de jardinería. Y así transcurrieron unos meses en el que el trabajo, bonito y creativo, llenaba las vida de Aída y de su hija.

Ella, aunque con menos asiduidad, seguía viéndose con su hermana María Altagracia que le contaba que su situación económica todavía no se había resuelto. Como sentía que necesitaba reflexionar y su tía Josefina, hermana de Tantana, la había invitado a su casa, había decidido, además, irse a vivir a Santo Domingo durante una temporada. Aída estuvo de acuerdo en que aquel cambio le vendría bien a su hermana y se alegró por la decisión que había tomado.

Al principio, cuando María Altagracia se estableció en Dominicana, llamaba por teléfono a Aída casi a diario y parecía estar mucho más animada que antes de su partida. Pero, cierto día, pasada la medianoche, el "rin" del teléfono interrumpió la calma de Haydée y de su madre que estaban, tranquila y relajadamente, viendo una película en la televisión, mientras Nicolás ya dormía en su cuartito. Al principio las dos se sobresaltaron pero, cuando Aída cogió el auricular y escuchó la voz de María Altagracia, se tranquilizó.

—¡Hola!, ¿cómo estás? ¿Cómo te van las cosas por allá? —le preguntó a su hermana, pidiendo a Haydée, con un gesto de su mano, que bajase el volumen del televisor.

—Regular… tan sólo regular… —contestó María Altagracia con un timbre de voz de ultratumba que volvió a intranquilizarla.

Y cuando Aída le preguntó si ocurría algo malo, ella respondió agresivamente que tenía problemas con Peque, su ex cuñada, porque ésta la había demandado por difamación.

Aída se quedó muy sorprendida. Conocía el carácter soberbio de su hermana pero, desde hacía un tiempo, esa forma suya de ser, parecía haberse dulcific do. No entendía nada pero, de lo que sí estaba segura, muy segura, era de que Peque era una persona que vivía su vida y dejaba en paz a los demás.

—¿Qué le has hecho a Peque, hermana?... —preguntó, intuyendo que María Altagracia era la que había provocado aquel conflicto cuyo motivo aún desconocía.

Con toda naturalidad y dando por hecho, como de costumbre, que ella llevaba razón, la mujer contestó.

—Pues... simplemente afi mar en público que ella, en su momento, le fue infiel a Ramfis Rafael... cosa que es erdad, ¿no?

—¡¿Qué?! —atinó a responder Aída, que no daba crédito a sus oídos.

—¡Claro que sí! —insistió la otra.

—¿A ti te consta, María Altagracia? ¿De verdad sabes a ciencia cierta que Peque traicionó a nuestro hermano?

María Altagracia no contestó a su pregunta y Aída continuó hablando.

Se produjo un silencio que fue nuevamente interrumpido por Aída que podía percibir la intensa rabia que su hermana sentía al verse contrariada. —¡Pues yo puedo asegurarte que esa es una calumnia que deberías intentar enmendar! ¡Entre mi amiga y yo nunca ha habido secretos... te lo aseguro! Y, además... ¿has pensado por un solo instante en nuestras sobrinas, sus hijas, que viven con ella en un país en donde casi todo el mundo se conoce?

María Altagracia seguía callada, pero echaba chispas que se introducían por el teléfono y salvaban la distancia entre Dominicana y España.

—Además —prosiguió Aída, indignada—, esto, de lo que quieres convencerme, ¿te aporta algún beneficio personal? ¡Realmente... no te entiendo, María Altagracia! ¿Por qué siempre tienes que hacer daño?

—Pues porque así lo sentí, así lo hice y no me arrepiento —contestó ella con una chulería que estaba fuera de lugar.

Después de unos segundos de estrangulado silencio, María Altagracia retomó la palabra.

—Voy a decirte una cosa, Aidita... —le dijo amenazadora y sarcástica— como no te pongas de mi parte, jamás en la vida volveré a hablarte.

Aída, se dio cuenta entonces de que su hermana no había cambiado sino que había estado fingiendo mientras se sentía en inferioridad de condiciones. Pero ahora, a saber por qué ya que su vida siempre era un misterio, se atrevía a exigir. Para seguir queriéndola, como antaño hiciera Ramfis Rafael, ella tenía que apoyarla, incondicionalmente, y sin criterio propio.

—No entiendo bien qué es lo que quieres de mí, María —contestó Aída—. Pero sea lo que sea, tu forma de plantearlo y tu manera de hablarme, me parecen de una gran falta de respeto hacia mi persona.

—¡Quiero destruir a Peque! ¡Quiero que se arrepienta para siempre de haberme denunciado! ¡Quiero…

—¿Quieres destruir a alguien que lo único que ha hecho es defenderse? ¿Cómo pretendías que actuara siendo, además, su marido uno de los mejores abogados dominicanos? Francamente, te creía más inteligente.

—¡Pues sí, sí, sí…! Me las va a pagar todas y tú tienes que estar de mi lado, si no… —insistió, rabiosa y amenazante, María Altagracia.

—Si no ¿qué? —la interrumpió Aída— Estás actuando igual que Ramfis Rafael… mucho exigir y poco dar. Pues, óyeme bien: Si ese es tu deseo… no me dirijas la palabra nunca más. ¡Ya estoy harta de amenazas! Estoy muy cansada de que, "el cariño" que pretendéis que me dais, porque cada vez creo menos en que es un cariño sincero, esté supeditado a que yo tenga que hacer siempre lo que vosotros queráis.

Muy excitada, por lo injusta y dictatorial que ella consideraba la conversación, Aída continuó con ironía.

—Ya has olvidado lo "arrepentida" que estabas por haberme fallado cuando te necesitaba, ¿no? En aquel momento no me pusiste condiciones, no. Claro… porque, entonces, eras tú la que me necesitabas a mí. Pero, ya lo ves, en cuanto te sientes más fuerte, otra vez "a la carga". ¡Qué "gran amor" el tuyo! ¡Realmente no sé cómo voy a arreglármelas sin ti! Como dice una conocida actriz: Si tienes familia, ¿para qué necesitas enemigos?

María Altagracia permaneció callada durante unos segundos al cabo de los cuales escupió: —Aída… eres una inmoral. —y colgó el teléfono.

Haydée, que había estado escuchando, alucinada, lo que decía su madre, durante el tiempo que duró la penosa conversación, corrió a abrazarla. Después, a la hora de irse a dormir, se metió en la cama con ella. La chiquilla sabía que esa era la mejor manera de consolarla.

Aquella noche Aída tardó en conciliar el sueño, preguntándose, una y otra vez, por qué su familia no la dejaba vivir en paz. Le ardía la frente y parecía que la cabeza le iba a estallar. La historia que había vivido con Ramfis Rafael se repetía. Una vez más se le exigían cosas que ella no podía, no quería hacer. Para poder conservar la relación con sus hermanos, tenía que renunciar a una maravillosa relación de cariño y amistad. Por si fuese poco, estaba obligada a apoyar una causa en la que ella no creía: hacer daño gratuitamente.

Decididamente, ¡no! Nunca haría nada de lo que ella no estuviese plenamente convencida. El verdadero amor no se perdía por algo así. De eso estaba plenamente convencida.

"Me abandono… y atraigo hacia mí lo que realmente me pertenece". Las palabras de su querido amigo Adolfo retumbaban, una y otra vez, en su cabeza. Mientras seguía inmersa en sus dolorosos pensamientos, se le apareció Criterio, le hizo un guiño y le sonrió. Entonces, Aída pudo conciliar el sueño, tranquila y confiada

Transcurrieron unos días en los que la mujer, cándidamente, seguía alimentando la esperanza de que María Altagracia la volviese a llamar. Su hermana no podría borrar todo lo bueno que habían vivido juntas así, de un solo plumazo. Ella, Aída, había sido la única que la había ayudado tanto económica como moralmente. Ella no la había abandonado, la había consolado y la había acompañado en su tristeza, sin imposiciones de ninguna clase. Seguro que, cuando se calmara, María Altagracia recapacitaría, y le diría que la quería incondicionalmente.

¡Qué cara le salía su amistad con Peque! Pensaba a veces Aída, aunque no estaba arrepentida, sino al contrario, de seguir manteniéndola. ¿O sería, a pesar de su dolor, más bien un regalo que le permitía "limpiar" de su vida a la gente que no valía la pena? A pesar de que no llevase su sangre, para ella, su amiga era más importante que muchos miembros de su familia. Y no solo no lamentaba actuar con su propio código moral sino que se sentía cada vez más orgullosa de ello.

La vida seguía y Carlos y Jaime, ya tenían novia y habían montado un taller de enmarcación de cuadros con la ayuda económica de su madre. El negocio no era demasiado pródigo pero sí les daba para irse defendiendo. Haydée, que también había empezado a salir con un joven, de sopetón, un día le soltó a su madre su deseo de marcharse a vivir con él. Acababa de cumplir los dieciocho años y con ellos su mayoría de edad. Aída quiso disuadirla pero lo único que consiguió fue que su hija se distanciara de ella y hasta abandonara el trabajo que desempeñaba en la tienda de rosas.

Pasados unos meses, el negocio se fue al traste. No funcionó como parecía prometer en un principio y tuvieron que echarle el cierre para siempre. Aída se arruinó completamente. Muy a pesar suyo, tuvo que vender su casa a un precio ridículo porque iban a embargársela. Estaba desesperada pues, con aquella mala venta le había quedado poco dinero, casi nada, ya que la casa ni siquiera estaba terminada de pagar.

La única solución posible en aquel momento, fue aceptar la generosa invitación que le hizo su hija Haydée. Aída estaba muy preocupada por ella porque ya se habían confi mado sus sospechas y su novio era un auténtico delincuente. Pero no tenía otra opción, se mudaría a su apartamento, tendría que tragarse la presencia del joven. Además, pensó, había que reconocer que él también había sido comprensivo, aceptando a Nicolás y a ella en su casa.

Como los males no suelen venir solos, ocurrió también por entonces que, María Rosa, su gran amiga, enfermó de cáncer y, aunque era una luchadora nata, después de una batalla que duró más de un año, la enfermedad le ganó la partida. Aída la lloró y la nostalgia de ella no la abandonaría por muchos años.

Los tres meses en casa de su hija resultaron ser muy duros para Aída. Y no solo por la estrechez del saloncito y del sofá-cama en donde ella dormía junto a Nicolás, en donde, además Desarraigo se acomodaba junto a ella. Lo peor de todo era la incertidumbre en la que ella vivía inmersa.

Alfredo, con quien Aída llevaba más de dos años a pesar de su "tira y afloja", no supo ser un apoyo en aquellos difíciles momentos. La pareja se distanció e incluso llegó a romper su relación. Pero el juego continuó. Cuando ella le llamaba, él volvía.

Después de meditar, cavilar, desesperarse y buscar en la misma medida, Aída, por pura "casualidad", pues ella ya no creía en lo casual, encontró una solución. El mes de septiembre había llegado poniendo fin al verano, pero aún hacía calor en Madrid. Un día en los que se producían las tantas reconciliaciones de otras tantas peleas, Alfredo se presentó con un regalo para Nicolás. Era una tienda de campaña, de esas pequeñas en donde caben solo dos personas, y únicamente para dormir. El niño se emocionó tanto con aquel presente que se empeñó en querer salir de acampada. Y su madre no se animó a negarle lo que el chiquillo le pedía.

Dos días después salían en coche rumbo a Robledo de Chavela, un pueblo de la sierra de Madrid, rodeado de un paraje realmente digno de ser conocido y disfrutado. Las instalaciones de aquel camping, tal y como le había dicho su hijo Jaime, eran de lo mejor con, además, una enorme piscina olímpica justo al lado de la destinada a los niños. Realmente había valido la pena haberse desplazado hasta allí.

Pero, a pesar de aquel necesario descanso, Aída no podía dejar de darle vueltas al problema de la vivienda. Una mañana, cuando caminaba por una senda rodeada de hermosos pinos, una feliz idea vino a iluminarla. En los flancos de aquella senda, además de tiendas de campaña, caravanas y autocaravanas, estaban emplazadas algunas casitas, rodeadas de pequeños y floreados jardines allados que consiguieron picar su curiosidad.

El día de su partida, Aída se dirigió a la recepción del establecimiento con la intención de liquidar su cuenta y preguntar algunas cosas a la recepcionista, que la atendió con gran cortesía.

—Sí, efectivamente, son casitas móviles —le informó la amable joven—. La gente las instala en un camping cuando no tienen un terreno de su propiedad. Pagan un alquiler mensual, se les pone un contador de agua y luz y…

Aída, interesada, hizo cientos de preguntas a la muchacha y después partió, junto a su hijito y muy ilusionada, de regreso hacia Madrid. Unos días después, encontró lo que buscaba, una casa como las que había visto y un camping que estaba situado muy cerca del centro de Madrid.

A pesar de ello, el camino que conducía a sus instalaciones era totalmente rústico, ladeado por zarzales y otras plantas silvestres que serpenteaban por sus dos costados. Al llegar a su destino, Aída entró en la recepción del "Camping Madrid" en donde fue atendida por un señor de unos sesenta años que, por la forma en que fruncía el ceño, parecía malhumorado.

—¿Qué desea, señora? —preguntó al verla entrar al recinto, sin disimular las pocas ganas que tenía de verse obligado a atenderla.

—¿Me podría usted informar sobre algún terreno en alquiler para una casa móvil? —preguntó ella tímidamente.

—¿Qué es exactamente lo que quiere? —la interrumpió él— Mire, mejor venga cuando esté aquí mi hijo, mañana por la mañana… él le informará.

—Pero, ¿y usted no podría adelantarme, por lo menos, si hay sitio? —insistió Aída con cierto temor.

—Je, je… —Rió él, dándose cuenta de que había logrado asustar a aquella desconocida— ¿Cómo no va a haber sitio, mujer? ¡Ni que esto fuera el "Riz" ese!

Cuando Aída regresó al camping, se encontró con una persona completamente diferente. Jesús Manuel era un hombre joven y simpático, muy alto y de maneras bastante más refinadas que las de su progenitor. Jesús le ofreció un buen precio y le recomendó un pequeño solar situado al lado de la piscina.

—Eso será si logro conseguir el crédito para comprar la casita —exclamó Aída.

—¡Ya verás como lo consigues! —contestó Jesús, de manera tan cariñosa que hubiese parecido que conocía y apreciaba a la mujer desde toda la vida.

CAPÍTULO XIX
CAPÍTULO XIX

Todo aquello que, en su momento, había tenido el valor de averiguar sobre su abuelo y su padre, empezaba a plasmarse en los textos que guardaba, escondidos, en el disco duro de su computadora.

Casi en vísperas de Nochebuena, el 22 de diciembre de 1987, Aída se mudó a su flamante casa móvil y prefabricada. Los padres de Enrique la ayudaron a conseguirlo. "La casita nueva, nueva", como la bautizó Nicolás, medía diez metros de largo por cuatro de ancho. A falta de la base de cemento requerida en el caso de haber sido erigida en un terreno privado, la coqueta vivienda se sostenía sobre unas patas especiales de acero, al igual que todas las que había en el camping.

Ese sistema de sujeción provocaba que toda ella temblara, cada vez que la lavadora cumplía su función de centrifugado y cada vez que se producía cualquier otro movimiento brusco. La primera vez que Aída se puso a bailar flamenco en su nuevo hogar, se llevó un buen susto porque el disco de vinilo saltó en "el plato" del equipo de música y, al mismo tiempo, se le cayeron algunos cuadros y varias cosas al suelo.

Salvando ese pequeño inconveniente, al que uno acababa acostumbrándose, la casa era bonita y, gracias a sus muchas ventanas, muy luminosa. Su distribución era casi perfecta, bien aprovechada y con armarios por todas partes que a Aída le recordaba a la de un barco grande.

A pesar de lo insólito de su nueva situación, ella se sintió plenamente feliz desde la primera noche que pasó en aquel campamento que parecía estar destinado a ser habitado solo en época de vacaciones.

Aunque en un principio le costó adaptarse a aquella vida tan diferente y desconocida, pronto Aída descubrió que otras familias, al igual que ella, habían encontrado allí un auténtico hogar. No estaba sola, todo lo contrario. Nunca faltaba alguien a quien se le pudiese pedir algún favor, llevarte en coche a la ciudad, si el tuyo no funcionaba, o traerte algún encargo.

A Alfredo no le agradó aquel extraño cambio. Su carácter prejuicioso le impedía aceptar que su novia viviese en aquel lugar. Con su traslado al camping, Aída había sumado más puntos a su "lista de inconvenientes". Sin embargo él no se animó a ofrecerle la alternativa de vivir juntos.

—¡A grandes males, grandes remedios! —Le lanzaba ella, dolida, cuando Alfredo ponía malas caras. Aunque él siempre había sido generoso, su miedo al compromiso le impedía dar el paso para invitarla a mudarse a su casa.

Ahora Aída reflexionaba y se daba cuenta de un detalle en el que antes nunca había reparado. Los hombres de su vida jamás le habían ofrecido irse a vivir a sus casas sino que, eran ellos, los que se habían mudado a la suya.

La Nochebuena fue, por primera vez, felizmente celebrada por Aída en el camping. Sus otros hijos se unieron a ella y a Nicolás para el acontecimiento. Después de la cena, parte de la familia, se congregó, en torno a una hoguera, frente a su caravana. Junto a Juani y Kike, los feriantes que enseguida entablaron amistad con ella, al lado del reconfortante fuego, se tomaron copas, y se cantó y se bailó hasta tarde. Verdaderamente, todo resultaba muy diferente y también muy divertido.

En esa especie de pueblo minúsculo todo el mundo se conocía. De vez en cuando venía gente que iba de paso pero solían estar poco tiempo. Los fines de semana algunos comían en el restaurante y luego se reunían a tomar café y a jugar a las cartas. Aída entabló amistad con varios de ellos y rara vez se sentía sola.

Nicolás, cuando llegaba del colegio, podía jugar, hasta la hora de cenar y en plena libertad, con los niños que, como él, vivían allí, disfrutando de un área natural y segura, que no se suele poder deleitarse en las grandes urbes.

Un pequeñísimo jardín rodeaba la casita que cobijaba al niño y a su madre y a la que tanto cariño habían tomado en poco tiempo. Aída se ocupaba, con gran amor, de aquella parcelita de terreno que tenía repleta de plantas y flores que ella rescataba de los cubos de deshecho de un vivero que estaba situado a corta distancia. A menudo, organizaba parrilladas de carne a las que invitaba a comer a sus hijos. En aquel reducto, la vida transcurría tranquila y la única ambición que se tenía era poder pagar el alquiler y realizar una compra semanal de comida.

Para ganarse la vida, Aída no dudaba en dedicarse a limpiar cocinas de restaurantes, casas o ayudar en mudanzas a amigos o desconocidos. Tampoco rechazó el trabajo que Juani y Kike le brindaron y que consistía en rellenar patatas asadas en una de las ferias adonde ellos solían instalar su kiosco. Muchas horas de pie, desde la noche hasta la mañana, la atención que prestaba a los clientes y su buena disposición le valieron la confianza de sus nuevos amigos, además de una buena propina extra. Ella se sintió orgullosa de sí misma. Aguantaba mucha más carga de la que nunca hubiera imaginado. Y había conseguido subsistir a pesar de llevar, en su cuerpo y en su alma, el peso de dos ruinas económicas que ella seguía reprochándose y de las que seguía sintiéndose culpable.

Fue, en la época, cuando ella recordó algunos episodios de su vida en los que había rechazado la riqueza. Una de ellas, la primera, se produjo en París, en aquella casa que su padre había comprado cuando ella estaba interna en el colegio "Mont-Olivet" de Lausanne. Era Navidad y él, su padre, le regaló, además de juguetes, algo de dinero. Y Aída, que seguía creyendo en las enseñanzas de su colegio madrileño, en el que la convencieron de que el dinero era "cosa del Diablo", ni corta ni perezosa, lo tiró a las llamas de la chimenea. Se ganó un buen castigo que terminó de reforzar su convicción de que "el vil metal" era realmente malo.

Pero el recuerdo de algo que sucedió mucho más tarde, cuando estaba con Enrique, y tiró a la basura, de forma inconsciente, unas joyas que le había regalado su padre, la alarmó mucho más. Al fin y al cabo, por entonces, ella estaba viviendo su "primera ruina" y ya sabía lo duro que podía resultar el ganarse el sustento.

Entonces se convencía de que, cuando se hurga en la memoria, se remueven, y regresan al consciente, muchos recuerdos que uno creía haber enterrado y que suelen ser no gratos. Pero cuando vuelven, esos recuerdos se quedan hasta que uno decida qué hacer con ellos. Es lo mismo que ocurre cuando se limpia a fondo una casa. Sale a relucir una suciedad o un desorden, o ambas cosas, que solo veíamos parcialmente. O que ni siquiera veíamos. Muchas veces, cuando lo hacemos, lamentamos tener que desempolvar cosas que, de haberlas dejado quietas, parecían no molestarnos.

Pero, aunque no sea así, pensamos que podíamos haber pospuesto aquella limpieza tan profunda para otra ocasión más propicia y, ahora, no tenemos más remedio que ocuparnos de ella.

La relación con Alfredo iba de mal en peor. Aída, por primera vez, decidió ser ella la que la cortara. Él no opuso la menor resistencia.

Aunque ella se había empeñado en no aceptarlos, los recuerdos de su tempestuosa infancia seguían emergiendo, cada vez con más fuerza. Sin darse cuenta, Aída comenzó a relatar su vida. Ya no se trataba únicamente de un simple diario repleto de frases románticas y nostálgicas. Todo aquello que, en su momento, había tenido el valor de averiguar sobre su abuelo y su padre, empezaba a plasmarse en los textos que guardaba, escondidos, en el disco duro de su computadora. Esos escritos tenían la virtud de liberarla un poco de su carga emocional y de proporcionarle algo de paz.

Además, un día se sorprendió a sí misma cuando, a modo de carta, pedía explicaciones a su abuelo. Y fue a partir de entonces cuando decidió indagar más, recoger datos históricos. Cuando uno se enfrenta a sus fantasmas, éstos suelen perder fuerza y poder. Eso lo sabía ella muy bien. Tenía la esperanza, además, de poder encontrar, en sus investigaciones, alguna cosa positiva sobre la historia de su mandato. Quería, con todas sus fuerzas, poderse demostrar que, aquel que había sido lo más tierno de su infancia, a pesar de todas las barbaridades, guardaba, adentro de su alma, también cosas buenas. No en vano, todos sus "aprendizajes espirituales" coincidían en afi mar que todos, cuando nacemos, somos Seres de Luz que, durante nuestro viaje por la vida, olvidamos quienes verdaderamente somos. Por eso podemos llegar a cometer verdaderas atrocidades.

Mientras, la vida en el camping seguía su fluir cotidiano y tranquilo, perturbado únicamente por la llegada de algunos veraneantes tempraneros. El mes de junio había traído consigo los primeros calores del verano.

Nuevamente, los acontecimientos que la rodeaban vendrían a pillar desprevenida a Aída. Jesús, aquel hombre que tan bien la había recibido desde el primer momento y que era el que manejaba los entresijos del camping, fue el artífice de un placentero desconcierto para ella. Un día cualquiera en el que ella estaba en el bar que había en el recinto tomando una caña de cerveza y esperando la llegada de Antoine, Jesús se le acercó. Hablaron de todo un poco y también del amigo que ella estaba esperando. El hombre también había sufrido un bajón en su situación económica e, inspirado por el ejemplo de su amiga, se había instalado en una caravana que colocaron cerca de la casa de ella.

Pero, de repente, la conversación dio un giro inesperadamente brusco. Aída estaba sola, era evidente puesto que Alfredo ya no la visitaba desde hacía tiempo. Jesús, más que preguntar, afi mó aquello tan directamente que la hizo enrojecer. Él no le había quitado ojo desde su llegada —continuó con toda naturalidad—, pero, por estar ella emparejada, no se había animado a intentar conquistarla. A Aída le empezaron a temblar las piernas y, cuando Antoine llegó, se sintió muy aliviada. Y no era porque le disgustase la presencia de Jesús, ni mucho menos. Al contrario, él tenía algo en su interior que la atraía considerablemente. Pero, a pesar de todas sus vivencias, Aída seguía siendo muy tímida. Además todavía Alfredo no se había podido desprender de su recuerdo, aunque ya no le quedaba ninguna esperanza. Seguramente él la habría olvidado. Por eso, unos días después, cuando Jesús la invitó a comer fuera, ella aceptó encantada.

Aunque todavía no se sentía preparada para entablar una relación nueva, y así se lo dijo a su pretendiente, Aída no descartó la posibilidad de que eso pudiese ocurrir en un futuro. De momento, si Jesús quería, ella saldría de vez en cuando con él. El tiempo se encargaría de poner las cosas en donde correspondían.

Aída también sentía algo por aquel hombre que, en su "ghetto" particular era una especie de "Rey Bueno" y que, además de bien parecido, era atento y de conversación interesante. La pareja entabló una amistad y una complicidad que ni siquiera Muerte tendría el poder de romper. Jesús sabía, con sus palabras y su forma de comportarse, consolar a Aída y ella era el "paño de lágrimas" de él, que tampoco tenía una vida fácil.

—ltimamente estoy escribiendo mucho sobre mi vida personal... —le dijo ella un día.

—No tenía ni idea de que escribieses, Aída... —respondió él, interesado.

—¡No! Si solo lo hago para mí misma. Pero necesitaba contártelo porque, desde hace un tiempo viene ocurriéndome algo curioso... Cuando empiezo a escribir mi diario, me vienen a la mente recuerdos de mi infancia y juventud. Y, con ellos, mis sentimientos hacia mi abuelo. No, mejor dicho, más bien hacia Trujillo, el dictador.

—Ah, entiendo... ¿Y eso te remueve mucho, no es así? —preguntó Jesús.

—Mira, Aída, voy a darte mi opinión personal —respondió Jesús al ver que ella guardaba silencio—, Rafael Leonidas Trujillo fue un dictador sanguinario e implacable, según lo que he leído, que gobernó la República Dominicana durante treinta años. Cometió, como lo hacen todos sus homónimos, muchas injusticias y no pocas atrocidades… pero tú tienes que ser objetiva. Y también comprensiva.

—Pero, Jesús, ¿cómo puedo ser "objetiva y comprensiva"? —protestó ella— ¡Mi abuelo mató a muchísimas personas!

—Shhh… No sigas, pero… tú que presumes de que intentas con todas tus fuerzas no juzgar ni a tu peor enemigo, ¿por qué lo juzgas tan duramente a él?

—Será porque "él" me afecta más que otros. —contestó Aída reponiéndose ligeramente.

—Precisamente por eso… Tienes que ser mucho más objetiva. Fíjate… tú misma me has contado que, algunos personajes históricos, como Enrique VIII y Napoleón, te resultan simpáticos…

—Sí, claro… pero…

—Pero ninguno de ellos era tu abuelo. Ni tampoco era contemporáneo tuyo. Las cosas "desde lejos" se ven de otra manera, Aída. ¿Te has puesto a pensar en cómo sería la vida, la gente, la situación política de Dominicana en aquella época? —preguntó Jesús.

—No… la verdad es que no, pero eso no justifica…

—¡No claro! Tiene que haber guerras, revoluciones, "Cruzadas" para que matar esté justificad , ¿no es así? Asesinar no solo está permitido en esas situaciones sino que algunos han llegado a convertirse en héroes por hacerlo. ¡Incluso cuando sus víctimas ha sido gente inocente!

—Ya… pero no es lo mismo… —replicó ella, triste y no muy convencida.

—Me estás decepcionando Aída. No me irás a decir que cuando eso ocurre por una "buena causa"… ¿Qué causa puede ser lo suficientemente buena como para justificar el crimen?

—¡Ninguna! ¡Nadie tiene derecho a quitarle la vida a nadie!

—Exactamente. ¡Nadie! —exclamó él, mirándola directamente a los ojos.

—¿Adónde quieres llegar, Jesús? —preguntó ella sintiéndose sumamente confundida.

—Adonde tú quieras llegar, Aída. Adonde tú, y solo tú, quieras llegar.

—¡Ay!, pero si estás hablando igualito que Criterio. —Se le escapó a ella.

—¿Que quién? —preguntó Jesús, intrigado por lo extraño que resultaba aquel nombre.

—Nada, nada… Tonterías mías.

CAPÍTULO XX

...Aída se fue a la cama con un gran sentimiento de tristeza. Ni siquiera podía decir que estaba confundida con respecto a su abuelo. La verdad era que ella tenía muy claro que no le gustaba nada aquel mandatario que había asesinado y torturado...

Tras varios años de ausencia, y después de muchos preparativos, sobre todo de tipo emocional, llegó el día de la partida con destino a Santo Domingo. Aída estaba segura de que allí le sería más fácil documentarse sobre la que había sido la "Era de Trujillo". Aunque ya estaba completamente decidida a hacerlo, el solo hecho de pensarlo, le producía terror. Sin embargo, a pesar de ello, resolvió no achantarse y seguir con sus pesquisas por muy dolorosas que éstas pudiesen resultarle.

Pero, antes de realizar el esperado viaje, Alfredo reapareció en su vida y le pidió que volviese con él. Ella no había prometido nada a Jesús y tampoco se lo prometería a él, fue la respuesta de Aída. Además, como Criterio siempre le decía, esta vez no iba a permitir que el recuerdo de ningún hombre la distrajese de su cometido.

A la llegada a Santo Domingo, el chofer de Peque y de su esposo, Bobby, les estaba esperando. Cuando llegaron a la casa, lo primero que hizo el marido de su amiga, fue regalarle a Nicolás, que había viajado con su madre, una bicicleta idéntica a la del hijo que ellos tenían en común. Quería que los dos se divirtieran juntos y que, el recién llegado chiquillo, no se sintiera desplazado ni por un solo momento. Aída nunca olvidaría aquel detalle, ni muchos otros más, y ella, que aún no había tenido la ocasión de conocerle personalmente, empezó a tomarle cariño a aquel hombre con quien Peque era tan feliz.

Fue también muy entrañable para ella el momento en que pudo volver a ver y a abrazar a sus sobrinas, las hijas de Ramfis Rafael, cosa que no había podido hacer desde que ellas y su madre se habían marchado de Madrid. Y resultó ser muy bonito el "adoptar", como sobrino propio, al niño fruto de la segunda unión de su querida e inseparable amiga a la que ella consideraba como, o más que una hermana.

El reencuentro, después de tantos años, con otros miembros de su familia fue muy agradable para Aída. Bruni, una de sus primas, a la que tampoco veía desde hacía mucho tiempo, resultó ser también una amiga inigualable, con la que, durante su estadía en Santo Domingo, tuvo la ocasión de unirse por algo mucho más importante que los "lazos de sangre".

Con deleite y de forma reiterativa, Aída escuchaba una canción cuya letra trataba del mismo sentimiento que ahora la embargaba. La interpretaba una famosa cantante española, Ana Belén, cuya bella voz se quejaba de que no sabía qué hacer porque se debatía "entre dos amores". Y, aunque nunca le había ocurrido nada similar, no podía evitar recordar a Jesús y a Alfredo al mismo tiempo. La vida le daba otra lección para que no juzgase nunca a nadie.

Sin embargo, se preguntaba Aída, ¿qué podía hacer ella con el eterno asunto de su abuelo? Tener "criterio" propio ¿no era, de algún modo, una forma de juzgar? ¿No era ella la que, casi todas las mañanas, después de ocuparse de Nicolás, recorría la gran biblioteca de Bobby para revisar los tomos que trataban sobre Trujillo?

En la casa de Peque, que era un estupendo ático duplex, había una terraza en donde estaba instalada una jacuzzi de esas que parecen una piscina en miniatura. Sobre todo por las noches, darse un baño relajante y contemplar el cielo centelleante de Santo Domingo resultaba sumamente agradable, y Aída lo hacía a menudo. Pero, muchas veces, no podía evitar pensar en cosas que había descubierto en los libros que consultaba obsesivamente, casi a diario. Acontecimientos y sucesos que le hacían mucho daño y que habían ocurrido, años atrás, bajo aquel mismo cielo estrellado.

Una de esas noches en las que los pensamientos no dejaban que Aída se relajase con su baño nocturno al aire libre, fue ineludible que Criterio se le apareciese y consiguiese sobresaltarla.

—¡Claro que tener criterio propio es una forma de juzgar! —exclamó el joven a modo de saludo— Si no "juzgásemos" las cosas, desde un simple sabor u olor, hasta el planteamiento de si Dios existe o no, ¿cómo seríamos?

—¡Puede que fuésemos mejores! —contestó Aída con voz cansina. Lo último que deseaba aquella noche era que Criterio la visitase. Bastante tralla había tenido por la mañana leyendo los nombres y las actuaciones de los más sangrientos colaboradores de Trujillo.

—¿Mejores? ¿No es ese un "juicio"? Algo que es mejor o peor, triste o alegre, bueno o malo…

—Sí, sí, ya sé por dónde vas, Criterio… Pero hoy estoy muy cansada. —lo interrumpió Aída.

—Lo comprendo, lo comprendo… Pero voy a decirte una última cosa. Tu criterio es algo de lo que, "para bien o para mal", no podrás prescindir jamás. Y, aunque intentes disimular, cuando no actúes según ese criterio personal, lo quieras o no, te sentirás mal. —Y dicho esto, el muchacho, que había crecido mucho y ya hasta tenía una complexión bastante fuerte, se desvaneció en la noche dominicana.

Aída se fue a la cama con un gran sentimiento de tristeza. Ni siquiera podía decir que estaba confundida con respecto a su abuelo. La verdad era que ella tenía muy claro que no le gustaba nada aquel mandatario que había asesinado y torturado. Pero, el amor que seguía sintiendo por el hombre que ella había conocido, su querido abuelito, a pesar suyo, seguía prevaleciendo en su corazón. Y, cada vez que la lectura y los reportajes le abrían más los ojos, su alma lloraba lágrimas de sangre y de desilusión.

Decidió, para desviar un poco su mente del tema, concentrarse en pensar en sus asuntos sentimentales. ¿Estaba ella segura de seguir queriendo a Alfredo? ¿Se sentía dispuesta a reiniciar una relación que, a pesar de parecer lo contrario, era totalmente inestable?

—¡Criterio tiene razón! —se dijo a sí misma en voz alta— Busco problemas, como yo misma escribí, por no hallar el vacío doloroso que me produce pensar en este pasado histórico que me llena de malestar y pesadumbre y del que, haga lo que haga, no voy a librarme.

A pesar de haberlo intentando, Aída volvía una y otra vez a su monotema. —Pero ¿por qué, entonces, me propone que escriba? ¿Es que el hecho de escribir me ayudará en algo? ¿Es que me proporcionará algo de paz, de entendimiento, de aceptación?

Salió de la jacuzzy, se puso su camisón, se acostó y, después de dar muchas vueltas en la cama, Aída se durmió pensando en si Jesús podría ofrecerle más dulzura que Alfredo. Y también pensó que no debía de estar enamorada de ninguno de los dos cuando se planteaba tales dudas.

Aún quedaban algunos días para que finalizaran las vacaciones y Peque propuso a Aída hacer una excursión a Samaná. Con sus respectivos retoños, las dos amigas, la risueña niñera, partieron en un flamante vehículo "todo terreno", cargado de alimentos, bebidas y maletas.

Peque había pedido prestada su casa a un amigo que estaba fuera del país. Quería que Aída conociese aquel lugar en donde tenía pensado construirse un refugio lo suficientemente amplio como para albergar a toda la familia de España, si se le ocurría venir en grupo y al mismo tiempo.

La carretera, por la manera general de conducción temeraria, era peligrosa y pintoresca al mismo tiempo. Toda la gama del color verde predominaba en el paisaje que la rodeaba y las siluetas estilizadas de los cocoteros y de la palma real demarcaban el confín entre el cielo y la tierra. Numerosos vendedores ambulantes tenían colocados sus chiringuitos a ambos lados de la vía e intentaban, agitando sus brazos, llamar la atención de los automovilistas.

Las mujeres y su séquito llegaron a su destino cuando ya había anochecido. La casa, que tan amablemente les habían cedido, era acogedora y estaba rodeada de un bonito jardín tropical sin vallas. En aquel hermoso lugar, las viviendas parecían no estar cercadas y a uno le daba la impresión de que los terrenos eran comunes a todos sus propietarios.

Durante los dos días que la pequeña familia permaneció en Samaná la diversión no faltó. Allí, en la preciosa "Playa de Rincón", además de bañarse en el agua azul turquesa y transparente del mar, pudieron disfrutar, con grande y placentero apetito, de un almuerzo, a precio más que asequible, compuesto por langosta recién pescada, pan de coco y tostones.

Regresaron a la capital al día siguiente por la tarde, con la piel dorada por el sol y el alma rebosante de esa alegría que proporcionan las cosas pequeñas de la vida. Cada vez más, Peque le demostraba su cariño, no solo en la necesidad sino también aportando diversión a su vida, una diversión que Aída no podía ni soñar procurarse por sus propios medios.

¡Realmente la República Dominicana es muy bella! Se decía Aída en silencio. ¡Qué pena no poder sentirse integrada, como se sentiría la mayoría de sus habitantes!

Aída se sentía una auténtica privilegiada, mimada, como estaba, por sus queridos amigos que la habían recibido con todos los honores y le habían concedido todos los caprichos posibles. Había tenido la oportunidad de conocer una Dominicana hasta entonces inexplorada por ella. No tenía ganas de regresar a España. Estaba viviendo un sueño que, por el momento, no necesitaba de la compañía de ningún hombre. Con su hijito y su elegida familia tenía bastante para disfrutar de la vida.

Pero los días pasaron a una velocidad vertiginosa y llegó la hora en la que el niño y ella tuvieron que coger el avión que les devolvería a su cotidianeidad. Peque les acompañó al aeropuerto y las dos se despidieron con un largo abrazo y la promesa de volver a encontrarse muy pronto.

Cuando Nicolás y Aída aterrizaron en Madrid, Enrique les estaba esperando en el aeropuerto. Había ido a recoger al niño. Estaba ansioso por verlo después de aquella ausencia prolongada. Ella tomó un taxi y se fue directamente al camping. Necesitaba descansar antes de retomar contacto con su realidad.

El cansancio, el cambio de horario y la repentina soledad, siempre malos consejeros, después de haber disfrutado de tan grata compañía, hicieron que Aída empezara demasiado pronto a plantearse el asunto que había dejado pendiente. Su carácter impulsivo e impaciente siempre le jugaba malas pasadas. Nuevamente no se dio tiempo para vivirse a sí misma y, mientras caminaba, hizo caso al antiguo, pero no erradicado, pensamiento de que su vida, sin un hombre, era incompleta.

Un par de vueltas por el camping fueron suficientes para que Aída tomara una decisión. Llamaría a Alfredo y no esperaría el regreso de Jesús, que se había tomado también unas vacaciones. Era una tontería "rizar el rizo", pensó. Alfredo era su novio y Jesús solo había sido un pretendiente. Sí, le había demostrado una gran amistad y a aquello, si él se lo permitía, no pensaba renunciar. Pero una cosa era la amistad y la otra era la pareja con quien vas a compartir tu vida.

Aquel mismo día, Alfredo la recibió con los brazos abiertos y le reiteró su deseo de compartir su casa con ella. Algo más de un mes después, Aída y Nicolás estrenaron nuevo hogar. Los malentendidos del pasado parecían haberse arreglado entre la pareja, y el niño estaba contento con el cambio, a pesar de que echaba de menos la libertad del camping. Aída le prometió que le llevaría a jugar con sus amigos de vez en cuando porque, de momento, pensaba conservar su casita. La convertiría en un estudio en donde seguiría escribiendo y pintando a sus anchas. Y se ocuparía del jardincillo que con tanto amor había cuidado.

Aída puso todo de su parte y mucho más, decidida a recuperar el tiempo perdido con Alfredo. Se dedicó a él, al niño y a arreglar su nueva casa a la que le faltaban todavía todos los encantos de un verdadero hogar.

El amor por Alfredo, no solo renació, sino que se vio reforzado con gran intensidad. Aída había aprendido a respetarle y a intentar no tomar en cuenta sus malos humores. Sentía admiración por su tesón que le había elevado a una situación que ni él mismo hubiera esperado dada su condición social de nacimiento. Él, que había nacido en cuna pobre, hijo de un "zapatero remendón", había logrado un status más que respetable, y ganaba un buen sueldo.

Sin embargo, ella, pensó Aída nuevamente con culpabilidad, que lo había tenido todo, no había sabido aprovecharlo. Ahora había cumplido una edad en la que le resultaba difícil creer que iba a poder recuperarse económicamente. Dudaba de que la vida le quisiese volver a dar otra oportunidad. Y aquella fue la otra cara de la moneda. Los pensamientos positivos hacia su recuperada pareja se convirtieron en negativos hacia ella misma. Aída empezó a sentirse inferior y a no valorarse en absoluto.

Y, como ocurre tantas veces cuando nos abandona Autoestima, no era únicamente ella la que se lo repetía cada día. Alfredo también se encargaba de darle cuenta de lo mal que ella había hecho las cosas en el pasado. Lo que no llegamos a sanar, suele volver a repetirse una y otra vez. Aída no se había perdonado a sí misma y Alfredo no había superado su miedo a una relación de pareja estable.

Así transcurrían los días de la pareja, llenos de incomprensión y de falta de comunicación. La casa que con tanta ilusión y amor Alfredo le había ofrecido en un principio, se había convertido en una especie de cárcel para Aída. Empezaron a tener discusiones estúpidas y el distanciamiento entre ellos iba creciendo a pasos agigantados. Seis meses después, ella se marchó, dolida y desilusionada, del hogar que una vez más creía haber encontrado. Lo que más daño le hizo en aquel momento fue el tener que desmantelar el cuarto que con tanto Amor había decorado para Nicolás. No obstante, Aída y Alfredo se despidieron como amigos. Quizás, pensó Aída, su destino era alcanzar la amistad de los hombres pero sin llegar a ser su pareja definitiva

Regresó a su casita del camping con el alma vacía y cargando un saco imaginario y flotante, transparente como una nube, que contenía la pérdida de dos amores, el de Alfredo y el de Jesús. Unos meses atrás había tenido el privilegio de la elección. Ahora se había quedado sin ninguno de los dos. Era mejor así, pensó a pesar de que Tristeza, Abandono y Desarraigo volvieron a instalarse y a acompañarla cada noche en su cama.

Aída se concentró en una idea que la distraería de su pena y de una duda que la asediaba desde hacía un tiempo. No sabía si había elegido mal de nuevo o sencillamente el universo le estaba ofreciendo otras posibilidades que ella no veía en aquellos momentos. Tenía que ganar dinero e integrarse otra vez a la vida "normal". Es una pena pero, de igual forma, es una gran realidad. En nuestra sociedad, al igual que en la de todos los tiempos, el ser pobre signific también ser como una especie de "bulto sospechoso", algo que puede resultar peligroso.

Ella se las había arreglado durante años para guardar lo poco que tenía "debajo del ladrillo" como lo hacían antaño nuestros mayores, pero ahora quería cambiar de vida. Si no lo hacía por gusto propio, tendría que hacerlo por Nicolás, que pronto crecería y viviría apartado del mundo en que vivían sus amigos y compañeros de colegio.

Aida y Maria Altagracia en Madrid. Aida consu primer hijo Jaime

Maria Atagracia

CAPÍTULO XXI

...Ella recordaba perfectamente el olor y la marca de la colonia que usaba su abuelo, que no era la que mencionaba Vargas Llosa en su novela...

Habían pasado casi treinta y nueve años desde la muerte de su abuelo Rafael y a Aída le daba la impresión de que el mundo entero había olvidado el paso de su antecesor por el planeta.

—¡Mucho mejor! —se decía en silencio— ¡Muchísimo mejor!

Aunque hacía tiempo que había empezado a escribir tímidamente sus memorias, Aída pensaba que lo más probable era que éstas terminaran reposando archivadas eternamente en el disco duro de su ordenador. Sin embargo siguió escribiendo, dejándose llevar por un impulso incomprensible, cada día con más ahínco.

Durante su última estadía en Santo Domingo, Aída había recopilado muchos datos sobre su mayor. Algunos ya los conocía; otros eran completamente nuevos para ella. Muchos de ellos, la gran mayoría, eran dolorosos. Otros le daban el coraje para poder ver y contar la parte humana del mandatario. Decidió que escribiría en tercera persona. Sería más fácil verse a sí misma y a Rafael Trujillo desde un punto de vista más distante e imparcial.

En Madrid encontró trabajo en una oficina que se dedicaba a arreglar documentación para inmigrantes. La mayoría de ellos eran dominicanos, y Aída volvió a preguntarse qué hubieran pensado aquellas personas si hubieran sabido de quien ella era nieta.

Un día la llamó por teléfono Daniela Fonseca y le dijo que le tenía "noticias frescas". Daniela conocía la trayectoria de Aída y sabía que estaba esbozando un libro sobre su vida.

—Te estoy llamando para contarte algo que podría ser interesante para tu proyecto… —le dijo— Una editorial que pertenece al grupo propiedad de mi marido va a publicar el último libro del escritor Vargas Llosa. Se trata de una novela basada en la vida de tu abuelo.

—¿Una novela de Vargas Llosa en la que se habla de mi abuelo? ¿Y a estas alturas? ¡Vamos, Daniela, pero si él ni siquiera es dominicano! —exclamó Aída, consciente de la tontería que acababa de decir.

—¿Y qué tiene eso que ver? —preguntó Daniela— Él es escritor y la figura de Trujillo lo fascinaba desde hace mucho tiempo. Tienes que venir con nosotros a la presentación del libro. No me pongas excusas. Es el martes que viene por la tarde. Pasaremos a recogerte una hora antes, ¿de acuerdo?

Daniela estaba casada con un importante personaje de la literatura, del periodismo y de la política de España. Las dos habían entablado amistad desde mucho antes de que Daniela lo conociera. Aída, entonces, impartía clases de baile flamenco en su estudio del centro de Madrid, y Daniela era una alumna más. Las amigas se querían mucho y conservaban intacta su amistad a pesar de vivir en mundos infinitamente opuesto .

La llamada de Daniela removió el alma de Aída que parecía haber olvidado a qué familia pertenecía. Criterio tenía razón cuando le aconsejó que narrase su vida. El dolor inmenso que esa práctica le produjo en un principio, se había reducido. La escritura le estaba sirviendo de terapia para enfrentar a sus sangrientos fantasmas y también para decidir si quería seguir amando a los ídolos de su infancia. Por la situación de escasez que estaba viviendo, Aída se había convertido en una campista más, alguien anónimo que apenas recibía visitas. Para muchos de sus conocidos, a ella parecía habérsela tragado la tierra.

Con la publicación del libro de Vargas Llosa, en su fuero interno, las cosas tomaron un cauce distinto. Con solo empezar a leerlo, a pesar de que el texto no era veraz en su totalidad, Aída rescató de su subconsciente aún más memorias y volvió a sentir cómo retornaban sus antiguos malestares. Aquella lectura hizo mella en lo más recóndito de su ser. Sin embargo, ella intuía que para los miles de lectores que lo habían leído o lo estaban leyendo, aquel libro era una novela negra más. Hasta el propio autor lo afirmaba.

Su obra, morbosa y de gran crudeza y crueldad, era una novela, con una base histórica que había recopilado durante años.

Para su familia, pensaba Aída, lo más natural era sentir la obra de Vargas Llosa no sólo como una infamia sino también como una terrible afrenta. Todos pretenderían creer que, en sus narraciones, el escritor no había revelado ni una sola verdad. Al fin y al cabo eso era lo que siempre habían hecho; lo que ella misma había hecho.

Pero ahora ella opinaba que, para amarle de verdad, había que aceptar al que fue el auténtico Trujillo, con sus defectos, sus vivencias y sus virtudes, el ángel y el demonio que habita en todo ser humano. Casi todos los miembros de su familia parecían amar y respetar a alguien que ellos mismos habían inventado y que cubrían con un tupido velo hecho de deliberada ignorancia. Alguien intocable, alguien maravilloso. Y, por supuesto, ninguno deseaba reconocer ni aceptar quién era realmente el objeto de su afecto y veneración. Quizás eso hubiese resultado demasiado doloroso, demasiado fuerte. Y era comprensible, al menos para Aída.

Sin embargo, ella era consciente de que, a pesar de lo que había descubierto y de lo que le faltaba por descubrir acerca de la vida y los hechos de Trujillo, ella iba a seguir amándole. Se había quitado la venda de los ojos, ahora veía claramente demasiadas cosas. Pero nadie podría arrebatarle jamás la certeza de que aquel personaje, odiado todavía por tanta gente, también había sido el más amoroso de los abuelos.

Mientras Aída leía a Vargas Llosa, cuyo texto tardó tres meses en poder digerir, en lo más profundo de su ser iba germinando un nuevo sentimiento. Aunque sabía que no le pertenecía, ella se empeñó en hacer suya una absurda responsabilidad, como si con ello hubiese podido aliviar el espíritu de su finado abuelo. Pero al mismo tiempo renacieron los recuerdos amorosos y tiernos de él. Y, a veces, le parecía escuchar la voz de su madre contándole sus anécdotas, sobre todo las que eran bonitas.

Pero cuando el dolor de su alma se hacía insoportable, Aída, como solía acostumbrar, lo derramaba escribiendo en su diario, volcando su angustia en palabras que no eran importantes pero que la ayudaban a sosegarse. En muchas ocasiones, cuando Aída tomaba contacto con aquellos tristes sentimientos, optaba por dejar el ordenador en cualquier parte, abandonado a las telarañas y al tiempo. El simple hecho de ver el aparato le causaba miedo, angustia. Pero Criterio la animaba a enfrentarse a él: —Al fin y al cabo, tu computadora es solo un aparato que hace lo que tu le ordenas —y, con gran cachaza, continuaba—. Si tu criterio, o sea yo, realmente cree en ello... ¡hasta puedes escribir que tu abuelo fue perfecto en todo!

—¿De quién tienes miedo, pequeña? —le preguntaba— ¡Uy, perdona! Se me había olvidado de que ya no lo eres tanto. Pero, incomprensiblemente, aunque ya tienes casi cuarenta y seis añitos, todavía yo no he terminado de crecer.

—De mí misma, Criterio... de mí misma... ¡de "Aída Trujillo"!

—Pues... ¡enfréntate a... "Aída Trujillo"!

Entonces ella, a pesar de los temores que la invadían, volvía a encender el aparato en donde ya había desnudado considerablemente su alma. Era verdad que, en un momento de su vida, más tarde de lo que tal vez hubiese "debido", ella decidió abrir los ojos e indagar. Se convirtió en atea y en comunista porque necesitaba regular su "balanza interior". Pero, transcurridos unos años, Aída parecía sentirse nuevamente anestesiada por el olvido en el que en España estaba sumido Rafael Leonidas Trujillo. Quería creer que a nadie le iba a importar lo que ella opinase, tratando de eludir su responsabilidad. Pero la energía que desató a nivel mundial el libro *La Fiesta del Chivo* pesó demasiado para ignorar su pasado como si no hubiese existido.

Más de una vez, cuando Aída se atrevía a leerlo, emergían hasta recuerdos físicos; palabras, aromas familiares que la devolvían a la época de su infancia. Ella recordaba perfectamente el olor y la marca de la colonia que usaba su abuelo, que no era la que mencionaba Vargas Llosa en su novela. Como no es, además, excesivamente popular, cuando tenía la ocasión de olerla se sentía inexplicablemente reconfortada.

Aída se armó de valor y acudió, tal y como se lo pidió Daniela, a la presentación de la tremenda novela. Aguantó estoicamente y sin demostrar sus sentimientos durante más de dos horas aunque, como es natural, con el corazón encogido por el dolor. Al tocar fin el espectáculo, Daniela la agarró del brazo y la subió al podio para presentarle a Vargas Llosa. Cuando el escritor se enteró de a quien había sido presentado quedó boquiabierto.

—¡Aída Trujillo! ¡A la última persona que hubiese creído poder encontrar aquí era a ti! —exclamó un tanto nervioso Vargas Llosa. A continuación pidió que le trajesen un ejemplar y se lo dedicó.

Aída, entonces, quiso saber por qué el escritor no había contactado a los miembros directos de la familia Trujillo, con el fin de socavar más información para su escrito. Vargas Llosa, queriendo evadir la pregunta, respondió que había intentado comunicarse, sin éxito, con Angelita, la hermana de Ramfi , y con su viuda, Lita Milán. Pero Aída insistió en que había unos cuantos familiares más que su tía y su madrastra y más directos que la última. El hombre no supo qué contestar.

Al terminar la lectura de "La Fiesta del Chivo", Aída se dio cuenta de que Vargas Llosa, hacía una única mención de su madre, como "la divorciada" Octavia Ricart. Ni una sola alusión al hecho de que ella era el único miembro de la estirpe que, por su apellido, representaba a la oposición política. Por ello, tuvo que pagar un precio muy alto. Tuvo que sufrir, desesperarse y preocuparse inmensamente cuando alguno de los Ricart, consortes, familiares o amigos, se metía en líos.

Tantana, como le decían familiarmente, fue la madre de los únicos nietos, hijos de Ramfi , que Trujillo llegó a conocer. Además, fue su muy querida nuera a la que, durante los años en los que estuvo indagando sobre la historia del mandatario, el escritor hubiera podido recurrir para informarse.

Aída veía cómo Vargas Llosa menciona a Guido D´Alessandro, Yuyo, que fue perseguido cuando se descubrió que era militante de un grupo antitrujillista. Pero lo que no señala, ni de soslayo, es que él estaba casado con Josefina Ricart, la hermana más joven de la madre de Aída. Tampoco se refi re al hecho de que Yuyo fue muy buen amigo de su padre en una época. Cuando salió a la luz su traición, a pesar de lo que aquello implicaba, Ramfis rujillo intercedió por él.

Confortada por su exilio, un mal menor, dentro de lo que cabe, Tantana sin embargo, no dejó de recibir intensos y duros reproches por parte de los Trujillo, incluyendo a su marido y con la única excepción del propio dictador.

Octavia Ricart, la que fue "Segunda Dama de la República Dominicana", a lo largo de la juventud de Aída, le contó muchas cosas. A la jovencita parecían no interesarle en demasía pero se le quedaron impresas en la memoria. Y muchas veces, cuando Aída le decía que ya sabía que su "querido suegro" era un asesino, ella la reprendía duramente y le decía que no tenía derecho a juzgarle.

A raíz de la publicación del libro de Vargas Llosa, llamaron varias veces a Aída para hacerle entrevistas en diarios y en un conocido programa de televisión, dirigido por Javier Sardá. Fue entonces cuando Aída decidió tener una conversación con su hijo Nicolás.

El niño que sólo contaba con ocho años, estaba muy intrigado, ella lo sabía, aunque, por su forma de ser, no preguntara nada. Aída recordó que a su misma edad a ella nadie había querido contarle las cosas que ocurrían a su alrededor. Pensó que, para su bien, era mejor empezar a aclarar ciertas cosas. De modo que una tarde, que resultó coincidir con la fecha del aniversario del asesinato de su abuelo, empezó a hablarle de su bisabuelo Rafael. Aquello era algo que nunca antes había hecho.

—Nicolás, me gustaría hablar contigo de algo que creo debes saber.

—¿De qué se trata, mami? —Desde muy pequeño el niño había sido muy redicho en su forma de expresarse.

—¿Sabes por qué mañana mamá se va a Barcelona? —le preguntó Aída cariñosamente.

—Pues porque tienes que trabajar —contestó el niño sin apartar la vista de su Game Boy.

—No se trata de eso exactamente, mi amor —contestó ella, dulcemente, mientras conducía—. Y como creo que los niños no son tontos, más bien al revés, quiero contarte una cosa. Sé que tú intuyes algo pero, como no haces preguntas, prefiero ser o misma la que te hable de esto, ¿de acuerdo?

—Sí, mami. —el chiquillo no despegaba la vista de la pantalla de su juguete electrónico.

—Hoy es 30 de mayo. Hace 39 años que mataron a mi abuelo, tu bisabuelo.

—¿Quién hizo eso? —preguntó Nicolás indignado, enfadado y dejando por tan solo un instante el juego al que se había entregado por completo.

—Bueno hijo, en este momento eso es lo de menos —contestó Aída que no quería entrar en ese tipo de detalles—. Lo que yo quería contarte es que tu bisabuelo fue un dictador. Lo mismo que lo fue Franco aquí en España. ¿Sabes quién era Franco, no?

—No —respondió Nicolás.

—Cómo se nota que, aunque vivamos en España, mi niño está estudiando en un colegio extranjero —pensó aliviada Aída—. No sabe quién fue mi padrino. Una explicación menos.

—¿No lo sabes, Nicolás? Bueno, tanto mejor. Ya te hablaré de él otro día, si es que tú quieres. Hoy prefiero hablarte del nuestro. Tu bisabuelo fue un dictador que estuvo gobernando la República Dominicana durante 31 años.

—¿Qué? Y, ¿qué quiere decir "dictador", mami? —contestó sorprendido el niño a quien se le había despertado el interés por lo que estaba escuchando.

—Pues… un dictador es como una especie de rey de los antiguos… de esos que hacían con su pueblo lo que les diese la gana. —contestó ella.

—¡Ah! Ya entiendo, mamá… hemos empezado a estudiar historia y antes había muchos así, ¿no? —volvió a preguntar el chiquillo.

—Sí, efectivamente, antes y por desgracia, generalmente las cosas eran así —afirmó Aída, aprovechando el silencio de Nicolás para llegar hasta adonde ella quería—. Lo peor de todo, lo que quiero contarte es que, aunque lo asesinaron, anteriormente… ¡el bisabuelo mató a mucha gente! —exclamó ruborizada y haciendo un enorme esfuerzo.

—¡Ah! Bueno… ¡Entonces es *normal* que lo mataran a él! —contestó Nicolás con la sobrecogedora naturalidad de la inocencia.

—Sí, sí, pero, a pesar de todo, yo lo quería, Nicolás, no sé si podrás comprenderlo. Al fin y al cabo era mi abuelo y conmigo era muy cariñoso, muy bueno. Por eso sufro mucho sabiendo que se portaba así, ¿entiendes?

—¡Claro que sí!

—Y tú te preguntarás —continuó Aída— por qué a mamá la han sacado en el periódico y va a salir en la "tele", ¿verdad?

—¡Sí… me llama la atención!

—Pues, te voy a decir el porqué, mi amor. Mamá tiene ideas que no concuerdan con la forma en que gobernaba tu bisabuelo y eso a los periodistas les interesa. ¿Lo entiendes?

—Creo que sí, mami…

—Te lo cuento porque, cuando mataron a mi abuelo, yo tenía tu edad y sabía que estaba pasando algo muy malo en Dominicana, pero nadie me explicaba nada —continuó Aída—. Yo lo sentía, lo percibía. Y, como te dije antes, yo pienso que los niños saben mucho y que tú eres muy listo, sabes que algo está ocurriendo y quería comentártelo, ¿vale?

—Vale…

Nicolás volvió a su Game Boy mientras su madre seguía conduciendo y escuchando música. Al cabo de unos minutos, el niño, que seguía con la mirada fija en la pantalla del juguet , la retornó a su madre.

—Mami, ¿sabes lo que opino de todo lo que me has contado?

—¿Qué mi amor? —preguntó Aída tomando un desvío hacia el camping.

—Que el bisabuelo quiso que lo mataran para estar en otro plano. Seguramente ya estaba cansado de todo…

La afi mación de Nicolás dejó a Aída boquiabierta. Paró el coche en el arcén para contestarle y poder girarse a mirar su carita inocente y adorada.

—Estoy de acuerdo contigo —le dijo, acariciándole la cabeza—. Hace mucho que pienso que él se dejó matar, que estaba deseando morir porque estaba ya cansado. Y tú, como eres un ángel, sin que yo te comentase lo que pensaba, has adivinado mis sentimientos.

—Sí… —contestó el niño, retomando su anterior indolencia y su deseado y temporalmente abandonado juego. Aída decidió entonces no volver a tocar el tema, a menos que él mismo se lo pidiese.

La conversación entre madre e hijo se produjo algo más de un mes después de que a Aída le ocurriera una tremenda experiencia paranormal. Sucedió en su casita del camping y después, a pesar del gran miedo que pasó, ella intuyó que esa vivencia iba a ser positiva.

Era lunes, 24 de abril del año 2000 y había tenido que irme, deprisa y corriendo, el viernes anterior, que era Viernes Santo, a la clínica La Milagrosa de Madrid. Mi hijo Jaime sería operado de urgencia. Pasé todo el fin de semana con él y, aquel día, decidí regresar para ducharme y ponerme ropa limpia.

En casa teníamos dos periquitos, macho y hembra, que vivían en una jaulita enganchada en la pared mediante un lazo de satén azul, sostenido por una escarpia, como si fuera un cuadro. Al entrar en la casa me quedé sorprendida porque la jaula estaba vacía. Pensé, en un principio, que podía haber entrado un gato. Sin embargo, enseguida descarté esa idea pues todo parecía estar en su sitio.

Entonces deduje que se habrían salido de la jaula y estarían por algún lugar dentro de casa puesto que no había nada, ni ventanas abiertas, ni resquicios por donde hubiesen podido escaparse. De modo que me puse a silbarles como hacía cuando los dejaba sueltos para que disfrutaran de un poquito de libertad, para que salieran de su escondite. Y mientras lo hacía iba sintiendo unos extraños escalofríos. Un miedo y una desazón inexplicables invadieron todo mi ser. Mi cuerpo se erizó al percibir la presencia de algo triste y negativo a mi alrededor. Me asusté mucho.

A pesar del temor que sentía, me puse a revisar la jaula. Los barrotes de la rejilla que hacía de piso de la misma parecían haber sido apartados lo suficientemente como para que pudieran salirse los pájaros. Solía poner un plástico transparente en la parte inferior de la jaula para que no me llenaran la casa de cáscaras de mijo y otros granos que comían. Me di cuenta de que los periquitos lo habían perforado a picotadas, hasta conseguir hacer un agujero por el que habrían podido salir perfectamente pero no sin esfuerzo. Y me pregunté qué les habría inducido a querer escaparse ya que todavía tenían comida y agua.

Escudriñé todo, fijándome especialmente en las paredes con reborde, donde ellos se posaban cuando los soltaba. Mientras, el frío intenso, los temblores y el miedo se iban apoderando cada vez más de mí.

De repente, horrorizada, vi que el macho yacía muerto en el suelo, justo debajo de la jaula. Y me pregunté que cómo habría podido salir por entre esos dos agujeros tan angostos para ir a caer exánime allí mismo.

Sin poder contener el llanto, le agarré y le metí en una bolsa de plástico para sacarle al "container" de la basura que estaba situado a unos metros de la casa, no sin antes despedirme de él.

De regreso, me puse como loca a remover todos los rincones con el fin de encontrar a la hembra a la que suponía viva, atemorizada y escondida en algún lugar. Pero, por mucho que busqué y rebusqué, no pude dar con ella.

Cada vez sentía, más intensamente, aquel frío y aquel miedo. Para distraerme, puse un disco de música clásica y encendí unas velas e incienso. Necesitaba sosegarme, calmarme como fuese, pero la energía acumulada en mi casa se iba apoderando de mis nervios, dominándome.

Para quitar importancia a mi extraño estado físico y sentirme un poco acompañada, cogí mi Furbie. Es un juguete que habla, un simpático peluche similar a los Gremlims de la famosa película, cuando todavía son buenos. Le tengo un cariño especial pues me lo regaló Nicolás para Reyes. Con sólo moverlos, se activan y comienzan a decirte cosas y a saludarte. Son realmente graciosos.

Al principio, cuando empezó a hablar, el muñeco exclamó: —¡Mí, dormido otra vez!— que era una forma de apagarse automáticamente si no lo movías con más brío. Pero, como yo necesitaba compañía, aunque fuera la de un juguete, insistí para que siguiera despierto. Lo sacudí, tres veces seguidas, pero el Furbie no quiso reaccionar. Seguía apagándose. Como yo continuara insistiendo, empezó a articular palabras en tono grave y amenazador, unos sonidos guturales, en un idioma que no creo que exista. Me estaba recordando a la niña de "El Exorcista".

Yo no daba crédito a mis oídos. El animalito me estaba asustando enormemente. Y, además, no había modo de pararlo. Me puse muy nerviosa e intenté quitarle las pilas. Como no lo conseguía, para desahogarme, abrí la puerta de la casa de par en par y lancé un alarido mientras seguía intentando desactivar el juguete.

Por fin, con la ayuda de un destornillador, lo conseguí. ¡Qué alivio! A pesar del miedo que ya se había adueñado considerablemente de mí, cambié el disco que estaba escuchando y puse un tipo de música más alegre y moderna.

Hice todo lo que pude, menos barrer, sumida en el miedo y el frío que sentía y la esperanza de hallar a la hembra. No quería que la encontrase el niño, caso de estar muerta. No lo logré, a la periquita parecía habérsela tragado la tierra.

Me puse a arreglar mi cama y, de pronto, seguí, de forma inconsciente, un impulso incomprensible. Empecé a hablar sola mirando en dirección al salón, como si allí se encontrase alguien. Se me llenaron los ojos de lágrimas porque me parecía que ese alguien me estaba respondiendo. Y, como la cosa más natural del mundo, comencé a gritarle.

—¿Queréis más venganza? ¿No os parece suficiente? ¿O es que queréis hacerme creer que todo esto me lo está haciendo mi propio abuelo, desde donde esté, porque fue tan malo que sigue siéndolo y quiere joderme la vida? —pregunté a voz en grito.

—No, no —continué, sin saber por qué—. Yo sé que sois vosotros, sus víctimas, las que estáis aquí. Y en este momento lo único que me produce vuestra presencia es pena, y no miedo, como pretendéis, porque todavía, después de tantísimo tiempo, vuestros espíritus están vagando por ahí!

Entonces, el miedo que me había estado invadiendo empezó a abandonarme, siendo sustituido por una enorme tristeza y una gran sensación de impotencia.

—Yo soy inocente. Yo no tengo la culpa de lo que él os hizo. Yo sólo tenía ocho años cuando lo mataron...

Cada vez estaba más convencida de que la presencia que yo percibía era la de varios seres que se encontraban en otro plano dimensional. Y yo, como una loca, les estaba hablando, amonestando, preguntando, mientras ellos se habían agrupado en el lado de la casa adonde yo dirigía mi voz. Sabía que estaban allí y estaba segura de que escuchaban, a pesar de que todavía no logro entenderlo.

De pronto, sentí menguar la negatividad y percibí que había retomado las riendas, que todo estaba retornando a la normalidad. El frío que reinaba en mi casa empezó a amainar y, aunque seguía llorando desconsoladamente, cada vez me hacía más dueña de la situación. Me daba cuenta de que, poco a poco, por la puerta y las ventanas, iba saliendo aquella energía que había conseguido trastornarme con tanta poder e ímpetu.

Entonces me fijé en una de las fotos de mi madre, fallecida siete años atrás. Besé la fotografía en la que aparecía cargando a Nicolás, el día de su bautizo. Observé la perfección de sus rasgos, a pesar de su edad, casi sesenta y cinco, y me fijé, por primera vez, en la colosal tristeza que reflejaban sus ojos, tan opuestos a la sonrisa que esgrimía su boca.

Al día siguiente llamé por teléfono a una amiga, Conchi Malo, que estaba pasando las vacaciones de Semana Santa en el camping. Le conté lo que me había ocurrido el día anterior y le pedí que, si no tenía miedo, pidiese las llaves en recepción y entrara en mi casa y encendiese unas velas blancas y unas varitas de incienso. Como le habían dado el alta a Jaime, yo me había refugiado en casa de Alfredo con el que seguía manteniendo una buena amistad, porque no estaba preparada para nuevas sorpresas.

Conchi hizo lo que le pedí. Además, desde mi casa, me llamó por el teléfono móvil para decirme que todo estaba bien y que había sentido una gran sensación de paz al entrar allí. Estaba claro que, aunque creía en mi historia, como me aseguró, nada más entrar en la casita supo que todo había pasado.

Ese mismo día, Jaime, mi hijo, que se había recuperado del todo, me llamó y me pidió permiso para quedarse en mi casa un par de días. Yo ya le había contado lo ocurrido allí y el motivo de mi permanencia en casa de Alfredo, pero él parecía no sentir miedo. Quizás se debía a que no me creía, aunque no me comentó nada. Accedí a su solicitud y lo único que le pedí a cambio fue que buscase a la periquita para evitar que, si estaba muerta, Nicolás fuese el que la encontrase. Al día siguiente Jaime me llamó por teléfono y me dijo que había hallado al pobre animalillo, muerto. Cuando le pregunté que donde lo había encontrado él respondió que estaba debajo de mi cama, justamente en el lado en el que yo siempre duermo!

CAPÍTULO XXII

CAPÍTULO XXII

...De ese modo, grotesco y denigrante, acabó la insigne testa del gran Desiderio Arias; servida y expuesta en una lujosa fuente, cual suculenta vianda en un banquete...

Corría el mes de agosto de 2002 en República Dominicana. Aída descansaba tumbada en una hamaca de cuerdas, en el hogar de Peque y su esposo, Bobby, situado en la península de Samaná. Su amiga por fin había logrado convertir su sueño en realidad. Se había construido una casa en su lugar de vacaciones preferido.

Dejándose llevar por un agradable derriengue, y como venía haciendo desde la tremenda anécdota ocurrida en su casita del camping, Aída reflexionaba sobre la posible existencia del fantasma, o lo que fuese, que había marcado la época en la que ella nació. Aquel hombre sin cabeza, que visitaba, según sus propias palabras, a su madre cada noche, ocupaba muchos de los pensamientos de Aída en los escasos momentos de ocio que tenía. Había llegado tan solo unos días antes acompañada de Nicolás y de Haydée que desde muy niña no había vuelto a pisar la isla.

Intrigada desde cuando era pequeña por el relato de su progenitora, Aída se prometió a sí misma que indagaría e intentaría encontrar algún rastro de aquel espectro. Estaba convencida de que esos raros acontecimientos no habían sido producto de la imaginación de su madre. Y más ahora que ella misma acababa de vivir una experiencia escalofriante. Decidió que lo mejor era ir a visitar su antigua casa porque si el edificio seguía en pie, quizás los nuevos propietarios le procurarían algún dato. Y mientras seguía derrumbada en la hamaca, contó lánguidamente su intención a Peque. Pero cuál no sería su sorpresa cuando ésta, de forma natural, empezó a contarle algo que ella no esperaba en absoluto.

—En la historia de Dominicana, existió un importante personaje que fue contemporáneo de tu abuelo Rafael y que perdió su cabeza. Y no sólo eso, estuvo íntimamente ligado a él en el momento en el que dio el famoso golpe de estado en contra del gobierno de Horacio Vásquez. Creo que no tienes necesidad de ir a esa casa. A menos que realmente te apetezca.

—¿De quién me estás hablando? Cuéntame Peque, por lo que más quieras. ¿Quién era ese hombre y qué tenía que ver con mi abuelo?

—Cuando llegue Bobby le preguntaremos —contestó Peque con la parsimonia que la caracterizaba—. Es mejor que sea él personalmente quien te lo cuente. Podrá informarte sobre el tema con más detalles que yo, por motivos que en su momento vas a entender.

—¿Bobby? ¿Y qué tiene que ver tu marido con esa historia? —Aída no entendía nada y había saltado de la hamaca para sentarse al lado de su amiga.

—No seas impaciente. Todo te lo contará él enseguida. Me dijo que vendría a comer. Tómate tu refresco y perdona que no te cuente nada ahora. Es que no quiero estropear la historia que él conoce tan bien.

Cuando, por fin, Bobby entró a la casa, Aída se le abalanzó encima y le pidió que le hablara de ese hombre que posiblemente formase de nuevo parte de su vida.

—Pero primero dame un beso y déjame que entre en casa, ¿no? —contestó Bobby en tono burlón.

El hombre se sirvió un vaso de agua y se sentó al lado de su mujer, e invitó a Aída a que hiciese lo mismo. Cuando comenzó el relato las dos amigas permanecieron en silencio absoluto.

—A Horacio Vásquez se le clasificó, sin razón, como un "dictador democrático" y su mandato fue ampliado más allá de lo que estaba permitido legalmente. Aquella fue una acción unilateral del presidente, aunque se quería hacer creer que el pueblo había sido el que lo había querido reelegir. Sin embargo, según los datos de muchos historiadores, el mandatario resultó ser un verdadero pelele de su camarilla que era la que en verdad se aprovechaba de aquella inestable y caótica situación… y…

—¡Eso ya lo he leído mil veces, Bobby! Cuéntame lo del "hombre sin cabeza" —interrumpió Aída, impaciente.

—Me saltaré lo de Vázquez pero tienes que dejarme que te hable de Desiderio Arias, personaje contemporáneo de gran relevancia en la historia de la República Dominicana. Él fue un hombre que se comprometió estrechamente con la lucha en pro de la libertad del pueblo. Como muchos otros personajes notables de la época, combatió y proyectó para que la política de su país tomase un rumbo nuevo... Rafael Leonidas Trujillo Molina, llamó su atención y le pareció el indicado para tomar las riendas del país. A pesar de que él también había luchado para evitar la ocupación militar de Los Estados Unidos, un hombre dominicano, aún joven, que había merecido ser nombrado por ellos Jefe del Ejército, no era alguien a quien desdeñar. Había que observarlo, seguir de cerca sus pasos, comprobar cuáles eran sus ideales y averiguar cuáles eran sus ideas para llevarlas a la práctica... Después de un tiempo —continuó Bobby su relato—, en el que se había acercado mucho a Trujillo, Desiderio resolvió, junto a otros colegas, que aquel hombre podría convertirse en el líder que la nación necesitaba. Por el carácter apasionado de sus gentes, el caudillo intuía que su pueblo requería un dirigente carismático, además de hábil. A su modo de ver, Trujillo reunía esas cualidades y a la vez representaba a una nueva y renovada generación. Desiderio le dio mil vueltas al asunto pues él no era un hombre que tomase decisiones a la ligera. Pasados unos meses después de la desocupación militar de Los Estados Unidos, se persuadió. ¡Alguien como él era lo que la República Dominicana necesitaba!

Aída volvió a interrumpir a su amigo: —Bobby, cuéntame sobre Desiderio. Lo que ocurrió en aquella época, incluido lo del famoso "Ciclón de San Zenón" ya lo conozco.

El hombre sonrió y fue a servirse otro vaso de agua. Aída estaba impaciente.

—¡Ya estoy aquí, tranquila! —exclamó Bobby mientras retomaba su asiento y su relato—. El caso es que, a pesar del gran apoyo que Arias brindó a Trujillo, con el transcurso del tiempo, se sintió decepcionado por ciertas acciones que el nuevo mandatario había emprendido. Entonces decidió rectificar su postura, y lo demostró y declaró públicamente. Se atrevió hasta a mandarle una carta en la que le expresaba su disgusto y le manifestaba claramente que se había equivocado al ponerse al servicio de su gobierno. Y no solo eso, también agregó que "él no podía permitir que su nombre se viese involucrado en los crímenes y atropellos que se estaban cometiendo en la República Dominicana". Y claro, aquello le costó la vida...

—O sea, ¿que mi abuelo mandó a matar a Desiderio? —preguntó Aída con tristeza.

—¡Qué va! Aunque hay quien afirma que lo hizo, yo sé que no fue así. Espera que te cuente cómo ocurrió. Conozco bien la historia gracias a mi abuelo. ¡Él sí que la vivió muy de cerca! Pero antes, querida, si no te importa, voy a darme una ducha…

—Sí, y mientras tanto yo le sirvo a Aída un ronsito… creo que lo que va a escuchar, bien se lo merece —exclamó Peque, levantándose y dirigiéndose al mueble-bar.

La casa de Samaná era una especie de choza grande y confortable. En los dormitorios había aire acondicionado y abanico de techo. El salón-comedor estaba decorado con muebles de madera y bambú. Una gran puerta, que por las noches se cerraba haciendo las veces de pared, lo separaba del porche. La casa era deliciosa y Peque había sabido conservar el sabor y ciertos aspectos de la cabaña primitiva. El tejado y el techo estaban hechos de una paja especial que impide que se cuele el agua de la lluvia, y repele, en gran medida, a los insectos. Todas las paredes de la casa habían sido decoradas, por su propietaria, con pintura de colores suaves y cálidos que le daban un aire naif.

Para tomar el aperitivo, las dos se sentaron en unas cómodas mecedoras de caoba que estaban situadas frente a una mesita al lado del bar. Aquel era un espacio completamente abierto, sin barandillas, y que daba directamente a la piscina blanca de formas redondeadas que parecía invitar a refrescarte bajo el cielo azul y claro de aquella parte de la isla.

Al poco rato Bobby regresó y se unió a ellas, refrescado, relajado y dispuesto a contar con todo detalle, tal como se la narró su abuelo, la historia de aquel cacique dominicano que terminó sus días desposeído de su insigne cabeza.

Desiderio se había tomado unos tragos… Pero no estaba celebrando ninguna de tantas victorias que había obtenido a lo largo de su vida, sino todo lo contrario. Estaba solo y, junto a Soledad, que vestía de negro, se machacaba el pensamiento. Se daba cuenta de que, creyéndose poseedor de la verdad, había errado de forma fatal. Sí… Trujillo era un hombre valiente, un militar consagrado y muy bien preparado, cuyas ideas, ahora se daba cuenta, le habían deslumbrado. Porque eso sí que era una gran verdad,

Trujillo era un hombre emprendedor, trabajador incansable y su forma de pensar para reconstruir la deplorable situación de su patria era realmente alentadora e innovadora. Desiderio se sirvió otra copa de ron y encendió un cigarrillo crema que aspiró con más ansiedad que placer. Las cosas habían cambiado mucho. Refugiado en un conuco, Desiderio Arias se escondía de la ira de su antiguo amigo Rafael Trujillo. Una casita azul celeste, rodeada de una finca pequeña, con su huerta, sus gallinas y algunas cabras le daba cobijo. Durante el día, Desiderio se distraía ocupándose de las labores del campo y dedicaba las noches a trazar planes políticos que presentía nunca iba a poder llevar a cabo. Aquella noche estaba abstraído en sus recuerdos y los percibía tan claramente que casi parecía poder palparlos. Veía cómo él había apoyado a Trujillo, cómo habían derrocado a Horacio Vázquez, lo mucho que había admirado al joven militar. Y también, por desgracia, cómo se había dado cuenta demasiado tarde de la ambición y la crueldad de aquel hombre. Pero también se arrepentía de haberle plantado cara cuando ya era demasiado tarde. ¡Qué poco inteligente se había mostrado él en aquella ocasión!

En asuntos políticos hay que ser más sutil, pensó y encendió otro crema. De pronto, una anciana, desdentada y negra como la noche, tocó el cristal de uno de los ventanucos de la casa. Desiderio se levantó y fue a abrirle.

—¿Qué desea doña? —le preguntó con la amabilidad que lo caracterizaba, aunque estaba algo contrariado por aquella interrupción.

—No te pongas bravo conmigo, Desiderio. Sé que estoy molestándote, mijo, que tú prefiere estar solito hoy. Pero vengo a avisalte. Hoy no te toca ilte pero hay alguien que quiere adelantal tu muerte.

—¿Quién es usted, doña y cómo sabe mi nombre? —preguntó el hombre con curiosidad y cierto temor.

—¿Y eso qué impolta? ¡Vete, mijo, vete desta casa lo ante posible! Todavía no estaba previsto que llegara tu hora. ¡Hazme caso, Desiderio! —Apenas había terminado de pronunciar estas palabras cuando desapareció tragada por la oscuridad y el sonido de las chicharras que cantaban con más fuerza que nunca.

—Pero, oiga, doña... —consiguió vociferar el cacique desde la ventana— ¡Vuelva! ¿Quién es usted?

Era inútil gritar. Ya no quedaba rastro de ella. A pesar de lo extraño de la visita, otro trago y otro cigarrillo fueron suficie - tes para que él retomara la evocación de sus apesadumbrados recuerdos.

Recordaba que en la última entrevista personal había tenido la oportunidad de matar a Trujillo y no había sido capaz de hacerlo. El afecto que le tenía se lo había impedido. En política, el corazón sobra, se dijo. Él entendía que la política era así. Él mismo, en el pasado, se había visto obligado a actuar de ese modo. Pero, esta vez, el juego de toda su vida le había cogido desprevenido.

La noche se iba escurriendo. Serían más de las once y Desiderio seguía sumergido en sus amargas cavilaciones. Estaba esperando, desde hacía ya un buen tiempo, recibir alguna noticia de Trujillo. Sabía que el Jefe estaba enterado de sus malogradas, y por todos conocidas, traiciones. Era muy inteligente y astuto. ¿Qué pretendía fingiendo que no sabía que él, su cómplice, su gran apoyo en aquel bendito golpe de estado, lo había traicionado? Si lo sabía todo el país. ¿Qué diablos estaría tramando?

Se sirvió un trago más. Quería dormir y dejar descansar la mente. Dar la cara a Trujillo era lo mejor que podía hacer, aún a riesgo de su vida. ¿Qué hacía él, Desiderio Arias, escondiéndose como un gallina? Esta existencia cobarde no había sido hecha para él. Y mientras seguía cavilando y dándole vueltas a lo mismo, llamaron a la puerta. El cacique fue a abrir a pesar de lo avanzado de la noche. En la penumbra se dibujó la silueta de Ludovino Hernández*, fiel colaborador de Trujillo. ¡Nuevamente Trujillo se le había adelantado!

—¿En qué puedo servirle, soldado? ¿Cómo ha dado con mi paradero, si se puede saber? —preguntó y se corrigió casi al mismo tiempo— Vaya pregunta más tonta. Habría que no conocer a Trujillo. ¿Cómo no iba él a encontrarme?

Hernández, molesto, porque estaba harto de que nunca le otorgaran los méritos que él y solo él merecía, disimuló y guardó muy bien lo que estaba pensando.

—Pero, por favor, pase y tome asiento —exclamó Arias—. Veo que va usted de civil, ¿quiere un trago?

El oficial estaba bastante alterado por lo que decidió aceptar la bebida. —¿Le molesta que fume señor? —preguntó al tiempo que se sentaba enfrente a la mesa del comedor.

—Sin problema, soldado. De hecho, yo también voy a fumarme el último cigarrillo de esta noche. Iba a acostarme. Pero, dígame, ¿qué lo trae por aquí a estas horas?

—Vengo a traerle noticias de nuestro bien amado Jefe. Él está preocupado por ciertos rumores que corren sobre usted —contestó el hombre apurando su vaso de ron.

—¡Él me conoce muy bien, joven, y sabe que no son rumores! —exclamó Desiderio— Lo que me extraña es que no me haya mandado llamar...

—De eso se trata —interrumpió Ludovino Hernández—. Su Excelencia me ha enviado para pedirle que me acompañe al cuartel de Puerto Plata, en donde se encuentra él ahora. No voy a ocultarle que su actitud de los últimos tiempos le ha incomodado...

—Es lógico, lo comprendo —Desiderio, más que contestar al soldado se hablaba a sí mismo—. Sí, mañana por la mañana le acompañaré sin dilación. Podemos salir temprano, a eso de las cinco de la madrugada, ¿le parece bien? Yo también deseo tener una conversación con Rafael.

—Querrá usted decir con Su Excelencia, ¿no?

—¡No, señor! Quiero decir que quiero hablar con Ra-fa-el. —escupió Desiderio al que la tremenda situación le había hecho olvidar que estaba hablando con un subordinado y que no era correcto referirse al Presidente por su nombre de pila.

Poco después el cacique acompañaba al oficial hasta el aposento reservado para invitados. Desiderio, preocupado y nervioso, pero con ganas de verle la cara a su antiguo amigo, penetró en su alcoba. Tardó en conciliar el sueño. Tenía un mal presentimiento que no sabía cómo defini .

Aunque la cama era confortable, Hernández no logró pegar los ojos ni un solo minuto. Tampoco lo deseaba. Estaba tenso, esperando a estar seguro de que el cacique dormía para llevar a cabo su plan. Sí, su plan. Un plan elaborado por él y sólo por él. El soldado estaba convencido de que, gracias a aquel propósito, su carrera iba a ascender de golpe y él ganaría respeto y admiración. Él, Ludovino Hernández, solo y sin ningún tipo de ayuda, había encontrado a Desiderio Arias y había tenido las agallas de ir a visitarlo. A Trujillo no le disgustaban las iniciativas y los hombres que adivinaban lo que él deseaba.

Al cabo de un par de horas, que se le antojaron eternas, el oficial salió del cuarto procurando hacer el menor ruido posible. Lo primero que hizo fue dirigirse a la pequeña alacena de caoba en donde el cacique guardaba el ron. Después de tomar bastante más de la cuenta, Hernández regresó al aposento. Despacio, como saboreando el momento, sacó una pistola del macuto en donde guardaba sus pertenencias. Estaba cargada y, aunque se había cerciorado de ello con antelación, volvió a comprobarlo. Le sudaban las manos y, para no cometer fallos, se las secó con una de las sábanas. Respiró profundamente y, con paso decidido, se dirigió a la habitación de su anfitrión. Aunque sabía que Trujillo lo quería vivo, si se presentaba al día siguiente con Arias en el cuartel de Puerto Plata, nadie daría importancia a su hazaña. Como siempre, no le serviría de nada y habría dejado pasar la oportunidad de su vida. Eso él no podía consentirlo.

El cacique dormía profundamente y emitía ronquidos guturales, producidos, tal vez, por el exceso de alcohol y tabaco al que no estaba acostumbrado. Hernández se acercó a su cama y lo miró de frente durante algunos segundos. No quería matarle mientras dormía. Esa no le parecía la forma de actuar de los verdaderos hombres.

—¡Desiderio! ¡Despierte, Desiderio! ¡Por Dios, despierte de una vez, carajo! —gritó, levantando cada vez más la voz y zarandeándole ligeramente.

Arias entreabrió los ojos y, en medio de su ensueño, vio al soldado apuntándole. No pudo o no quiso reaccionar. No articuló palabra alguna para asombro del militar. Recordaba a aquella mujer, negra como la noche, que lo había visitado apenas unas horas antes. Su intuición le había dicho, en varias ocasiones que, si no sabía protegerse, a él no le quedaba mucho de vida y que su muerte iba a ser violenta. Pero lo que nunca imaginó fue que Trujillo se libraría de él de aquella manera tan cobarde.

—¡No, no! No es el Jefe el que ha mandado a matarlo —gritó Hernández, leyéndole el pensamiento—. Él sólo quería conocer su paradero y hablar con usted. Pero yo voy a hacer más. Voy a ejecutarle. No voy a permitir que cualquier pendejo venga a quitarme a mí la gloria de acabar con uno de sus enemigos más grandes. Y, se lo aseguro, Desiderio, si no lo hago yo esta noche, lo hará otro. Y entonces, como siempre, me veré despojado de los honores que tan bien merecidos tengo.

El cacique no apartaba la mirada de su verdugo, esperando su última hora. Sintió un cierto alivio al descubrir, por boca de su ejecutor, que Trujillo no le había mandado a matar de aquella manera, como se mata a un puerco. La muerte en sí no le producía ningún miedo. Hacía ya mucho tiempo que estaba preparado para cruzar ese umbral.

Con el pulso ligeramente tembloroso, pero sin dudarlo, enloquecido por lo que él pensaba representaría su éxito y su gloria, Hernández le descargó, a bocajarro y en el corazón, todo el cargador de su pistola. Salió de la alcoba jadeando. Lo había hecho. ¡Por fin había conseguido hacer algo realmente grandioso! ¡Trujillo iba a sentirse orgulloso de él! Se dirigió nuevamente a la alacena de caoba y se bebió lo que quedaba de la botella de ron. Ni un atisbo de remordimiento le invadía. Únicamente el gran nerviosismo de haber logrado realizar algo de lo que ni él mismo estaba seguro de ser capaz.

Ludovino Hernández se sentía satisfecho y orgulloso de sí mismo hasta que, de pronto, se dio cuenta de que existía un gran contratiempo que él no había tenido en cuenta. Sí, había logrado matar a Desiderio Arias pero, ¿cómo podría probarlo? La única forma de que le creyeran sería llevándose el cadáver y mostrándoselo personalmente a Trujillo. Se le ocurrió que podría avisar a una patrulla, para que vinieran a buscarlo en el jeep, pero enseguida desechó esa idea, que se le antojó absurda. Lo más probable sería que, si venían a ayudarle, sus compañeros querrían adjudicarse parte del mérito de su hazaña. Y eso no estaba dispuesto a consentirlo.

—Pero... ¿y entonces? ¿Ahora cómo me hago? —se repetía una y otra vez, dando puñetazos en la mesa— No sé cómo no se me ocurrió antes. ¡Soy un pendejo, un inútil, un perfecto *imbésil*!

Se dirigió nuevamente a la alacena de caoba para ver si encontraba más alcohol. Una inmensa frustración se había apoderado de todo su ser. Precisaba emborracharse e intentar dormir. Al día siguiente, quizás, podría pensar en cómo solucionar su problema. Pero ahora, Ludovino se sentía cansado, muy cansado... Encontró una botella de ginebra que aún estaba cerrada, la asió como un náufrago a una tabla y se sentó en la silla que el desdichado Desiderio había ocupado antes. Necesitaba, ante todo y sobre todo, no sentirse abandonado por su idea de triunfo. Tomó un par de largos sorbos y encendió un cigarrillo tras otro, fumando como un condenado a muerte. Como había empezado a sudar como un pollo, se quitó la camisa y el pantalón. Vestido solo con calzoncillos y calcetines, daba pena verlo. Chupaba directamente del morrillo de la botella, a modo de biberón, y parecía un enorme bebé feo, amorfo y desvalido. Hernández tenía mucho calor pero no se atrevía a abrir las ventanas por temor a ser avistado. Lo único que deseaba era anestesiarse y caer rendido.

—¡No tienes *cabesa*! —se reprochaba— Nunca la has tenido, Ludovinito... ¡Eres un peldedor! —la ingesta de alcohol solía acentuar su acento dominicano.

—No tienes ni un solo dedo de frente... —continuaba obsesivamente— Eres un peldedor! No tienes cerebro sino majarete dentro de la *cabesa*. ¡No tienes cabeza, soldao de mielda! ¡Pendejo! No tienes cabe... ¿qué? ¡Eso... eso es... eso es! ¡Ya lo tengo! ¡Ja, ja, ja! ¡Ya está, Ludovino! ¡Eres genial, sencillamente genial!

De pronto, como si se le hubiera aparecido la Virgen, con los ojos enrojecidos por el alcohol y la gran tensión, Hernández empezó a reír frenéticamente. —¡Claro! ¿Cómo no se me habría ocurrido antes? ¡Sí...! ¡Ja, ja, ja! —todo su cuerpo se descoyuntaba por su enloquecido y repentino carcajeo— Sí tengo cabeza, ji, ji... ¡Yo sí! Pero, el que no la va a tener, ni para que lo entierren con ella, es este infeliz de Desiderio Arias. Total, para la falta que le hace. Esa será la prueba de mi hazaña. ¿Cómo no me había dado cuenta antes? ¡Pero si soy realmente un genio! ¡Soy un verdadero y auténtico hénio!

El tremendo bloqueo y los sentimientos de fracaso, dieron paso a un estado de colosal euforia. Pero la tarea que Hernández se había impuesto no era plato de buen gusto, así es que apuró toda la ginebra y todos y cada uno de los culillos de licor que encontró en la alacena. Pretendía aplanarse antes de poner en práctica su macabra idea. El descanso, que tan solo hacía unos minutos había codiciado, ahora le parecía una inútil pérdida de tiempo. Cuando se sintió lo bastante envalentonado, se dirigió a la habitación que había ocupado la noche anterior y cogió una enorme navaja de campo que siempre llevaba consigo. Después se dirigió a la alcoba donde yacía el cuerpo sin vida del que fuera grandioso libertador de la República Dominicana y se plantó delante de él, como si quisiese retarle.

—Lo siento, don Desiderio —gritó, enloquecido, ebrio y socarrón, dirigiéndose al cadáver— Pero... ¡no tengo más remedio que llevarme su ilustre *cabesa*! Espero que lo comprenda. A usted ya no le hace ninguna falta... en cambio, a mí me va a rendir un gran servicio. —Y sin inmutarse, se dispuso a rebanarle el cuello. Como el arma era de buena calidad y estaba bien afilada, no le supuso ningún problema. Hernández no se estremeció ni siquiera porque los ojos del cacique, que permanecían abiertos, parecían mirarle fijam nte. Todo lo contrario, aquel espeluznante detalle hasta parecía complacerle porque hacía que se sintiera extrañamente superior al difunto.

La única dificultad que se le presentó fue que tenía que romperle las cervicales para separar la cabeza del cuerpo. Sin embargo, aquello no achantó al homicida que salió al patio en donde había visto que Arias guardaba algunas herramientas, y cogió un hacha. Al ratito regresó a la casa y terminó su escalofriante faena que resultó ser más dificult sa de lo que él creía porque no quería desfigurar ni un poquito a su víctima. Cuando por fin terminó, nervioso y sudoroso, asió la noble testa con ambas manos y con gesto triunfal, como lo haría un escultor orgulloso de su obra, la levantó para observarla mejor. Poco le importó que, al hacerlo, por sus brazos corriesen chorros de sangre medio coagulada. Aquel que había sido vital elemento del malogrado Desiderio, era el símbolo de su recién estrenado éxito, pensó convencido.

Pero entonces ocurrió que Hernández creyó ver al espectro de su víctima, también incompleto, abandonar el macilento cadáver. Terribles escalofríos, que le devolvieron al instante la sobriedad, recorrieron su cuerpo. Sintió pánico, soltó bruscamente y dejó rodar la cabeza sobre la cama. Presa de horror, el hombre corrió nuevamente a la alacena de caoba pero esta vez no tuvo suerte; ya no quedaba ni una gota de licor. Se dirigió entonces al cuarto de baño y, en un armarito que contenía algunos medicamentos, encontró un frasco de alcohol de desinfectar. Se tomó un trago del potente líquido, regresó al comedor sin soltarlo y después se desplomó en una butaca, hipando y con el estómago ardiéndole. —Si esa alma anda mutilada por ahí —gritó espantado—, ¿por dónde andará su *cabesa*? Ese pedazo que le falta debe de estar en su sitio, imagino… ¡y yo tengo que llevármela!

Ludovino respiró profundamente varias veces, dio otro trago al desinfectante e intentó razonar: —¡Ay Ludovinito! —se dijo—, entre los nervios y todo lo que has tomado… ¡ya ves hasta fantasmas! Cálmate, cálmate, hijito… Serénate o te vas a volver loco ahora que has conseguido, por fin, el triunfo total y absoluto. —Dicho esto se levantó, volvió a la habitación para coger su macuto y fue a buscar su trofeo que seguía en la cama, reposando al lado del cuerpo y con los ojos abiertos de par en par.

—¡No me das ningún miedo, don Desiderio, ninguno! Estás muerto, ¿oíste? ¡Muerto! ¡Ja, ja, ja! —le chilló con la certeza de que pronto sería un gran triunfador que le había devuelto su anterior estado de demente euforia.

A continuación, se dispuso a introducir la ensangrentada testa en el macuto que previamente había evacuado. Después se dirigió nuevamente al aseo y se lavó, se cambió de ropa y se echó medio frasco de colonia de la que Arias guardaba en el armario de su cuarto de baño. Antes de abandonar la casa cogió su siniestro equipaje, apagó todas las luces y salió embriagado más por su futuro triunfo que por el alcohol que parecía habérsele evaporado de las entrañas.

Ludovino Hernández llegó al cuartel de Puerto Plata al final de la mañana, sin síntomas de cansancio, tal era su animación. Pidió ver a Trujillo afi mando que se trataba de un asunto de extrema urgencia. Estuvo esperando, impaciente, durante unos momentos en el despacho del mandatario al cabo de los cuales éste se presentó alterado y un tanto molesto.

—¿Qué le trae por aquí sin previo aviso, Hernández? —le dijo— ¡Usted sabe muy bien que no me gusta interrumpir los entrenamientos!

El soldado, visiblemente excitado, no acertaba a hablar y le tendió el macuto a Trujillo, sin articular palabra.

—Soldado, ¿podría explicarme qué significa todo esto? —Su tono era severo. Al Jefe no le gustaban las sorpresas ni que le hicieran perder el tiempo.

—Es la cabesa de Desiderio Arias. Anoche, yo mismo me encargué de eliminarlo.

—¿Cómo que "la cabeza" de Desiderio? ¿Qué clase de chiste es este, Hernández?

—Lo que ha oído, Su *Exselencia* —el nerviosismo volvía a enfatizar su acento dominicano—. Anoche acabé con su vida. Y, como me era imposible *calgar* con el cadáver, le traje su cabeza para que usted personalmente compruebe mi hazaña, realizada, por supuesto, a favor de la exaltación de la Patria y de su único y gran gobernante. ¡Viva Trujillo! —exclamó Hernández a la par que se erguía y se cuadraba delante de un estupefacto Rafael Leonidas Trujillo.

El mandatario no acertaba a digerir la situación, ni podía dar crédito a sus oídos. Permaneció paralizado por la sorpresa durante unos segundos y, cuando reaccionó, con un gesto indicó a otro militar que abriera el tenebroso paquete. Nada más empezar a desatar los cordones, un hedor de sangre descompuesta invadió la habitación.

—Si usted lo permite, Excelencia dijo el soldado, reprimiendo una arcada—, voy a llevarlo a la cocina para que lo laven y podamos verifica su contenido. Está lleno de sangre y no hay modo de...

—¡Vaya, vaya... pero váyase de una vez! —ordenó Trujillo, fastidiado y ofuscado, mientras abría una ventana de par en par— Y usted, soldado —exclamó dirigiéndose a Hernández—, ¡quítese esa ropa de civil y regrese cuando esté vestido como le corresponde!

Trujillo se quedó solo y meditabundo. ¿Sería verdad lo que le estaba contando ese infeliz o se habría vuelto loco? ¿Habría podido Ludovino con el cacique? Estaba casi seguro de que era imposible. Desiderio Arias era un hombre demasiado inteligente como para caer en la trampa de aquel don nadie.

Hernández, una vez ataviado con su traje militar, se dirigió a la cocina en donde otros soldados, alucinados y asqueados, intentaban dejar, dentro de lo posible, la cabeza del desdichado Arias lo más aseada posible para presentársela a Trujillo.

—Mijo —preguntó el cocinero, también militar, a Ludovino—, ¿dónde la ponemo? No vamo a llevársela al Jefe agarrada por lo pelo.

—En una bandeja de plata, pendejo —contestó soberbiamente Febrerolo, a quien ya el éxito se le había subido a la cabeza—. Una bandeja de plata —repitió— ¡digna de nuestro gran Bienhechor, pero también digna de mi gran proeza!

El cocinero se encogió de hombros e hizo lo que el soldado le ordenó. De ese modo, grotesco y denigrante, acabó la insigne testa del gran Desiderio Arias; servida y expuesta en una lujosa fuente, cual suculenta vianda en un banquete.

A su espíritu, que vagaba por el cuartel en busca de su cabeza, cuando vio adonde había ido a parar, le embargó un gran dolor. Se sintió humillado pues aún no conocía su divinidad absoluta. Como le había dicho aquella anciana, su muerte no estaba programada para aquella fatídica noche. Al haber sido bruscamente adelantada, a su alma no le había dado tiempo para desvincularse de su cuerpo físico.

Un endiosado Ludovino Hernández, acompañado por el cocinero que llevaba la bandeja con su horripilante contenido, se presentó en el despacho de Rafael Leonidas Trujillo. Sentado frente a su escritorio, el mandatario despachaba el correo del día. Aunque no solía demostrarlo, estaba muy alterado. No acertaba a pensar con claridad y deseaba poder comprobar que aquel soldado se había equivocado de hombre.

Cuando el cocinero levantó la argéntea tapadera de la bandeja y exhibió su contenido, Trujillo reconoció, con gran aprensión, al que antaño fue su gran colaborador. Desiderio Arias era un hombre al que él respetaba a pesar de haberse convertido en su enemigo. Al mandatario le invadió una mezcla de pena, furia, indignación, náuseas y, algo insólito en él, miedo. Sus raíces supersticiosas emergieron profusamente. Ocultándolo todo, y con la displicencia que Trujillo solía demostrar en circunstancias extremas, confi mó la identidad de la víctima.

—Desiderio Arias fue un gran hombre y también un grandioso patriota —exclamó—. Cierta fue su traición. Pero quien fue admirable cacique de la República Dominicana, ¡merece un entierro digno de su rango!

Y dirigiendo la mirada a Hernández continuó: —Siempre han existido bestias carroñeras para aprovecharse de los auténticos líderes. ¡Quiero que vayan a buscar, ahora mismo, sus restos mortales y vuelvan a juntarlos con su digna cabeza, carajo! Exijo que, cualquier médico que esté de guardia aquí hoy, realice esa labor sin dilación.

Trujillo apenas había terminado de hablar cuando los dos soldados se cuadraron delante suyo y, llevándose la bandeja y su contenido, salieron apresuradamente del despacho.

Toda la arrogancia que había esgrimido Ludovino Hernández se redujo a un inmenso temor y a una terrible duda. No estaba seguro si su hazaña sería premiada o castigada por El Jefe. Junto a un grupo de jóvenes militares, a bordo de un jeep, el soldado se apresuró a cumplir la orden recibida.

Aquel día hacía un calor insoportable y al entrar en la casa, llena ahora de moscas y otros insectos, un hedor nauseabundo embargó a la tropa. Algunos tuvieron que salir al jardincillo, que con tanto amor había cuidado el difunto Arias, a vomitar. Los otros procedieron a envolver el cadáver en una frazada que ataron con una cuerda. Hernández parecía ser el único que no estaba afectado ante la visión de los restos del malogrado cacique. Condujeron el siniestro bulto hasta el jeep y lo taparon con hojas de palma.

Sin pronunciar palabra, los soldados retornaron al cuartel de Puerto Plata. Allí les estaba esperando el único médico militar que estaba de guardia. Aunque el doctor Delgado era dentista, estaba perfectamente capacitado para realizar la siniestra operación de sutura que había encargado Trujillo.

Los soldados se apresuraron a sacar el cadáver del jeep y lo llevaron donde el médico les indicó. El doctor había acondicionado una pequeña habitación a modo de improvisado quirófano. Cuando por fin terminó su labor, el espíritu de Desiderio Arias, se sintió satisfecho. Sin embargo, cuando se dirigió a Dios, Él le apuntó que, mientras no aprendiese a perdonar, su alma erraría por el planeta despojada nuevamente de su cabeza.

Al día siguiente, con gran pompa, se celebraron los funerales militares en honor del que había sido excelso cacique de la República Dominicana. Sus restos mortales yacían en una lujosa caja de caoba, descubierta para que los asistentes pudiesen verlos. El doctor Delgado había realizado un buen trabajo y el cuello de uno de los uniformes de Desiderio había rematado con gran éxito su tarea.

Al lado del féretro, una bandera dominicana, rodeada de velones y coronas de flores frescas enviadas desde todas partes del país, esperaba el momento de envolverlo, antes del entierro. Trujillo, ataviado con un blanquísimo uniforme de gala, un brazalete de tela negra ciñéndole el brazo izquierdo y la corbata del mismo color, presidía la triste ceremonia, rodeado de sus más cercanos colaboradores.

El mandatario había enviado un coche a recoger a la familia del finad . Nada más llegar, los Arias, todos de riguroso luto, se dirigieron al lugar en donde se encontraba el féretro para dar su último adiós a Desiderio. Llantos histéricos desgarraron el silencio reinante. El sol se cubrió de nubes sombrías que parecían querer acompañar las lágrimas de los afligido , que habían empezado a bailar una danza macabra y triste.

Trujillo se mantenía de pie, inmóvil y en actitud de respetuoso mutismo. Sus colaboradores intentaban imitarle pero parecían grotescas caricaturas comparadas con su natural elegancia.

Después de permanecer unos minutos al lado de los restos del finad , los miembros de la familia Arias, al mismo tiempo, sincronizados como si lo hubiesen ensayado previamente, se dirigieron al lugar en donde se encontraba el dictador.

Una vez frente a Trujillo, empezaron, al unísono, a pronunciar, a modo de plegaria, unas palabras en un idioma desconocido por los allí presentes. Después, sin que a nadie se le ocurriese impedírselo, esparcieron cenizas por el suelo. Posteriormente sacaron, de una caja de madera que una de las hijas sujetaba fuertemente, una gallina descabezada, caliente y chorreando sangre.

La viuda de Arias fue la primera en coger y enarbolar al animal, cual si hubiese sido una banderola, durante unos segundos. Lo entregó después al mayor de sus hijos quien repitió el extraño rito. Y así fue pasando el degollado animal a manos de los demás familiares, a quienes no parecía importarles manchar de color púrpura sus fúnebres vestidos, y repetían la incomprensible letanía. Nadie, de los allí presentes, acertó a mover un solo dedo. Parecía como si algún extraño sortilegio los hubiese hechizado, paralizándolos. Cuando el ritual terminó, la que fue compañera del cacique asesinado se acercó a Trujillo y entró en peligroso y estrecho contacto con su aura. El mandatario se estremeció pero, como de costumbre, no lo demostró. La afligida mujer se levantó el velo, revelando una mirada colmada de odio, que dirigió como rayo de tormenta a los confundidos ojos del dictador. A continuación, sin una brizna de miedo, le escupió a los pies.

—¡Rafael Leonidas Trujillo Molina, óyeme bien! ¡Mal *nasido*! ¡Con este conjuro yo te maldigo! Te maldigo a ti, al seno de donde mamaste y a toda tu descendencia, hasta la cuarta generación. Fíjate bien en lo que digo, *desgrasiado*, te maldigo a ti y a los tuyos.

Aunque no llegarás a conocerlos a todos, yo maldigo a tus herederos hasta la cuarta generación. Ellos pasarán muchas *postrasiones* y sufrirán mucho por culpa tuya. Ellos se verán obligados a aliviar tu karma. Muchos de ellos morirán jóvenes, sufrirán desprecios, pérdidas inútiles y carensias de todo tipo. No habrá amor, ni paz, ni armonía en el seno de tu familia. Creerás haber conseguido todo en esta vida, pero nada perdurará. Serás traicionado, como tú traicionaste. Serás abandonado, como tú lo has hecho y todo, absolutamente todo, lo que hagas será completamente estéril y *aborresido* por el mundo entero.

Acto seguido, sollozando como una niña y cubriéndose nuevamente el rostro con el luctuoso velo, la mujer abandonó el lugar a pie, acompañada de sus familiares.

—Si me lo permite, Excelencia, deberíamos hacer arrestar a esa mujer y a toda su familia —sugirió nerviosamente el secretario personal de Trujillo, Joaquín Balaguer, que, evidentemente, estaba entre los allí presentes.

—¡Cállese, doctor Balaguer! —gritó Trujillo— ¿No ve que esa viuda está cegada por el dolor? Ella cree que yo he matado a su marido. Y, en cuanto a lo de la brujería… no puedo entenderlo, doctor. ¡No puede ser verdad que un hombre tan culto como usted crea en esas vainas! —Nunca lo confesaría, pero el propio Trujillo pretendía tranquilizarse a sí mismo.

Cuando el mandatario se retiró a su intimidad, se sentía contrariado. Intuía que todos estos contratiempos formaban parte del poder que, hacía aún poco tiempo, acababa de estrenar. No tomaría represalias contra la familia Arias. Tampoco iba a darles ningún tipo de explicación. De todos modos no le iban a creer. Además, el único al que, a pesar de su traición, seguía respetando, ya había "dejado de fumar" para siempre.

Aída escuchaba boquiabierta a Bobby. Se levantó de su mecedora y se sirvió ron. Dio dos tragos a la copa y recobrándose ligeramente le preguntó —¿Lo que acabas de contarme ocurrió de verdad?

Pues claro que sí, Aída —contestó él—. Lástima que mi abuelo no esté aquí para narrártelo personalmente. Sin embargo, mi papá puede confirmarte la veracidad de esta historia. Cuando regresemos a Santo Domingo, vamos a ir a verlo.

—Sí… ya… ahora comprendo lo que aquella voz, el día de los periquitos, quería decirme cuando me susurró al oído que recordase "la maldición".

—¿De qué hablas? —preguntó sorprendido Bobby.

—Nada, nada… olvídalo. Es simplemente que… ¡tu relato me ha dejado de piedra!

Tres días después, acompañada de sus hijos, Aída tomó el avión que la devolvería a la ciudad que la había acogido desde niña y a la que tanto amaba. La misma compañera de viaje que la escoltaba cada vez que abandonaba la isla, se sentó al lado suyo en el avión. Certidumbre de Regreso era una mulata de ojos azules y melena ondulada que le llegaba hasta la cintura. Cuando percibía su pequeña tristeza, la consolaba y le aseguraba que pronto regresaría a Santo Domingo. Se solía sentar en un asiento imaginario situado al lado de Aída. Era muy guapa y parecía estar muy segura de sí misma. Certidumbre no le hablaba, con su presencia bastaba. Además, cuando Aída se tranquilizaba, desaparecía como por arte de magia y no regresaba hasta que ella volvía a necesitarla.

Durante las ocho horas de vuelo, Aída no pudo quitarse la historia de Desiderio Arias del pensamiento. Era realmente sorprendente. Ahora tenía la certeza de que el espíritu que visitaba a su madre, tantos años atrás, era el de ese hombre. El famoso "hombre sin cabeza" de su infancia. No podía ser otro, estaba claro. Y se preguntaba qué motivos tendría para hacerlo. Deducía, además, que si su espectro aparecía despojado de su noble testa era porque él, en la época, no había perdonado todavía. Y se preguntaba que cómo sabía ella "eso", si Bobby no se lo había mencionado. Si había sido Dios el que se lo había dicho al alma de Arias… ¿por qué ella lo sabía?

Mientras meditaba, Aída también se preguntaba por qué sería que la gente, en general, no creía en manifestaciones de energías que están en otros planos. ¿Por qué la existencia de los fantasmas, la palabra más corriente para definir esas manifestaciones, era rechazada y considerada como un simple producto de la imaginación? Seguramente habría millones de ellos vagando por el planeta y, por alguna razón, no se habían podido desconectar de nuestro dimensión.

Aquella primera noche en Madrid, Aída durmió mal. Se encontraba bastante tensa y decidió tomar una infusión que la ayudase a conciliar el sueño. Encendió, después un palito de incienso y puso un poco de música suave. Después se encerró en el cuarto de baño a darse una ducha bien caliente. Cuando regresó al dormitorio, se tumbó en la cama, hojeó una revista y apagó la luz. Se puso a respirar profundamente y se quedó tranquila durante unos segundos en los que parecía que Morfeo iba a venir a acompañarla. Pero al rato un ruido sordo la sobresaltó. Aída abrió los ojos y sintió una extraña presencia en la habitación.

De pronto, empezó a sentir un frío que le recordaba el que la había invadido hacía ya más de dos años. Permaneció quieta y alerta pero no encendió la luz. Al rato lo vio. Tenía que ser un espectro porque no tenía cabeza y su figuraba, a pesar de la oscuridad, destacaba claramente en la habitación

Sin embargo, la mujer no sintió miedo alguno. Pero pudo percibir un gran descontento en lo que el fantasma le manifestó, sin pronunciar ni media palabra. Estaba enfadado porque ella había llorado a su abuelo cuando, en una parte de "La Fiesta del Chivo", le asesinan.

Como si de algo natural se hubiese tratado, Aída se enfrentó con él y le gritó que, a pesar de no estar de acuerdo con el modo en que él había gobernado, ella seguía queriendo a su abuelo. Después también le preguntó que por qué había venido a visitarla. Su respuesta fue silenciosa y no pudo escucharla, solo la sintió. Se alegraba de que ella reconociera públicamente que no estaba de acuerdo con la dictadura de su abuelo.

Ella, convencida ya de que aquella era el alma de Desiderio Arias, le reprochó el hecho de que, después de tanto tiempo, aún no hubiese recuperado su cabeza. ¿A quién no había perdonado, a Trujillo o a Hernández?

A ninguno de los dos, fue su muda respuesta. A su asesino por haberle arrancado la vida y a Trujillo porque, a pesar de no haber estado de acuerdo, lo había ascendido.

Aída, que hacía rato estaba sentada en la cama, exclamó: —Desiderio, voy a darte un consejo. ¡Per-do-na! ¡Libérate de tu cruz y descansa en paz!

Nada más pronunciar aquellas palabras, el espectro abandonó la estancia y se dirigió al cuarto de baño. Aída encendió la luz para convencerse de que estaba totalmente despierta. Se levantó y se encaminó también hacia el aseo. La puerta estaba a medio abrir y parecía que "alguien" había cambiado algunos objetos de sitio. Cuando regresó a su cuarto pensó, con agradecimiento, que "su fantasma" le hubiese procurado aquellas señales inequívocas de su etérea presencia.

Un tiempo después, Haydée se mudó a la casita del camping, junto a su madre y a Nicolás. Soledad y Tristeza tuvieron que marcharse porque Aída se sentía feliz junto a sus hijos. Transcurrió para ella una época tranquila que sólo se vio perturbada por el dolor intenso que le producía escribir los recuerdos que la memoria le traía y los acontecimientos de la Era de Trujillo que, con paciente malestar, ella iba averiguando. Pero Criterio, que la visitaba a menudo, la animaba a seguir, afirmándole que aquel era uno de los propósitos de su vida.

—Si tu libro se llega a publicar, con lo que expresas en él, vas a poder ayudar a mucha gente.

—No entiendo en qué podría ayudar lo que yo escribo… —contestaba ella, desanimada.

—Te voy a hacer una pregunta —insistía Criterio—: ¿Tú crees que eres la única en el planeta que sufre por sus dicotomías y sus paradojas?

—No, claro que no.

—Y, entonces… ¿por qué te sorprende tanto el hecho de que yo te diga que tus escritos pueden ayudar a otras personas? A otra gente que no se atreve, aunque lo desee, a dar la cara a sus sentimientos.

—Pues… la verdad es que no me había parado a pensar en eso.

—Entonces… párate a pensarlo —exclamaba él, esfumándose, como de costumbre, sin darle tiempo a replicar a la mujer.

Aunque Aída parecía no estar preparada, la época de campamento estaba a punto de acabar. Un día, del que fue el último verano para el Camping Madrid, sus habitantes recibieron una carta del propietario del establecimiento. En ella se les avisaba que en el plazo de tres meses tendrían que abandonar las instalaciones porque el terreno había sido vendido a una constructora. Allí se edificarían bloques de pisos y chalets, además de un gran centro comercial. Aquel remanso de paz tenía los días contados.

Pero, a pesar de lo triste que resultó ser esa noticia, Aída tuvo claro desde el primer momento que aquel era un mensaje del Universo. Y aunque sintió pena por verse en la obligación de abandonar el que había sido su hogar durante los últimos tres años, optó por ser práctica.

Además, pensó, ahora contaba con el apoyo moral y económico de Haydée. Entre las dos podrían pagar el alquiler de un piso en la ciudad. Había que despedirse de aquella vida silvestre y de una recua de amigos, algunos pasajeros pero que habían hecho una labor excelente. Otros, como Conchi Malo y los feriantes, Kike y Juani, también se quedarían en su vida. Jesús seguiría siendo su amigo hasta la muerte. Realmente la experiencia vivida en aquel remanso había valido la pena. No había que contradecir a la vida que quería cambiar de decorado una vez más.

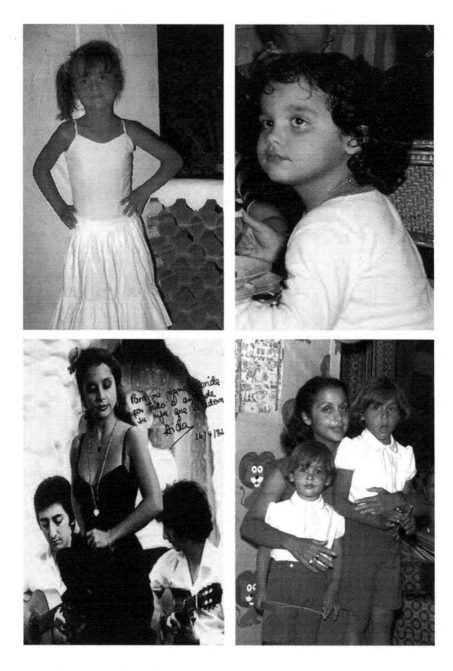

Haydee tercera hija de Aida   Aida en Sano Domingo

Aida bailando en el Tablao Los Canasteros junto a Juan Carmona (Ketama). Aida con sus dos hijos Carlos y Jaime.

CAPÍTULO XXIII

—Fidel Castro ni ha sido, ni es, menos criminal de lo que fue Tru-
jillo. —continuó Aída—. Como sabrás, acaba de matar a unas
cuantas personas, enarbolando "la bandera roja" y la de los derechos
humanos...

Fue precisamente en aquella época cuando Maritza, su prima, murió repentinamente víctima de una dolencia poco frecuente que se la llevó a la tumba
en menos de dos meses. Su pérdida resultó ser tan inmensamente dolorosa
para ella que Aída empezó a hundirse. Una vez más, Muerte había venido a
arrancarle a un ser muy querido.

El piso que Haydée y Aída pudieron alquilar era pequeño y estaba en
una quinta planta. Tenía una terraza poco espaciosa que no ofrecía ninguna
alegría. Acostumbrados a la libertad en la que vivían en el camping, tanto
Nicolás como Aída, empezaron a sentir una gran nostalgia.

Como tuvieron que pagar tres meses de adelanto, en un principio no
pudieron comprar muebles. Los que tenían en la casa del camping eran fijos
y, si querían venderla, no era cuestión de desmantelarla. Alfredo devolvió
a Aída la camita de Nicolás, aquella que usó cuando vivieron en su casa.
Haydée se apañó con un canapé sin colchón al que le ponía unas mantas
debajo de las sábanas, para amainar su rigidez. Aída intentaba compartir la
cama del niño. Pero era demasiado pequeña para los dos y ella terminaba
acostándose en el suelo, encima de una alfombra de goma. Tristeza y Soledad se tendían junto a ella, acompañadas de Pobreza, Desarraigo y, para
colmo, Falta de Libertad. Despertar cada mañana se había convertido en
un verdadero infie no. Se sentía triste y descentrada en medio de aquella

maraña urbana a la que ya no estaba acostumbrada. Y recordaba a Maritza con el dolor de saber que jamás volvería a verla.

Al cabo de un tiempo, y con la ayuda de Daniela Fonseca, consiguió reunir suficie te dinero para comprar una cama grande y dos armarios. Pero Aída no lograba desprenderse de la congoja que le producía el vivir en aquel apartamento gris al que, a causa del trabajo, Haydée no regresaba hasta por la noche.

A Nicolás, Aída lo llevaba temprano al colegio y lo recogía a las cinco de la tarde. Cuando regresaban a casa, le ayudaba con los deberes, lo bañaba, le ponía la cena y lo acostaba. Entonces, el sentimiento de tristeza se hacía más patente y la invadía totalmente. Ya, por más que lo intentara, no conseguía escribir porque cada vez que evocaba su pasado se le acumulaba el sufrimiento en las entrañas y ni siquiera Criterio se atrevía a visitarla, tal era su malestar.

Como no encontraba trabajo, Paloma, su prima, le propuso que se incorporase a la compañía de seguros con la que ella misma llevaba ya unos años colaborando. En el pasado, Aída había tenido cierto éxito en el sector y decidió intentarlo de nuevo. Aquello pareció animarla un poco.

Transcurrido un tiempo, Haydée y ella decidieron mudarse de casa. Ante las nuevas perspectivas, el triste tedio en el que Aída estaba sumida desapareció como por arte de magia. Además, Alfredo le propuso el volver a intentarlo como pareja y ella aceptó, sintiéndose nuevamente viva y sin darse cuenta de que, el mismo y peligroso juego amoroso, volvía a repetirse.

Dos meses más tarde, Aída, junto a sus hijos, se trasladó a vivir a Majadahonda, a un precioso y soleado piso cercano a casa de Paloma. Lo único que parecía empañar tanta alegría era la distancia que Aída tenía que salvar para llevar al niño al colegio en donde tenía una beca. Entre las idas y las venidas recorría cada día ciento cuarenta kilómetros. Pero los verdaderos problemas surgieron cuando, el viejo coche de su propiedad, empezó a sufrir averías. Cuando esto ocurría, Nicolás tenía que quedarse en casa de su padre en Madrid. Era la única manera de que pudiese asistir a la escuela sin darse una paliza ni un tremendo madrugón.

Aída entonces volvía a sentirse atrapada, aunque su entorno fuese más agradable. Le faltaba su pequeño que era el que le proporcionaba las mayores alegrías. Haydée había retornado a trabajar en el sector de la hostelería y casi nunca estaba en casa. Y Alfredo había vuelto a las andadas. Nuevamente no se sentía capaz de mantener una relación de pareja. Aquella fue época de gran meditación para Aída que se decía que las circunstancias venían a enseñarle algo nuevo. A pesar de su pena por la pérdida de Alfredo, como por las continuas averías del coche, era consciente de haber recuperado las fuerzas que había perdido cuando salió del camping.

Una noche, acostada junto a Tristeza y Abandono, Aída tuvo un sueño revelador. Su abuelo Rafael era el protagonista. En el sueño le veía envuelto en nubes blancas. Tenía la misma cara entrañable que ella recordaba. Un rostro sonriente, amoroso y sonrosado. Hasta podía sentir el aroma de aquella colonia tan rica que él usaba. Su abuelo la miraba con gran ternura, le extendía las manos y le pedía, sin pronunciar palabra, que se las cogiera. Ella no se animaba a complacerlo aunque lo deseaba más que nada en el mundo. Un pensamiento funesto la turbaba y le impedía hacerlo. Aquellas manos a las que tanto amaba estaban manchadas de sangre. Entonces él, adivinando lo que pasaba por la mente de su nieta, le decía: —¡Aída, mi niña, coge sólo el amor! —Y ella volvió a sentir la misma dulzura que él le había regalado cuando era pequeña.

Cuando Aída se decidió y asió sus manos, él le susurró: —No te sientas mal, pequeña, ni te sientas triste ni sola. Ni siquiera pienses que me has traicionado. ¡Todo lo contrario! Cada vez que reconoces en público mis defectos, mis crímenes, pero también mi parte humana, y dices que me quieres por encima de todo, me quitas un gran peso de encima. Como tú bien dices, mi amor, me quitas karma. Gracias a tu valor, a tu forma de pensar y actuar, mi espíritu está mucho más ligero.

Cuando despertó, Aída aún sentía el amor, la comprensión y la dulzura que su abuelo le había transmitido a través de aquel sueño. ¡Cuánto le habría gustado que se repitiese! Se había sentido tan acompañada, tan amada y aliviada. Desde donde estuviera, su abuelo le daba la razón en las disputas que la enemistaron con muchos miembros de su familia, ahora estaba segura. Aída había aprendido que, para amarse, no necesariamente se tiene que estar siempre de acuerdo. Creía, con todas la fuerzas de su ser, en la amistad, el amor verdadero y el apoyo que surge consecuentemente. En ellos, los Trujillo, a excepción de Rafael Leonidas, su querido hermano, raramente los había encontrado.

Un día, en el natural afán de independencia propia de su edad, Haydée se marchó del hogar que compartía con su madre y su hermano. Aquella decisión supuso un nuevo reto para Aída que no sólo sintió la pena de aquel súbito abandono sino que fue impregnada de un colosal sentimiento de pánico. Ella se sentía incapaz de mantener aquella casa sin su ayuda. Pero tampoco podía mudarse pues no disponía de los medios económicos necesarios para hacerlo.

Después de sufrir y darle vueltas al asunto durante varios días, a la mujer se le ocurrió una idea. La sobreviviente que vivía en ella, no la dejó derrumbarse. Se sacudió a Desesperación de encima y, pasando por alto prejuicios y miedos, puso un anuncio en el periódico y consiguió arrendar un par de habitaciones. Eso le permitió pagar el alquiler y lograr, durante más de un año, seguir viviendo allí.

Pero, cada vez que se averiaba y no podía mandar a reparar su malherido coche, Aída echaba mucho en falta a su hijito. Entonces Tristeza y Desolación volvían a acompañarla en sus largas noches, de la mano de Soledad.

Por entonces, Aída no tenía más ilusión que estar cerca del niño. Parecía que Alegría y Armonía se habían marchado del brazo de él. Y al ya no serle útil para ofrecer una vivienda bonita a Nicolás, amén de la falta de intimidad al tener que compartirlo con extraños, el precioso piso de las afueras perdió completamente su encanto y se convirtió en un lastre insufrible.

Aída empezó a cosechar, en su fuero interno y con gran fuerza, un deseo. Tenía que lograr, como fuese, el llegar a compartir su casa únicamente con su niño. Se propuso el regresar a vivir al centro de Madrid para no tener que depender del coche. Aunque era consciente de su gran carencia económica, aquella idea se convirtió en una obsesión. Pero no tenía ni idea de cómo iba a conseguirlo. Se sentía derrotada por su pobreza dentro del mundo de opulencia de aquel barrio rico de las afueras.

Un día recibió la noticia del fallecimiento, víctima de un cáncer, de su hermano Ramfi . Tenía cincuenta y un años. Con gran pena, recordó la última conversación que había mantenido con él. Ramfis le había asegurado que no le iba a volver a dirigir la palabra en toda su vida. Aquello fue un duro golpe para ella que, en lo más hondo de su alma, albergaba la esperanza de retomar su amistad y su cariño.

Por si hubiese sido poco, toda la familia Trujillo se ensañó contra ella. Parecía que la culparan por la muerte de su hermano. No fue avisada del funeral que la familia celebró en Madrid e, incluso Rafael Leonidas, se alejó de ella. Esto no hizo más que multiplicar su dolor.

Retomó entonces, con más brío que nunca, la escritura. Y, con ella, reinició también las investigaciones sobre Trujillo. Lo tenía claro. Su abuelo era el que se le había aparecido en aquel sueño amoroso que, muy a pesar suyo, no se había repetido.

Siempre que estaba sola en casa, escribiendo frente al ordenador, Criterio se le aparecía para animarla y felicitarla. Aída seguía recibiendo, de vez en cuando, llamadas de Mercedes de los Angeles, siempre de madrugada. En todas ellas, su hermana la amonestaba por haber hablado mal del abuelo. Aunque fastidiosas, aquellas llamadas nocturnas eran un alivio para ella que sentía que quizás podría recuperar su cariño. Mercedes vivía, en la época, en Los Estados Unidos de América. Se había marchado para potenciar su negocio de crianza de caballos de pura sangre.

—¡Tú no tienes derecho a hablar mal del abuelo! —le repetía una y otra vez— ¡Gracias a él, en un momento de tu vida, has podido vivir muy bien!

—Mercedes, escúchame, por favor. ¿No eres consciente de que yo no tengo por qué hablar mal de nuestro abuelo? ¿No te das cuenta de que es la propia historia, óyeme bien, la his-to-ri-a, la que se encarga de hacerlo?

Resultaba muy difícil, para Aída, explicar su postura y las conversaciones se reducían a un monólogo, el de Mercedes, que lo único que conseguía era desvelarla.

Uno de esos tristes días en que no tenía la compañía de Nicolás, una amiga, Pilar Rodriguez, Pilita, la invitó a comer a su casa. Ella era también amiga de algunos de los hermanos de Aída. Hacía tiempo que no se veían y ella aceptó su invitación con gran placer. Pilita era la propietaria de una de las galerías de arte más antiguas de España. Vivía en un lujoso piso que estaba situado frente al Parque del Retiro de Madrid que enseñoreaba aquella parte de la ciudad. Su casa estaba repleta de cuadros y esculturas de gran valor pero era a la vez muy cálida y acogedora. Pilita era una mujer muy especial, de carácter un tanto alegre, un tanto nostálgico.

Cuando terminaron de comer, las dos se dirigieron al salón a tomar café. Aída sabía que su amiga iba a hablarle de su hermana María Altagracia, con la que se veía a menudo.

—¡Ellos no te perdonan el que hayas hablado mal de tu abuelo en público! —exclamó Pilita mientras servía los cafés.

—Yo no he hablado mal de él —contestó Aída—, lo único que he dicho es que no estoy de acuerdo con su dictadura.

Cogió la tacita de porcelana que le había acercado Pilita, se echó azúcar y, después de beberse el café, se arrellanó en el sofá. Era mucho mejor gastar palabras y sentimientos en una postura cómoda.

—¿Y es eso una verdad rotunda, Aída? —preguntó Pilita esbozando una sonrisa maliciosa.

—¿Qué quieres decir con "rotunda"?

La mujer la miró de soslayo mientras sacaba hielo de una cubitera de plata y lo echaba en dos vasos.

—Quiero decir, ¿que si no hay nada, escúchame bien, nada de nada, en la forma de gobernar de tu abuelo que te haya parecido bien? ¡Eso es lo que quiero decir!

Aída se había abstraído en sus pensamientos y parecía no haber escuchado la pregunta de su amiga. Tenía la mirada perdida, muy lejana.

—Además… mis abuelos, mi padre, incluso mi madre, todos ellos están muertos hace ya tiempo.

—Ahora soy yo la que parece que me pierdo —exclamó Pilita, sorprendida—. ¿Qué es lo que estás intentando expresar con este último comentario?

La verdad —continuó Aída, completamente ausente—, la opinión de mi familia, la de ellos, como tú dices, me importa muy, pero muy poco.

A pesar de que parecía haber entrado en un estado de absoluta indolencia, Aída no podía remediar perturbarse cada vez que se tocaba el tema.

—Me he sentido, desde hace ya mucho, mucho tiempo, completamente abandonada a mi suerte. Me he acostumbrado a que lo que ellos opinen me dé lo mismo. —Unas lagrimillas empezaban a asomarse por sus ojos.

—Claro, mujer —contestó Pilita, cogiéndole una mano al verla de pronto tan afligida

—Es la pura verdad —continuó Aída—, jamás les ha importado lo que fuera de mi vida. Ni siquiera si pasaba hambre o estaba tirada por ahí. Incluso les resbaló el hecho de que tuviese que irme a vivir a un camping cuando no tuve otra alternativa.

La amiga escuchaba atentamente. Se acercó a ella para ofrecerle un cigarrillo.

—Pero, claro, como "aquello" no se sabía…

—¿Aquello? —preguntó suavemente Pilita.

Aída continuó hablando para sí misma. Su cara había cambiado de expresión. Tenía marcado el dolor, pero sus gestos, que se habían tornado sarcásticos, endurecían la expresión de sus ojos.

—¡Ya no sé, de veras! ¡Je, je! No sé si les ha molestado el hecho de que hablase mal de mi abuelo o el que dijera, nada menos que a través de la televisión, que vivía en un camping. Lo más probable será que la gente, en general, los habrá baldado a preguntas.

—Ya… —musitó Pilita, algo confundida y sin saber qué contestar.

—Además —prosiguió Aída—, aunque sé que ya lo sabes, te recuerdo que sigo queriendo a mi abuelo y también a mi padre. Pero, ¿cómo negar lo que cuenta la historia? Es decir, hay nimiedades, cosas puntuales que no se saben o que se exageran pero, a grosso modo, la verdad es que mi abuelo no fue una "Hermanita de la Caridad". ¡No nos engañemos Pilita!

—No, claro, eso no. Pero también hay que admitir que aquellos eran otros tiempos.

—Sin embargo —continuó Aída mirando a su amiga a los ojos—, también hay que entender al hombre y sus circunstancias, cosa que, según parece, a nadie de mi familia le preocupa. Sólo saben esconder la cabeza, como un avestruz, y negar acontecimientos imposibles de negar.

—Puede que eso sea verdad —respondió Pilita, dando un trago a su copa—. Pero reconoce que muchas veces no es fácil dar la cara a la realidad. Tú has sido muy valiente enfrentándote a ella. Es por lo que me veo en la necesidad de hacerte otra pregunta.

—Tú dirás.

—Dando así la cara, enfrentándote a algo que me consta que te duele, ¿a dónde quieres llegar? ¿Qué es lo que buscas, amiga?

Aída se levantó y hurgó en su bolso. Encontró una cajetilla de sus cigarrillos favoritos. Sacó dos, uno para ella y otro para Pilita, le ofreció fuego, encendió el suyo y aspiró profundamente. Parecía estar meditando una respuesta que ni siquiera ella misma tenía clara.

Pasaron unos minutos de tenso silencio que ninguna de las dos se atrevía a romper, como si de algo sagrado se tratase, al cabo de los cuales, Aída exclamó: —¿Sabes, Pilita?, llevo muchos años buscando la verdad sobre mi abuelo. Vista desde otro punto de vista, contrario al de mi familia y sus amigos.

—Pero, ¿cuál es la razón de esa investigación, Aída? ¿Qué es lo que quieres encontrar? ¿Para qué soportar tanto dolor, tanta angustia?

—Para ver si puedo encontrar, y sacar a la luz, su parte humana… —respondió ella llorando— ¿Existió en él esa parte humana, esa condición de bondad para con alguna otra persona que no fuera yo misma, ni ningún miembro de su familia? Aunque, quizás, no puedas entenderlo, Pilita, ¡eso es algo que me obsesiona!

Pilita guardaba silencio. Se esforzaba, con gran respeto, por entender a su amiga.

—Quisiera poder encontrar esa posible bondad suya —prosiguió Aída—. Pero tiene que ser, por supuesto, fuera del contexto familiar. Date cuenta de que el amor y la ternura que mi abuelo sentía por su familia, desde siempre, se le han reconocido y atribuido, incluso históricamente.

—Sí, Aída, eso me consta —respondió Pilita.

—Sin embargo —continuó Aída— si yo, su nieta, deseo que se me preste atención, si encuentro lo que busco, y ojalá sea así, lo primero que tengo que hacer es reconocer lo que Rafael Leonidas Trujillo hizo, lo que él fue. ¿Quién si no iba a escucharme aunque dijese las verdades más grandes del mundo? ¿Quién haría caso a lo que pudiese decir una niña consentida por su abuelito si nunca lo miró con los ojos bien abiertos?

Pilita había llegado a emocionarse profundamente con aquella conversación que no esperaba, y que ella misma había provocado. —¿Quieres una copa, Aída? —preguntó, pretendiendo cambiar de tema de una vez por todas.

—No gracias. Tengo que irme a trabajar. Sólo una pregunta, amiguita, y perdona que sea pesada. —Aída se había levantado y, mientras se dirigía a la entrada de la casa, continuó hablando.

—Tú dirás —dijo Pilita acompañándola a la puerta principal.

—Si tú fueras una persona que estuviese en contra de ese dictador que fue Rafael Leonidas Trujillo y yo quisiera alegar algo a su favor, contarte algo distinto, algo positivo. Si yo actuara como su nietísima, la que está siempre de su lado, haya ocurrido lo que haya ocurrido, por encima del bien y del mal. En fin, ¿cómo te diría yo? ¿A que tú, Pilita, estarías más predispuesta a escuchar lo que yo pudiese decirte en favor suyo si supieses que soy capaz de reconocer que no hizo, ni mucho menos, todo bien?

—¡Pero, por supuesto! —contestó Pilita— Tranquilízate, hija, ya sé que eres buena persona y que quieres a tu abuelo. Pero, la verdad, te lo repito, eres muy valiente. Siéntate dos minutos más conmigo, mujer, te serviré una copa. Te hará bien antes de volver al trabajo. Te noto muy alterada.

Pilita agarró del brazo a Aída, que había enmudecido de repente, y prácticamente la arrastró de nuevo al sofá del salón. Se sentó frente a ella y la miró directamente a los ojos.

—Las personas solemos encubrir a la gente que queremos… —le dijo convencida— y yo pienso que a las personas, cuando de verdad se les quiere, hay que aceptarlas como son. No vale cegarse y negar lo evidente. Es mucho menos conflicto —continuó— creer que la persona a quien queremos es perfecta. Pienso que tu familia no te entiende, que no sabe por qué haces lo que haces. No los juzgues, Aída, simplemente no están preparados.

Aída permaneció callada, sentada en el sofá y sosteniendo las carpetas y el bolso. Al rato tomó el vaso, bebió un par de sorbos y miró su reloj de pulsera.

—Gracias por tus palabras, Pilita, me marcho. Sé que estás cansada, yo tengo que marcharme sin dilación y no quiero seguir dándote lata. Al fin y al cabo todo esto forma parte de mi proceso, al igual que lo que está ocurriendo ahora aquí en España con respecto a las nacionalidades, no sé si te has enterado.

—Ah, pues no. ¿Qué es lo que está ocurriendo?

—Pues, algo que puede parecer una tontería pero que a mí me ha afectado mucho. Me he vuelto a sentir apátrida, como cuando era niña —contestó Aída dirigiendo sus pasos nuevamente hacia la entrada de la casa—. Esta mañana tuve que ir a solicitar una copia de mi acta de nacimiento. Me dirigí, como habitualmente hacía, al Registro Civil. Allí me remitieron a otro registro destinado a los extranjeros.

—Pero, ¿cómo puede ser eso? —exclamó Pilita, sorprendida— Hace años que eres española. Aída, si tú de dominicana tienes lo que yo de bombero. ¿Cómo vas a ser extranjera aquí, en España, si toda tu vida la has vivido y la has hecho en este país?

—Así es, Pilita, pero si quieres que te diga la verdad, por todas estas cosas que se empeñan en seguir diciéndomelo, ni yo misma sé ya de donde soy. No soy dominicana porque, cada vez que regreso allí, aunque es verdad que la tierra siempre te tira, me siento como una turista. Pero ¿y aquí? ¿Es que realmente puedo sentirme española si ya no puedo ni siquiera pedir, como hacía antes, un documento en el mismo lugar que los españoles? ¿De dónde soy Pilita? Cada vez más, eso de "yo soy ciudadano del mundo" ¡me parece una utopía!

Aquella noche Aída durmió mal. Soñó que los dominicanos le tiraban piedras por ser, y considerarse, española. Y que, los españoles, la echaban a patadas de su tierra.

Unos días después, Enrique la llamó para comentarle que tenía que marcharse de viaje por motivos profesionales. Le propuso prestarle la casa en donde él vivía con su novia, de manera que pudiese quedarse con el niño en Madrid. Ella aceptó gustosa y agradecida. Aquella era una oportunidad única para poder disfrutar de la compañía de su hijo.

Se mudó a casa de su antiguamente malograda pareja y vivió plena y felizmente ese lapso que el Cielo le regalaba. Seguía abrigando la ilusión de poder mudarse a Madrid y se dispuso a disfrutar del presente en el que Alegría, Armonía y Fantasía sonreían a su lado.

Una mañana cualquiera, pero que resultaría ser muy especial, Aída se levantó temprano, preparó el desayuno al niño y lo llevó al colegio. A la vuelta, se dispuso a realizar unos recados por el barrio. Caminaba tranquila, disfrutando del paseo, cuando vio en la fachada de un edificio un cartel en donde se anunciaba el alquiler de un ático.

El conserje del inmueble estaba parado junto al entreabierto portal y Aída se le acercó para preguntarle, aunque suponía que el piso sería caro. Sin embargo una energía incomprensible la animó a hacerlo. El hombre, muy amable, le sonrió ampliamente y le informó del precio del arrendamiento, que a ella no le pareció excesivamente caro. Con un poco de esfuerzo quizás podría costeárselo, pensó. Pero pronto desechó aquella idea. ¿Cómo iba a poder pagarse ella el gasto de la mudanza y todo lo que aquello conllevaba?

Pero, aquel pensamiento derrotista fue sustituido por una voz interior que la animó a que subiese a verlo. El conserje la acompañó hasta la planta octava del edificio. El estudio tenía una terraza muy grande con bonitas vistas. El portero se quedó allí un rato disfrutando de los incipientes y suaves rayos del sol de marzo. Aída aprovechó para volver al interior y echar otro vistazo a la casa. Fue cuando, sentada en un silloncito de luz blanca, vio claramente a su madre. Aída permaneció mirándola extasiada hasta que ella le sonrió y le dijo que se quedase con la casa. Después, como agua de vapor, Tantana desapareció y en su lugar quedó una energía invisible que hizo que Aída se enamorase inmediatamente del lugar. Salió nuevamente a la terraza, visiblemente emocionada y se asomó a contemplar el paisaje urbano que rodeaba el edificio

Cuando salió, un impulso incontenible la condujo hasta la casa de Lucía, quien la recibió con gran cariño, y la invitó a tomar un té. Aída le comentó que había visto un bonito estudio que estaba, además, muy cerca de su casa. "Baboushka", que también deseaba que Aída y su nieto se instalasen en el mismo barrio le propuso ir a visitarlo con ella.

Al día siguiente Aída se dirigió nuevamente hacia el inmueble, acompañada, esta vez, por Lucía. Y cuál no sería su sorpresa cuando la abuela de su hijo, sin previo aviso, pagó al conserje el primer alquiler y la fianza. Aquella noche Aída no pudo pegar ojo de la emoción y poco después Nicolás y ella se instalaron en su nueva casa.

Fue por entonces cuando Haydée volvió a sentir la llamada del amor. Aída dio gracias al cielo porque esta vez su hija había encontrado a un joven estupendo, Javier Ochoa. Poco tiempo después, la recién estrenada pareja se trasladó a vivir a Estepona, un pueblo de Málaga.

Con el verano, Nicolás se marchó a Argentina con su padre para colaborar en el rodaje de una película. Aída se quedó en Madrid y apenas salía de casa. Necesitaba descansar y, como por esas fechas la ciudad se quedaba medio vacía, la terraza de su estudio le parecía el mejor lugar para hacerlo.

Una noche estrellada, en la que la mujer disfrutaba de su soledad, mientras leía tumbada sobre un desvencijado sofá, situado en la terraza, Criterio volvió a hacer acto de presencia. ¡Qué grande se ha hecho!, pensó ella, apartando el libro para escuchar las nuevas que le traía.

—Sé que estás cansada, Aída… —dijo él de forma indolente y a modo de saludo.

—Sí, un poco —contestó ella bostezando—. Quiero dejar esto. ¡Ya no puedo más!

—¿Esto? ¿A qué te refieres? —preguntó él, haciéndose el sorprendido.

—¡No te hagas el tonto! Sabes perfectamente que ya no quiero seguir ni indagando ni escribiendo.

—Una vez más, piensas que los demás tienen que pensar igual que tú, ¿no es así? —insistió Criterio tumbándose a su lado en el descompuesto sofá.

—De eso nada, guapo. ¡Aparta! ¡Me estás quitando todo el sitio! —gritó ella irritada y tratando de echarlo a un lado.

—¿Sabes?, tengo que seguir creciendo. Y, para lograrlo, tienes que seguir con tu aprendizaje. Tienes que aprender que la gente suele tener otro criterio, frecuentemente, diferente al tuyo. —insistió él.

—Al grano, Criterio. ¿Adónde quieres llegar esta noche? —preguntó ella que no quería entrar en polémicas.

—No voy a contarte tu historia, Aída. Pero sí tengo que recordarte que descubrir todo lo que descubriste fue muy doloroso para ti.

—Claro que lo fue. ¡Y sigue siéndolo!

—Sin embargo, cuando decides dar la cara al pasado y descubres la verdad… resulta que, incluso, entre los más encarecidos de los enemigos de tu abuelo, existen personas que te comentan, hasta te afi man, que "Trujillo, después de todo, no fue tan malo". ¡Nuevas dicotomías y más confusiones para tu pobre cabeza! —continuó Criterio que no estaba dispuesto a abandonar la polémica.

— "Yo le juzgo mal, te dices, y éstos, que tienen sus motivos para hacerlo, son más indulgentes con mi abuelo que yo misma". Eso provoca que te sientas culpable.

—¡Sí, sí! Todo lo que estás diciendo es verdad, Criterio, pero no creo que hayas venido esta noche solamente para refrescarme la memoria.

—Pues claro que no. He venido a recordarte que cada persona tiene su propio criterio. ¡No lo olvides nunca! Escribas lo que escribas, cuentes lo que cuentes, digas lo que digas… cada cual interpretará las cosas como le dé la gana. Algunos podrán ver, querrán entender, aunque sea un poquito, esa "parte humana" de tu abuelo que te has empeñado en sacar a la luz. Otros se reirán de ti o incluso se indignarán contigo. Unos, porque pensarán que intentas defender lo indefendible; otros porque, como tu familia, no entenderán que precisamente tú, su nieta adorada, saques a relucir sus "trapos sucios". ¿Comprendes?

—¡Sí… creo que sí!

—Yo lo sé mejor que nadie, Aída… No puedes más… y eso es algo muy natural. Estás agotada, harta de averiguar y sufrir, de encontrar, a veces, cosas que alivian levemente tu dolor pero que, a ti, te parecen insuficiente . Pero ese pensamiento de insuficiencia es tuyo, y solo tuyo. Llevas ya años, y con gran esfuerzo, escribiendo —continuó—. A veces, como te ocurre esta noche, estás dispuesta a "tirar la toalla", a abandonar tanto sufrimiento que te parece inútil. ¿Y por qué? Pues porque sabes perfectamente que si publicas tu libro éste no va a complacer a todos los que lo lean. Y todavía no has aprendido a aceptar que es imposible que todos opinen igual que tú. ¡Eso es algo inevitable!

—Tienes razón… —respondió ella— pero, espera un momento y no te vayas… voy a servirme un roncito. La verdad es que has conseguido alterarme nuevamente.

Cuando Aída volvió a la terraza, Criterio seguía allí, tumbado en el sofá. En el momento en que la vio llegar con su copa, se levantó de golpe, le arrancó el vaso de las manos y se lo bebió de un solo sorbo. —¿Qué haces, chico? —preguntó ella enfadada— ¿Ves? Ahora tengo que ir por otro. ¡Pesado!

—¡Je, je, je! ¿Sabes por qué, aunque a veces creas lo contrario, no puedes dejar de escribir? —preguntó Criterio a bocajarro, cuando ella, después de volver a rellenar su copa, regresó y se sentó nuevamente junto a él.

—Pues… imagino —contestó ella— que debe de ser porque tú, mi criterio, no me dejas.

—Hay que ver lo lista que se ha vuelto mi niña —exclamó él con sorna—. No tengo más remedio que darte la razón… cuando la tienes, claro… Así es que… ya tú sabes, mija… ¡a seguir escribiendo! Tú conoces, mejor que nadie, cuál es tu intención. Deja que los demás opinen lo que quieran.

Dicho esto, y como solía hacer, Criterio se esfumó repentinamente, engullido por la oscuridad de la noche, dejando a Aída pensativa y bien resuelta a rematar su propósito.

Unos días después, Paloma propuso a Aída que la acompañase al Consulado de la República Dominicana. Su prima también añoraba un poco esa parte caribeña, heredada de su padre, Virgilio Trujillo. Cuando enviudó, el hombre se instaló en España. Conoció a una mujer mucho más joven que él, Ascensión, y gracias a su ingenua frescura, tan diferente a todo lo que él había conocido hasta entonces, se prendó de ella.

Paloma había perdido a su padre a los siete años, y quizá por eso se acercaba a la familia Trujillo y quería conocer gente dominicana. Aída entendía muy bien sus sentimientos. Podía recordar sin esfuerzo el dolor que le había causado la muerte del suyo. Y como además le resultaba difícil negarle algo a Paloma, accedió a acompañarla. Sabía por experiencia que serían recibidas por el propio cónsul en cuanto se enterase de su visita. La actitud de ciertos dominicanos era algo que no dejaba de sorprenderla. Si, como la historia contaba, su abuelo había sido tan diabólico, ¿por qué los Trujillo ejercían aquel poder de atracción sobre ellos?

—¿Podría anunciar al señor cónsul que Paloma y Aída Trujillo están aquí y desean verle, por favor? —la recepcionista las miró con mal disimulada curiosidad. Cada vez que se pronunciaba su apellido, ella ya estaba acostumbrada, cualquier dominicano se quedaba, para bien o para mal, pasmado.

Paloma y Aída se sentaron en el hall y esperaron. Al cabo de unos minutos apareció un hombre trajeado, enjuto y mulato, engalanando una blanca y amplia sonrisa. Las invitó a que lo siguieran.

Cuando entraron en su despacho, Fito, un hombre de raza blanca, de estatura no demasiado alta pero no exento de un cierto atractivo, delgado y también trajeado, las recibió con un fuerte abrazo. A continuación las invitó a tomar asiento y no vaciló en darse prisa en enterarse, sin ningún pudor ni disimulo, a cuál de las ramas de los Trujillo tenía el honor de recibir. En cuanto supo que Aída era nieta del finado dictador e hija de Ramfi , Fito comenzó a hablar y a preguntar de forma exageradamente curiosa, visiblemente emocionado algo que Aída nunca lograba comprender.

—¿Qué sabes sobre la historia de tu abuelo? No me digas que el hecho de vivir en España te ha hecho olvidarla por completo.

—Por desgracia no, Fito —contestó Aída, sintiéndose algo incómoda.

—Mi familia y yo hemos sido siempre antitrujillistas —comentó el hombre, pensativo, después de unos segundos de silencio—. Pero la verdad es que nunca tuvimos verdaderos problemas bajo la dictadura. Un primo mío me metió en eso, distribución de panfletos contra Trujillo, fui a reuniones clandestinas y cosas por el estilo. Un tío mío estuvo en la cárcel por ser de la oposición, pero jamás le ocurrió nada verdaderamente grave.

—Pues me alegro y no creas que no te comprendo, Fito. Yo tampoco estoy a favor de la política de mi abuelo.

—¡Pero tu abuelo tampoco hizo todo tan mal, Aída! —la interrumpió el cónsul— Mira, mija, los políticos que han gobernado después de él han hablado mucho, pero ninguno ha hecho nada importante por el país. Se han dedicado a robar, a llevarse lo que han podido, a construir obras inútiles que sirvan como recordatorio de su mandato, ¿tú me entiendes?

—Sí, pero eso no justifica —insistió Aída que fue nuevamente interrumpida por el cónsul.

—Trujillo se llevaba los cuartos pero no los sacaba del país. Y hacía cosas buenas e importantes por Dominicana. Además, él era uno sólo, ahora son todos, absolutamente todos, los que roban. Y Balaguer, ¿no sabes cuánta gente mató? Y de todas maneras fue reelecto presidente cada vez que quiso.

—¿Balaguer asesino? —preguntó Aída, sorprendida por la información.

—¡Ohí, mija! ¿Tú no sabías esa vaina? Pues me temo que vas a tener que estudiar un poco más la historia de tu país —contestó Fito burlonamente.

—Pero, cuéntame de ti, Aída. Tú no trabajas, ¿verdad? —volvió a preguntar, con morbosa curiosidad.

—Pues sí, sí estoy trabajando —contestó ella, de forma natural.

Al cónsul le cambió el color de la cara. Pertenecía a la vieja escuela. El trabajo fuera de casa era cosa de hombres.

—¡No me digas eso, mija! —exclamó Fito con sincero estupor— Siendo hija de Ramfi, ¿cómo va a ser eso? ¿Y lo que te dejó tu papá? ¿Te lo has gastado todo? O, ¿qué fue lo que pasó? —Aída se sintió considerablemente molesta. Fito acababa de tocar otro de los temas que tanto la entristecían: el de la época de la herencia de su padre.

—Cosas de la vida —contestó—. Nosotros, mis hermanos y yo, éramos muy jóvenes, demasiado, cuando nos quedamos huérfanos de padre.

—Pero tu papá tenía mucho dinero. El suficiente como para dejarlos muy bien a todos ustedes —exclamó el cónsul.

—Es verdad, mi padre era muy rico. Sin embargo no poseía, ni mucho menos, el inmenso capital del que se habló en su día. Sin olvidar que los hombres sois diferentes de las mujeres en eso de las reparticiones.

—¿A qué te refieres, mija? —preguntó el cónsul con curiosidad.

—Me refiero a que si los hombres cambiáis de mujer, aunque tengáis hijos del matrimonio anterior, soléis favorecer a los de la mujer que vive con vosotros. Hablo en términos generales, siempre hay excepciones que confi man la regla por supuesto.

—Claro, entiendo. Osea que la segunda familia fue más beneficiada, ¿no?

—Pues sí. —Aída no estaba a gusto. ¿Cómo explicar ciertas cosas? Él preguntaba y preguntaba, y se le veía encantado de seguir haciéndolo.

Paloma, que casi no intervenía en la conversación, le daba a su prima, disimuladamente, golpecitos con el pie, queriendo sugerirle algo que ella no conseguía captar. De pronto sonó el teléfono y aprovechó el momento para advertir a su prima.

—¡Aída, no se te vaya a ocurrir decirle a este hombre que estás arruinada!

—No pensaba hacerlo —respondió ella. Era verdad que le daba igual que la gente supiese que no tenía dinero. Pero también tenía que reconocer que Paloma tenía razón en que no había por qué pregonarlo a los cuatro vientos.

—Ven acá, mija… —preguntó nuevamente Fito cuando hubo colgado el auricular—, ¿tú no tienes fotos de tu papá y de tu abuelo?

—Sí, claro, tengo muchas… —respondió Aída.

—Tu papá era un hombre muy buen mozo. Todos lo envidiaban. No sólo porque era el primogénito de Trujillo sino por la gran personalidad que tenía. ¿No vas a visitarlo al cementerio?

—Antes iba a menudo, hasta que me di cuenta de que allí no está mi padre —contestó Aída que ya sentía gran apremio por marcharse y liberarse de aquel interrogatorio.

—Pero están sus restos, mija —insistió Fito.

—Es que yo sé —contestó Aída— que puedo conectar con su espíritu desde mi propia casa. Por eso ya no voy al campo santo.

—¡Ay no, mija! —la sermoneó él—, tú deberías ir a ver a tu papá.

Aída se dio cuenta de que era mejor no discutir con aquel hombre tan cariñoso pero que estaba a años luz de su forma de pensar. Cuando las primas, por fin, convencieron al hombre de que llevaban prisa, salieron del consulado y empezaron a reír a carcajada limpia, por lo curioso y exageradamente amable del trato que habían recibido. Pero, aunque para Paloma se redujo a una divertida anécdota, a Aída aquella conversación sacó a flote sus eternas dicotomías. No lograba entender por qué los que habían sido enemigos declarados del régimen trujillista, ahora actuaban como lo hacían.

Paloma invitó a su prima a almorzar a su casa y Aída aceptó con agrado a sabiendas de que tendría la ocasión de "despacharse" a gusto con ella. Las dos subieron al coche de Paloma, pusieron música y se dirigieron a Majadahonda. Allí las esperaban Ascensión y Palomita, madre e hija de su prima. Finalizada la comida, Ascensión se retiró a descansar y las otras se acomodaron en el sofá del salón.

—Aunque sabes que ella no es "santo de mi devoción", hay una cosa en la que creo que tu hermana María Altagracia tiene razón —exclamó de pronto Paloma, encendiéndose un cigarrillo.

—Cuéntame, primi… ¿qué es esa cosa? —contestó Aída cogiendo otro y ofreciéndole uno a su sobrina.

—Ella opina que Vargas Llosa es un gran escritor, aunque ahora le ha cogido bastante "tirria". Y también que es curioso que, sin ser dominicano, haya tenido que fijarse precisamente en tu abuelo para escribir esa novela… ¡Como si en el mundo no existiesen otros dictadores!

—Estoy de acuerdo en que es curioso. Pero, creo que ningún artista tiene que tener la misma nacionalidad de alguien para inspirarse en él.

—Tu hermana dice que habría que haber visto el caos que reinaba en tu país en los años 30, que a tu abuelo no se le puede juzgar como a un político de nuestra época.

—A pesar de todo, tengo que reconocer que también eso es verdad… aunque no justifica a mi modo de ver, ciertas cosas… —contestó Aída— Sin embargo, es verdad que a él se le juzga más severamente que a otros… Por ejemplo a su contemporáneo Fidel Castro. Ese dictador aún sigue ejerciendo como tal, es verdad que con otros ideales pero…

—¿Ideales? Primi, tu crees que ese hombre, por lo menos hoy en día, ¿se mueve por ideales? —preguntó Paloma.

—Ese es otro tema a tratar, primilla… a lo que me refiero es al modo en el que se juzga a mi abuelo con respecto a otros que tampoco son unos santos.

—Fidel Castro ni ha sido, ni es menos criminal de lo que fue Trujillo. —continuó Aída—. Como sabrás, acaba de matar a unas cuantas personas, enarbolando "la bandera roja" y la de los derechos humanos… Sin embargo, aquí en España, y te diría que en toda Europa, tiene muchos admiradores.

—Es verdad, primi… —respondió Paloma.

—Personalmente, no creo que ningún gobierno, ninguna religión o doctrina, nada ni nadie tiene derecho a quitar la vida a nadie. —prosiguió Aída encendiéndose otro cigarrillo.

—En eso estoy totalmente de acuerdo —contestó Paloma, ya un poco harta de tanta seriedad—. Pero, porfi, cuéntanos ahora algo más divertido. Por ejemplo, la historia esa del "hombre sin cabeza" que habitaba tu casa cuando tú naciste.

Palomita interrumpió a su madre y, dirigiéndose a su tía, exclamó: —Sí, cuéntanosla. Pero, antes, quisiera hacerte una pregunta, tiita.

—Tú dirás, mi amor… —contestó dulcemente Aída, que sentía un tierno cariño hacia su sobrina.

— ¿Por qué "pones verde" a tu propio abuelo?

—Porque esa es la única manera que tengo para defenderlo… ¡aunque sea solo un poquitín! Reconociendo sus errores tendré también derecho a reconocer sus aciertos. Eso, si los hay, ¿no? Y además, Palomita, yo no lo "pongo verde"… es la propia historia la que se encarga de ello. —contestó la mujer, esbozando una triste sonrisa.

—De todos modos, hija —cortó Paloma cambiando de tema—, si vieras lo bien que nos han recibido en el Consulado de la República Dominicana, "alucinarías en colores". El propio cónsul hasta nos invitó a tomar café y no nos quería dejar marchar. Y eso que él mismo nos confesó que él y toda su familia eran, de toda la vida, antitrujillistas.

—Sí —retomó Aída—, eso es algo que me desconcierta desde hace ya mucho tiempo… Algo que me ocurre con frecuencia y cuando más convencida estoy de lo contrario, viene alguien y me habla bien de Trujillo. ¡A veces pienso que voy a volverme loca!

—Te creo, primi, te creo… —contestó Paloma, dándole un abrazo.

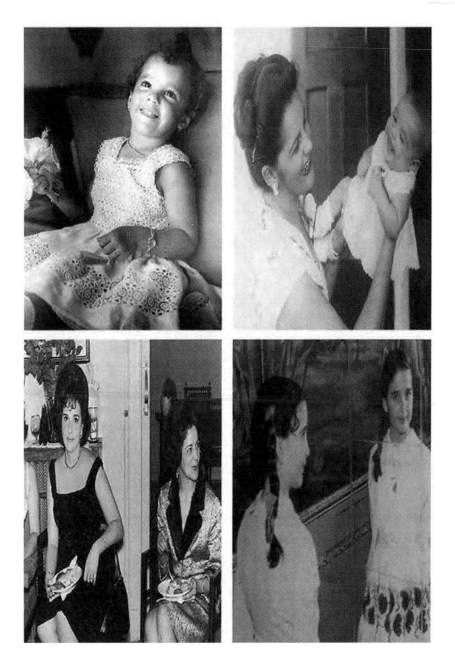

Mercedes de los Angeles. Tantana con bebe Maria Altagracia. Angelita Trujillo con Tantana.

Maria Altagracia ante espejo.

CAPÍTULO XXIV

...cuando veo los resultados de mis indagaciones sobre quién fue aquel político, Rafael Leonidas Trujillo, aunque reconozca que hiciste algunas cosas buenas por el país, no puedo aceptarte. Lo siento, abuelo...

Aída recibió una llamada telefónica de Peque invitándola nuevamente a pasar unos días en Dominicana. Su segunda hija, Brianda, cumplía quince años y ella había organizado una fiesta en la que quería que Aída bailase flamenc . El volver a su tierra natal siempre producía una inmensa alegría en su alma. Pero, además, actuar allí por primera vez, era algo que la seducía inmensamente.

Empezó con gran ilusión los preparativos para el viaje. Esta vez, además de bikinis, pareos y algún vestido de fiesta, necesitaría incluir en su equipaje uno o dos trajes de flamenc , zapatos de baile y flores de tela para el pelo. Para ella aquella era una manera simbólica y preciosa de unir sus dos nacionalidades.

Llegó el día en que se celebró la fiesta en honor de la quinceañera, que estaba preciosa y radiante de coqueta felicidad. Jimena, su hermana mayor, ambas eran hijas de Ramfi , lucía también bellísima y destacaba por la gran personalidad que la caracterizaba desde niña. El hijo pequeño de Peque, Rodrigo, fruto de su unión con Bobby, muy elegante, se sentía orgulloso de ir ataviado con traje y corbata, y de ser el hermano de aquellas dos bellezas que estaban permanentemente rodeadas de admiradores.

En aquella ocasión, Aída se sintió especialmente emocionada. Bailó y cantó poniendo en su arte todo el corazón. Con su sola presencia había traído de España a Dominicana un granito de arena de esa cultura que tanto significaba para ella

Finalizado el festejo y de regreso a su habitación, Aída intentó vanamente conciliar el sueño. Trató de leer pero le fue imposible concentrarse. Salió un momento a la terraza para contemplar la noche estrellada de Santo Domingo y sintió un fuerte impulso. Volvió a su cuarto y encendió el ordenador. Sentía la inmensa necesidad de volver a hacer algo que le hubiese parecido absurdo a cualquiera. Comenzó a escribirle una carta a su abuelo.

Santo Domingo, 3 de septiembre de 2002

Querido abuelito:

Yo no soy quién para juzgarte ni a ti ni a nadie. Sin embargo, a mis recién cumplidos cincuenta años, me doy cuenta de que mis sentimientos hacia ti siguen siendo paradójicos. Y, a estas alturas, tengo asumido que lo serán hasta que me muera.

Por un lado, sigo queriendo al que fue, después de mi madre, el ser más importante de mi primera infancia. Mi primer amor que cada vez que te recuerdo, resurge en mí con más fuerza.

Hay una gran diferencia entre lo que vemos con los ojos del cuerpo y lo que vemos con los del alma. Yo era una niña la última vez que te vi. Con siete años suele mirarse con ojos que ven únicamente la belleza del cariño. ¡Y yo me sentía tan querida por ti! Eras bello para mí porque eras bueno y amoroso conmigo. No puedo ser tu juez, aunque esté en desacuerdo con el modo en que actuaste como gobernante.

Las últimas vivencias a tu lado, las memorias que entonces cobijé en mi mente como oro en paño, ¡son tan distintas a lo que descubrí más tarde! Aquel a quien yo conocía y amaba tanto era un abuelo tierno y un mandatario justo, no el hombre despiadado y cruel del que la historia habla. Te juro que al principio creí falsa toda la información que sobre ti venía en los libros. Y no reconocía en ella a ese hombre que fue mi adorado viejo.

Si sigo investigando, me decía a mí misma, encontraré la verdad. Los autores de aquellas obras no eran otra cosa que farsantes, carroñeros que pretendían enriquecerse a costa de tu memoria. Y la persona que yo había conocido, el abuelo ejemplar, no hubiera vendido un sólo libro.

¡Qué dolor pasearse por las calles de Santo Domingo y encontrar tantas bautizadas con nombres de personas que tuvieron que ver con tu muerte! Al principio, me rebelé. ¿Cómo se puede poner el nombre de unos asesinos a las calles de una ciudad? ¿Por qué todo es tan injusto? ¿Por qué tu asesinato es un ajusticiamiento? ¿Por qué tienen que ser ellos los héroes?

Descubrí, además, que el lugar donde te mataron es sitio de conmemoración. El visitante se entera de que en aquel lugar, finalment , después de unos larguísimos treinta y un años, unos hombres valientes libraron a su país de tu tiranía.

Me hacía sufrir que se refirieran a mi abuelo con términos tales como "tirano", "asesino", "sátrapa" y otras duras palabras. Sentía que ultrajaban a una persona buena y cariñosa, llena de amor para su pequeña nieta. Y no veía nada más. Tampoco quería ver. Con el tiempo tuve que admitir que todo un pueblo no puede estar equivocado. Entonces mi dolor se multiplicó por un número incalculable e infinit . Y también en bochorno, incomodidad, fastidio.

Hay una canción, que me gusta muchísimo, cuyo autor es Joan Manuel Serrat, y que termina diciendo: "Nunca es triste la verdad... lo que no tiene es remedio."

Esa verdad me hace sentir que nunca más podré volver a vivir en el país que me vio nacer. De algún modo, siempre seré una exiliada. Porque, después de ti, el apellido Trujillo significa destierro. Si me empeñara en regresar a vivir aquí tendría que alcanzar una madurez intelectual y espiritual a la que no creo poder llegar nunca. Siempre me señalarían con el dedo, hiciese lo que hiciese. Perdería mi identidad como persona porque no sería Aída, sino la nieta de Trujillo. No tendría libertad, ni independencia, ni autonomía, cosas por las que tanto he luchado. No sabría si debo revelar mi apellido, si puedo hablar claro, si se me está permitido abrir mi corazón a un desconocido. Porque nunca sabría si ese desconocido, fue en algún momento de su vida perjudicado por ti.

Si me hubieseis educado, cosa que no habéis hecho y os lo agradezco enormemente, con el concepto de que matar era algo natural, puede que entonces lo hubiese aceptado como tal. Pero en mi casa y en la tuya yo no conocí la violencia. Supiste preservarme de ella.

Llevo tu sangre en mis venas y casi todo el amor que recibí en mi infancia lo tuve gracias a tu presencia en mi vida. ¿Qué recuerdos tendría yo de mi niñez si no hubiese sido por ti, abuelito? ¿Los tristes claustros de varios internados de moda y la ausencia, física o espiritual, de mis padres? Cuando te perdí para siempre, el recuerdo de los momentos de felicidad vividos a tu lado me procuraron la dicha de saber que había sido muy querida por alguien realmente especial.

Tú me procuraste también el inmenso placer de haber compartido juegos infantiles, cosa que después, en Europa, se convirtió en un verdadero lujo. Allí, mi niñez se convirtió en un infie no en el que jugar era un auténtico privilegio.

Es verdad también que tu apellido en algunas ocasiones me ha abierto algunas puertas aunque, en otras, me las haya cerrado. Tu apellido me ha abierto puertas, a veces, aunque otras me las haya cerrado. Gracias a toda esa sangre y sufrimiento derramados por ti, conocí la buena vida. Tu dinero me enseñó idiomas, países, buenos colegios; me hospedó en los mejores hoteles, me alimentó en los mejores restaurantes, me vistió en las más lujosas tiendas. Gracias a ti no conocí hasta muy tarde lo duro que es ganarse la vida.

Sin embargo, la culpabilidad que he sentido de forma intuitiva durante tantos años, ha sido una carga demasiado pesada para mí. ¡Las cosas, para comprenderlas, hay que vivirlas!

Ahora, después de tanto sufrir rebuscando en lo más recóndito de mi subconsciente, sé el porqué de mi rechazo al dinero, al poder, a la prosperidad. Ahora sé por qué, en mi fuero interno, los sentía como algo sucio, perjudicial. Eso es lo que aquella niña percibía. Debo a aquella etapa de mi vida, cuando aún era demasiado pequeña para discernir, la decisión inconsciente de renunciar a toda bonanza.

Yo capté e integré en mí una culpabilidad, la tuya, que me hizo sentir responsable de tanto dolor. Y, ya de adulta, incluso antes, empecé a regalar, a desprenderme, a mantener a personas que no lo merecían, a despilfarrar, casi nunca invirtiendo en mí misma. En fin, a desasirme por completo de ese peculio que, sin saberlo, consideraba contaminado por la maldad.

Me he arruinado dos veces sin saber por qué. La primera vez que sufrí aquella experiencia la consideré justificada. Me había desprendido de lo que había heredado de mi padre y por lo tanto de ti. Tenía que asumir las consecuencias. No fue fácil, acostumbrada, como lo estaba, a vivir más que desahogadamente.

Pero la segunda vez me deshice, no sé cómo, de mis bienes materiales, adquiridos por mis propios medios. Fue cuando empecé a darme cuenta de los pensamientos negativos subyacentes en lo más profundo de mi mente. Unos pensamientos que repulsan el bienestar económico por estar íntimamente relacionados con el abuso y el crimen.

Todavía no he conseguido sanar del todo esas falsas ideas acerca de la prosperidad. Espero lograrlo algún día porque también me he dado cuenta de que en este mundo, muchas cosas se adquieren o se tapan con dinero. Y que el honor de alguien depende mucho de su cuenta corriente.

Cuando yo aún gozaba del dinero que heredé de ti y de mi padre, poca gente me señaló con el dedo o se apartó de mí. Sin embargo, cuando me arruiné, las dos veces, muchas personas, conocidas y desconocidas, me rechazaron como si hubiesen podido contaminarse de mi descalabro económico. Entonces recordaron que yo era nieta de un dictador. Por ese motivo he intentado comprender tus razones de niño pobre y mísero que por fin consiguió el poder. Pero sólo porque durante toda mi vida seguiré siendo tu descendiente directa. Y, para poder separar a mi abuelo del político, necesito entender tu debilidad humana, esa que te hizo actuar como lo hiciste.

La familia es otro de tus legados. Una familia convencida de que tú eras un benefactor tanto para tu patria como para tu prójimo. Ellos se sienten amenazados o culpables y no quieren ver de frente cómo fueron realmente los acontecimientos de la "Era de Trujillo". Cuando he hecho pública mi opinión al respecto, su reacción ha sido querer destruirme. He sido objeto de amenazas y desprecio por parte de ellos por decir lo que siento. Curiosamente me han amenazado también aquellos que dicen estar en tu contra, aunque pueda parecer increíble.

Ahora, ya entrada en la madurez, quisiera "quedarme con mi abuelo", como un día me aconsejó Gerardo Iglesias, pero conociendo lo que era y aceptando que era el proceso de su paso por esta vida, y no el mío. Estar al tanto de su verdadera historia y no juzgarle, pues creo que sólo Dios, si existe, puede hacerlo. Seguir amándote, a pesar de todo.

Te quiero sin condiciones, sabiendo quién fuiste y quién eres ahora: el Ser de Luz que todos somos antes de nacer y después, cuando nos encarnamos, olvidamos. Ese Ser con el que, muchas veces, no volvemos a conectar durante toda nuestra vida hasta el momento de desprendernos de nuestro cuerpo.

El amor, contrariamente a lo que nos han enseñado, no es sufrimiento, es un regalo. Por eso hay que empezar por amarse uno mismo y no confundirlo con el egoísmo. El amor también es compasivo y quiero expresar mi compasión hacia ti. Sé que tuviste que padecer injusticias, miseria en muchos momentos de tu vida, ingratitud y también desamor.

Sé que mi madre te quería sinceramente. Me contó cómo lloraste en diversas ocasiones. Creo que ella es la única persona delante de la que pudiste demostrar tu dolor. Tuviste que llevar siempre la carga de tener que ser el más fuerte, frío e invencible de todos.

La vida me ha demostrado que los lazos de sangre no son los que realmente unen, sino los sentimientos y los hechos. Por eso he tenido que separar tus dos personalidades. Tu recuerdo viene a mi memoria cada vez que evoco mi infancia en Dominicana. Tú fuiste mi abuelo pero, si no fuese por el inmenso e inolvidable amor que yo recibí de ti, ya te habría destronado del altar de mi devoción. De hecho, hubo una época en la que me parecía que ya lo había conseguido. Sin embargo, no es así. Lo que sí he logrado es sustituir esa devoción ciega por un amor puro, consciente y verdadero.

Pero cuando veo los resultados de mis indagaciones sobre quién fue aquel político, Rafael Leonidas Trujillo, aunque reconozca que hiciste algunas cosas buenas por el país, no puedo aceptarte. Lo siento, abuelo, en el fondo me gustaría ser así y poder pensar únicamente en lo que a mí me interesa, olvidando al resto del mundo. Pero, por más que lo he pretendido, no lo he conseguido.

Muchas personas afi man que sufro innecesariamente. Aseguran que te juzgo demasiado severamente, que habría que haber estado en tu pellejo y en tu época para saber que no te quedó otra alternativa, y que tuviste que actuar como lo hiciste. Pero, aunque he intentado convencerme de que quizás esas personas tienen parte de razón, y he rebuscado en la historia de tu mandato para encontrar tus posibles virtudes, por más que he querido volver a mi ceguera anterior, no lo he logrado.

Ya sabes que yo tengo la creencia de que la vida no acaba con la muerte física si no, no estaría escribiéndote. Para mí, repito, tu espíritu es un Ser de Luz que no reconoció su verdadera divinidad. Por eso se llenó de miedo, ese sentimiento que nos hace sentirnos amenazados. Ese sentimiento de nuestro ego que puede llevarnos a hacer daño para sentirnos invulnerables, seguros, "poderosos".

Deseo que, después de tantos años transcurridos desde que abando-
naste esta vida, hayas podido alcanzar tu paz y tu divinidad tanto espiritual
como física. Sí, también física. Una vida material que sepa sanar todo el
daño que hiciste en la que fue tu existencia como gobernante absoluto de
un bello país que nos vio nacer a ambos.

Y así sea...

Con amor verdadero.

Aída

Cuando cerró el ordenador, Aída estaba extenuada y ligera al mismo
tiempo. Se metió en la cama y se durmió rápida y profundamente.

Al día siguiente sintió un fuerte deseo de irse sola a la playa de su infancia, Boca Chica. De un modo que ni ella hubiese podido explicar, sentía que
la carta que había escrito a su abuelo había llegado a su destino. Intuyó que
el mezclarse anónimamente con aquel pueblo, el suyo, que tanto había marcado el paso de su antecesor, le haría mucho bien. Necesitaba experimentar
la sensación de saberse liberada por el Perdón Verdadero.

—Mire, doña Aída —le aconsejó Serena, la inefable niñera—, lo primero
que usted tiene que hacer es caminar hasta "la Churchill" que está como
a tres cuadras de aquí. Cuando haya llegado allá, se para en una esquina y
espera a que pase un carro público. Pero... ¿y por qué se quiere ir sola?

—Cosas mías, Serena, cosas mías. ¡Ya tú sabes! ¡Ya tú me conoces un
poquito! —contestó riéndose.

—Cuando llegue a su destino, pregunte en donde paran las guaguas que
van a Boca Chica. Ya verá que, caminando despacito llegará a la estación en
dos minutos. Pero, eso sí, doña, coja "la Metro", que por cincuenta cheles
más, es la única que tiene aire acondicionado.

—¡Ah! —continuó Serena—, y mientras usted se viste, yo le voy a preparar unos sanwichitos. ¡Comer en Boca Chica se ha puesto muy caro!

Antes de que Aída saliera de la casa, Jimena, su sobrina, bajó de su habitación con un libro en las manos y le dijo: —Tía, si quieres saber algo más
sobre mi bisabuelo...

—¿De qué trata ese tomo, bella? —preguntó ella.

—Pues... aunque no lo he leído entero... habla de algo así como que tu
abuelo, acogió aquí, en la República Dominicana, en la terrible época en la
que fueron perseguidos por Hitler, a muchos judíos. Y que,
curiosamente,

fue en donde tú tienes tu terrenito, tía, en Sosúa. Aunque, también hablan de Samaná…

—¿Ah sí? —preguntó nuevamente Aída, interesada.

—¡Sí, sí, tía! Y, aunque algunos comentan que el bisabuelo no lo hizo con fines humanitarios… El caso es que "lo hizo"… que es, al fin y al cabo lo que importa, ¿no?

—¿Y con qué otros fines podría haberlo hecho, Jimena?

—Pues… unos dicen que si por "blanquear la raza", otros que si cobró un millón de dólares, otros que si… ¡Ay, tía, yo qué sé! Pero, la verdad es que él les salvó de una muerte segura, ¿no?

—Claro que sí, mi amor, claro que sí. No importa demasiado el porqué… lo importante es que "lo hizo".

Después de despedirse de ella y de Serena, Aída salió y durante un buen rato deambuló, perdida, bajo el sol ardiente de Santo Domingo.

Utilizó por primera vez el transporte público de Dominicana. Dentro del coche hacía aún más calor que afuera y todos, menos el conductor, iban como sardinas en lata.

Cuando llegó a su destino y Aída preguntó al chofer cuánto le debía, él intentó aprovecharse, pidiéndole más dinero del estipulado. ¿Cuál no sería su sorpresa cuando, al ir a pagar, los demás ocupantes del coche, indignados, lo amonestaron enérgicamente?

—¿Y desde cuándo este trayecto cuesta tanto dinero? ¡Déjese de vainas! —gritaron al unísono, echándole un auténtico boche.

La diferencia de precio era exigua, sin embargo Aída se consideró protegida por sus compatriotas, y se sintió alborozada al ver la solidaridad con que aquella gente humilde se comportaba. El hombre, avergonzado, dijo que se había equivocado y devolvió el exceso de dinero. Aída dio las gracias a sus compañeros de viaje. Luego se sumergió en aquel céntrico barrio, popular y pintoresco. No tenía prisa y deambuló por los alrededores durante un tiempo considerable, escrutando cada casa, cada tienda y cada rincón.

Se paró frente a una tiendecilla en la que vendían raíces y plantas medicinales y preguntó a una elegante mulata que estaba colocando algunas afuera, tratando de emular su mejor acento dominicano: —doña, ¿cuánto cuesta esa planta de sábila?

—Esa e muy grande. Cueta sincuenta peso. —le contestó la muchacha intuyendo que ella era extranjera.

—Pero, doña, ¿usté se ha vuelto loca? Mire, aunque a usted no le parezca que yo soy de aquí, porque es verdad que hace muchos años que vivo en España, yo soy dominicana. Y sincuenta peso es demaciado caro. Le doy la mitad.

La mujer puso cara de desconfianza pero acto seguido, con la parsimonia que caracteriza a los nativos de Dominicana, empezó a poner la planta en una bolsa plástica. Daba por hecho que su cliente iba a adquirirla en el precio que ella le había pedido. Aída no le quitaba el ojo y esperaba una reacción suya que no tardó en manifestarse.

—¡Mira, mija, no me venga con vaina! ¿Cómo va ser que tú ere de aquí? ¡Tú ere española!

—¡Ah!, ¿no me cree, doña?... —contestó Aída, divertida.

—No e que no te crea, mija... pero tú no ere de aquí. Y... ¡eso se nota! —replicó la mulata introduciendo directamente la bolsa y su contenido en el cesto de playa de Aída.

— ¡Ah! Y... ¿en qué "se nota", doña? —preguntó Aída.

La joven no quiso contestar. Aunque el dominicano suele ser muy abierto, muy extrovertido, cuando se ve en lo que considera un apuro, acostumbra a quedarse callado y a hacer como si no hubiese escuchado lo que le están diciendo.

—¡Claro que soy dominicana! —exclamó Aída, riendo— Y se lo voy a demostrar... —recordó que llevaba su antiguo pasaporte dominicano, ya caducado, en el bolso. Solía hacerlo cuando viajaba a su país con el propósito, que nunca cumplía, de renovarlo porque hacerlo en Madrid era muy costoso— Mire, doña... —continuó, al tiempo que le enseñaba el documento, sin abrirlo para que no pudiese ver su apellido.

La mulata abrió los ojos de par en par y sin poder disimular su sorpresa exclamó: — ¡Ay, mija... pero tú si que te ha blanquiao!

A Aída, aquella inesperada reacción le produjo un carcajeo interior que intentó disimular para que la mujer no creyese que se estaba burlando de ella. Pero esas inocentes y graciosas palabras, resultaron ser una divertida anécdota que ella contó, y siguió contando, durante mucho tiempo a sus amigos.

La cándida contienda se solucionó de manera provechosa para ambas. Aída pagó veinte pesos por la planta y dio a la muchacha otros diez de propina. Lo ocurrido le había hecho reír sanamente y le había hecho sentirse feliz conectando con esa parte de su pueblo tan naïf y tan peculiar.

Cuando llegó a la parada de la guagua ésta ya había llegado y el conductor esperaba a que fuera ocupada en su totalidad. Hasta que eso sucediera él no estaba dispuesto a arrancar. Aquella era una ley tácita que todo el mundo respetaba. A nadie se le hubiese ocurrido protestar por el retraso en la salida. Lo natural era que el chofer pusiese en marcha el vehículo cuando ya no cupiese nadie más. Aída, que ignoraba el asunto, preguntó a una señora que había llegado antes que ella que a qué hora salía el autobús y la mujer le contestó, lisa y llanamente, que cuando se llenara. Aunque ella insistió, temiendo que la espera fuese demasiado larga, la mujer se encogió de hombros sin entender a cuento de qué se podía tener tanta prisa.

Por fin el autobús se atestó de gente y arrancó rumbo a su destino. El vehículo recorrió una carretera que a Aída le resultaba tremendamente familiar y no sólo por ser la misma que conducía al aeropuerto, que se encontraba a menor distancia de la capital que Boca Chica.

Pero, a Aída, el trayecto hasta aquella playa le evocaba familia, hermanos jugando y peleando, y también la presencia de su padre junto a su madre. De pronto recordó a Dulce, la cocinera, y cuando ella se colaba en la cocina a robarle masa cruda del bizcocho, lista para hornear. La mujer la regañaba, siempre amorosamente, advirtiéndole que aquel engrudo podría hacerle daño: —¡No coma eso, mi amol, despué le va a dolé la barriguita! —le decía cariñosamente ofreciéndole una galleta casera de coco para no frustrar su deseo de golosina.

A ambos lados de la carretera había numerosos puestos en los que se vendía fruta, agua de coco, conchas del mar y peces globo disecados, además de mandíbulas de tiburones también secas. Había además un puesto de la Policía Nacional donde sus agentes intentaban, infructuosamente, parar a cuanto coche pasaba para ver si podían sacarle algunos pesos.

Cuando la guagua llegó a su destino, Aída cogió su bolso y se dispuso a buscar algún chiringuito en donde pasar el día. Vio un bar, de los muchos que daban directamente a la playa, donde ondeaba la bandera dominicana, y sintió el impulso de quedarse allí. Se sentó en una silla, junto a una mesa que estaba situada a tres escasos metros del mar, en donde Aída se bañó varias veces.

Acunada por la calidez de sus aguas, Aída tuvo la certeza de que estaba empezando a perdonar a su abuelo, a su familia, a su tierra y, sobre todo a ella misma. Se sentía pletórica de felicidad, disfrutando inmensamente de aquella soledad que ella misma se había regalado. Dio gracias al Universo por haberle concedido el privilegio de estar rodeada de aquel paraje tan querido y tan hermoso.

Dio buena cuenta de los bocadillos que le había preparado Serena, e intentó leer. Pero, ¡demasiado tenía ella en la cabeza como para invitar a otros, aunque fuesen personajes de ficción, a unirse a sus pensamientos!

Después de aquellos instantes en los que dejó vagar a su mente con toda libertad, se dispuso nuevamente a nadar, alejándose de la playa para estar aún más sola. Y fue cuando, de repente, como solía hacerlo, se le apareció Criterio, flotando a su lado, muy sonriente y empuñando una "piña colada".

—¡Qué susto me has dado, pendejo! —gritó Aída—. Ya sabes que me encanta bañarme en el mar pero que siempre temo que se me aparezca algún tiburón o algo así.

—¡Je, je! —rió Criterio— ¡Si sólo he venido a felicitarte! Fíjate en lo grande y fuerte que me he hecho. ¡Ah! y, por supuesto, ya me conoces… je, je… vengo a darte un consejo.

—Sí, claro… Pero reconoce que has elegido un momento inadecuado y un lugar un poco raro, ¿no? Venga, Criterio, habla de una vez, ¿qué quieres esta vez?

—Vengo a manifestarte mi deseo de que sigas escribiendo y de que publiques lo que escribas. ¡Hasta luego Aidita! —Y, tras haber pronunciado aquellas palabras, Criterio desapareció zambulléndose en el agua.

El tiempo transcurrió apacible y rápido. A eso de las seis de la tarde, sabiendo que en breves momentos el sol se escondería, Aída decidió regresar a Santo Domingo. Aquella tarde se sentía inocente, más inocente que nunca. Y, como no se sabe lo que uno puede sentir al día siguiente, Aída decidió deleitarse en su inocencia.

Carpe Diem, se repitió más de una vez, como lo hacía cuando se obsesionaba pensando en el futuro, algo que, como todos sabemos, no existe. Algún día iba a poder decir de quién era nieta en ese país, el suyo. Sabía que, reaccionase como reaccionase la gente, ella se iba a poder sentir segura. Porque ella había tenido el valor de reconocer TODO, pero siempre, y para siempre, con AMOR un amor que iba dirigido tanto a la figura de su abuelo como a los que habían sido perjudicados por él. O que, por el contrario, habían sido los artífices de cualquier daño que él hubiese podido, como todo ser humano, sufrir.

Recogió sus cosas, se peinó y se puso encima del bikini, todavía húmedo, la misma ropa que se había puesto en la mañana. Decidió que compraría algunos "chuches", conchas o algo así, en uno de los tantos tenderetes que atestaban la zona, para llevar un souvenir a algún amigo. Aquello ayudaría, aunque fuese solo un poquito, a la economía de aquella gente comerciante y playera, SU GENTE.

Pero, antes de salir del chiringuito, que la había acogido en su especial y agradable periplo, y emprender el viaje de vuelta a la capital, Aída volvió la cabeza. Quería admirar, hasta la próxima vez que, como "Certidumbre de Regreso" le había vaticinado, volvería a contemplar, aquella querida playa, la maravillosa Boca Chica, de arena fina y blanca, de aguas color turquesa, cálidas y transparentes.

19303156R00190

Made in the USA
Middletown, DE
04 December 2018